WINE ODYSSEIA

와인 오디세이아

FRANCE

추천의 글

와인에 대한 해박한 지식과 열정으로 유럽의 저명 와이너리들을 찾아가 시음을 하고, 스토리를 발굴하고, 여행정보까지 꼼꼼히 수록한 탁월한 저서이다. 전문가다운 섬세하고 속 시원한 리뷰와 더불어 음식과의 페어링Pairing(궁합), 주변 레스토랑과 관광지를 안내하는 것에도 소홀함이 없다. 이 책은 오직 저자에 의해서만 씌어질 수 있는 유럽 와이너리 가이드북이다. 나도 전 세계 27개국의 와이너리 투어를 다녔지만, 특히 수차례 저자와 함께했던 와이너리 투어는 감동과 추억으로 남아 있다. 저자는 일찍이 프랑스 보르도 경영대학원에서 세계 최초로 와인 MBA를 이수하고, 경희대학교 관광대학원에서 후학들을 가르쳤던 와인 전문가로서 명성이 높다.

고재윤 _한국국제소믈리에협회(KISA) 회장, 경희대학교 관광대학원 와인소믈리에학과 고황명예교수

저자와 나는 국제적인 와인 클럽 'IWFS, Seoul Decanter'의 공동의장을 맡고 있으며, 저자의 사무실과 내가 사는 곳이 같은 동네에 있어서 종종 함께 와인을 즐긴다. 나는 저자만큼 와인에 대한 식견과 애정을 지닌 한국인을 지금껏 만난 적이 없다. 유럽 와인에 대한 정보, 지식, 경험이 고스란히 담겨 있어, 이 책을 펼치면 마치 그와 함께 와이너리 투어를 하는 기분이 든다. 이런 저자를 친구로 두고 있다는 것은 나의 자랑이며 행운이다.

스테판 블랑샤르 _샤넬 코리아 사장, IWFS, Seoul Decanter 회장

외교관으로 살아오면서 와인을 늘 가까이했다. 오랜 시간 와인과 함께하면서 분명해진 생각이 있다. 그것은 와인을 함께한 사람은 영원히 남는다는 사실이다. 저자와 나도 그런 관계다. 20여 년 전 해외 공관에 근무할 때 처음 만났던 저자는 유난스러운 와인 애호가이자 전문가였다. 지금은 거기에 깊이와 통찰이 보태졌다. 언젠가 세계의 저명 와이너리들을 여행하고 싶다는 소망을 가진 모든 이들에게 『와인 오디세이아』는 최고의 가이드다. 와인과 함께하는 인생의 기쁨을 만끽하게 해줄 것이므로.

오 준 _세이브 더 칠드런 이사장, 전 유엔 대사

WINE ODYSSEIA

와인 오디세이아

JJ SONG

FRANCE

파람북

내 인생의 와인

와인의 매혹

술을 좋아하지 않는 사람이라 해도 누구나 인생에서 한 번쯤 와인을 만난다. 다만 혼잡한 도시의 일상 속에서 만나는 무연한 얼굴들처럼 무관심 속에 그저 스쳐 지나갈 뿐이다. 그러나 누군가에게는 단 한 번의 우연한 경험이 인생의 '결정적 순간'을 만들어주기도 한다. 세계적인 와인평론가 잰시스 로빈슨Jancis Robinson 또한 그랬다. 그녀의 인생에서 가장 중요한 전기가 되었던 것은 옥스퍼드Oxford 대학에 재학 중이던 무렵 우연히 맛본 샹볼-뮈지니 레자무뢰즈Chambolle-Musigny Les Amoureuses 한 잔이었다.

대학 시절 나는 태풍 사라호 때문에 탄생한 드라이 타입의 애플와인 '파라다이스'를 좋아했다. 그 후 주로 해외에서 직장생활을 할 때부터 회사를 경영하고 있는 지금까지 나에게 와인은 언제나 좋은 친구이며, 항상 내 곁을 지키고 있다. 잔에 와인을 채울 때마다 이따금씩 내가 전생에 유럽 어느 마을에서 포도원을 일구는 농장주는 아니었을까, 내 혈관 속에 와인의 붉은 DNA가 흐르고 있지는 않을까 하는 생각이 들곤 한다. 와인과 처음 인연을 맺었던 먼 옛날 청춘의 어느 날부터 직업과 무관하게 인생의 대부분을 함께해왔으니, 내게는 와인이 가장 소중하고 애틋한 인생의 동반자라 할 만하다.

굳이 내 인생을 둘로 나누어본다면 그것은 와인과 함께할 때와 그렇지 않은 시간이다. 와인과 함께한 매 순간의 내 인생은 언제나 순수하고 행복했다. 그렇지 않은 시간은 치열한 삶의 현장이었다. 와인을 인생의 중심에 두면서 업으로 삼지 않았던 것은 와인에 대한 열정의 순수성을 지키고 싶어서였다. 그 마음은 지금도 다르지 않다. 나는 여전히 많은 비용과 시간을 들여 전 세계의 와이너리와 와인을 찾는 여정을 계속하고 있다. 물론 그 시간과 비용을 계산해본 적은 없다. 다만 그간의 체험들이 내 인생을 행복하게 하고 있다.

와인이 한 사람의 인생에 미친 절대적인 영향에 대한 이야기는 무수히 많다. 특히 '저주받은 천재 시인' 보들레르가 시집 『악의 꽃Les Fleurs du mal』이 미풍양속을 해친다는 이유로 벌금형 판결을 받아 가산을 탕진하고 생의 나락으로 떨어졌을 때, 그를 지독한 우울의 늪에서 구원해준 것은 보르도 와인 샤토 샤스-스플린Château Chasse-Spleen이었다. '슬픔이여 안녕' 정도로 해석될 이 와인의 이름은 보들레르가 헌정했다고 한다. 와인의 무엇이 사람을 매료시키는 걸까? 무엇으로도 대체될 수 없는 와인의 매혹이란 도대체 무엇일까?

문명과 자연의 연금술

"와인은 세상에서 가장 문명화된 것 중 하나이며, 동시에 가장 자연적인 것이기도 하다Wine is one of the most civilized things in the world and one of the natural things of the world."

유난히 와인을 사랑했던 어니스트 헤밍웨이Ernest Hemingway가 1932년 스페인 마드리드에서 쓴 투우 소설 『오후의 죽음Death in the Afternoon』에서 서술한 이 문장만큼 완벽한 와인의 정의를 나는 지금껏 그 어디에서도 발견한 적이 없다. 와인은 포도 자체의 생화학적인 작용에 의해 탄생한 천연 알코올음료이지만, 헤밍웨이의 비유처럼 감성이나 각자의 의식에 따라 무한히 가치가 확장되는 문화상품이기도 하다. 경제학에서 말하는 '물과 다이아몬드의 역설Water-Diamond Paradox' 이론이 적용되는 대표적인 상품이다. 그래서 와인의 트렌드도 문명의 발달과 함께 끝없이 변화·진화하고 있다. 포도 재배 농법, 품종, 양조 스타일, 레이블, 병마개와 포장 방법뿐만 아니라, 음식과의 조화 등 와인 에티켓의 변화가 대표적이다.
언제부터 인간이 와인을 발견하고 마셨는지에 대한 구체적인 자료는 없다. 그러나 야생포도가 표면에 붙은 천연효모에 의해 자연 발효된 와인을 마신 것은 확실하다. 와인은 100퍼센트 포도를 자연 발효시켜 만들기 때문에 제조 공정에 복잡한 기계 장치와 여타의 화학물질, 고도의 추출 기술 같은 인위적 개입이 적다. 그만큼 원료인 포도의 품질이 차지하는 비중이 높아 가장 자연과 가까운 술이라 할 수 있다. 알코올 도수가 낮고 풍미가 뛰어난 것이나, 신의 음료에 비유하는 것 또한 이 때문일 것이다.

포도 한 알 속의 우주

와인의 모든 비밀은 1차적으로 포도에 담겨 있다고 할 수 있다. 와인의 종류가 헤아릴 수 없이 많은 것도 와인을 만드는 데 쓰는 포도가 다양하기 때문이다. 수천 종에 달하는 포도의 품종과 포도나무가 자라는 각각의 테루아Terroir, 해마다 다른 기후와 그리고 와인을 만드는 사람들 특유의 양조 방식 등 이 모든 조건들이 만들어내는 조합의 수는 그야말로 '하늘의 별'만큼 많다.
장석주 시인은 자신의 시 「대추 한 알」에서 대추 한 알도 저절로 붉어질 리 없으며, 그 안에 태풍과 천둥과 벼락이 들어 있어 붉게 익는 것이라고 말한바 있다.

참으로 놀라운 관조와 통찰이라 할 만하다. 마찬가지로 포도 한 알에도 자연의 이력과 신비가 담기지 않을 리 없다. 작렬하듯 내리쬐는 한낮의 태양과 넝쿨 사이로 불어오는 저녁나절의 선선한 바람 그리고 간밤에 다녀간 소나기, 어디 그뿐이겠는가. 배수가 잘되는 거친 토양 깊숙한 곳에서 영양분을 빨아올리는 실낱 같은 뿌리와, 온몸으로 햇빛을 받아들여 부지런히 당분을 만들어내는 이파리까지, 열매를 맺기 위한 포도나무의 꿈틀거림은 그야말로 사투에 가깝다. 거기에 그 노고에 대한 위안처럼 부드러운 흙내음과 붉게 물든 서쪽 하늘의 황홀이 스미고 고요한 밤하늘의 달빛과 별빛도 내려앉고, 달디단 내음을 따라 곤충들과 미생물들이 다녀간다. 복잡미묘한 자연의 법칙에 따라 스미고 적시고 흔드는 이 모든 것들이 포도 한 알에 담긴다.

와인이 인생을 만날 때

빼놓은 것이 한 가지 있다. 인간의 땀과 정성스러운 손길이다. 인간에 의해 가꾸어지고 거두어진 포도가 압착 과정을 거치면서 효모(이스트)가 당분을 만나 알코올을 생성한다. 처음에는 다소 야성적인 맛을 풍기지만, 시간이 지남에 따라 맛이 깊어지고 성숙해진다. 이제부터는 포도가 아닌 포도즙이 익어가는 시간이다. 와인은 병 속에서도 숙성되고, 우리가 마실 때까지 살아있기를 멈추지 않는 생명의 술이다. 와인은 단지 알코올에만 집중하지 않는 절제의 술이기도 하며, 조화로운 음식이나 좋은 사람과의 흥미로운 대화가 곁들여질 때 더욱 진가를 발휘하는 관계와 소통의 술이기도 하며, 문화와 예술과 철학이 함축되어 있는 인생의 술이기도 하다. 이 모든 매혹과 신비가 한 잔의 와인에 담긴다. 잔을 들고 불빛에 비추어보면 예민한 사람들은 포도가 자라던 포도원의 완만한 구릉과 대지와 바람과 햇빛, 포도넝쿨에 젖어드는 저녁놀과 부드러운 흙내음 그리고 천둥

몇 개, 벼락 몇 개……. 이 모든 것들이 들려주는 이야기를 들을 수 있을 것이다. 그러니 어떤 와인이 좋은 와인이냐고 묻지 마시라. 지금 당신 손에 들려 있는 와인이 가장 좋은 와인이며, 당신의 인생이니까.

지구를 다섯 바퀴 돌고 쓴 책

출판사에 원고를 넘겨주기로 약속했던 날로부터 2년이나 늦어졌다. 회사 일과 코로나 19 사태 등 예상치 못한 사정 때문이었지만, 스스로 만족할 수 없는 내용 때문이기도 했다. 즉, 《주간조선》과 《주간경향》에 연재했던 내용을 단순히 묶어 출간하려던 처음 계획이 점차 욕심으로 바뀌어서이다. 지난 30년간 수집한 방대한 자료와 직접 촬영한 사진을 혼자만 두고 보자니 아깝기도 하였다. 이 책은 와이너리 기행문이지만, 방문지의 역사·문화·예술에 대한 부분의 설명도 곁들였다. 서구에서의 와인은 이러한 문화적 배경을 통해 발전해왔기 때문이다. 따라서 여행의 참고서도 겸하지 않을까 기대한다.

또한 서문을 쓰면서 전 세계의 와인과 와이너리를 찾아다녔던 여정이 어림잡아 20만 킬로미터를 넘었다는 것을 깨닫고 책명을 '와인 오디세이아Wine Odysseia'로 명명하였다. 감히 트로이 전쟁의 영웅 오디세우스Odysseus 왕의 10년간의 귀향모험담과 비견할 수는 없겠지만 지구 다섯 바퀴를 돌아야 하는 거리이다. 그동안 방문했던 지역과 와이너리가 워낙 방대해 이 책에서는 구대륙의 일부 와이너리로 한정하였으며, 신대륙과 독일 그리고 동유럽 등은 훗날을 기약하기로 했다.

끝으로 이 책의 출간을 가능하게 해준 소중한 분들에게 감사를 드려야겠다. 나의 첫 번째 와인 책인 『와인 & 와인너리』를 출간했던 박광성 대표가 많은 도움을 주셨고, 출판을 맡아주신 파람북출판사의 정해종 대표에게 특별히 감사드린다. 그리고 나의 와이너리 방문을 주선해주신 와인 수입사, 프랑스의 소펙사

SOPEXA, 주한 이탈리아 대사관, 오스트리아의 비에비눔VieVinum 관계자 들에게 감사한다. 바쁜 시간 속에서도 따뜻하게 환영해준 와이너리 관계자들과 특히 이 책에서 지면 관계상 일일이 소개하지 못한 와이너리들에 고마움을 표하고 싶다. 네비게이션이 없던 시절 지도를 더듬어가며 길을 찾고, GPS가 끊긴 험준한 시골길에서 길을 잃고 헤매면서도 항상 함께했던 아내와 나만큼이나 와인을 사랑하고 이해해준 두 아들 찬중, 세중에게 고마움을 표한다. 언제나 변함없는 우정으로 와인과 함께 인생을 논해왔던 친구들, 부족한 나의 강의를 경청해주었던 제자들과 와인클럽 멤버들에게도 이 지면을 통해 감사드린다.

2021년 봄

효자동, 와인초당臥人草堂에서

송 점 종

일러두기

1. 이 책은 전문도서가 아닌 와이너리 기행문이다. 다만 이 책을 이해하는 데 필요한 전문용어는 찾아보기와 함께 본문에서 간단하게 설명했다.
2. 이 책은 『프랑스편』과 『유럽편』 2권으로 구성되어 있기에 『프랑스편』에서 이미 설명한 용어는 『유럽편』에서 다시 언급하지 않았다. 따라서 독자들은 『프랑스편』을 먼저 읽기를 권한다.
3. 와이너리, 지명, 인명 등 고유명사와 전문용어는 처음 언급한 곳에서 원문을 병기하였으며, 한글로 표기한 외국어 발음은 외국어 전문가의 의견과 국립국어원의 외국어 표기법을 절충하여 본토 발음에 가깝게 들리도록 표기하였다.
4. 주요 와인 생산 지역의 지도에는 본문에 언급된 방문의 순서와 일치하도록 방문지에 일일이 번호를 매겼다. 따라서 독자들은 이 번호와 본문을 대조하면서 읽을 수 있고, 향후 와이너리 여행 시에 참고지도로 활용할 수도 있을 것이다. 다만 축척은 고려하지 않고 와이너리 중심으로 제작하였다.
5. 매 페이지에 본문과 관련된 사진을 함께 게재하고 일일이 캡션을 달아 설명하였다. 따라서 사진을 통해서도 이 책을 어느 정도 이해할 수 있을 것이다.
6. 여러 차례 방문했던 특정 지역과 와이너리는 1회 방문한 것처럼 재구성하여 집필한 관계로, 방문일정이나 계절적인 면에서 모순이 있을 수 있다.
7. 이 책은 예전에 《주간조선》과 《주간경향》에 연재했던 나의 와인 칼럼을 참고하고, 지난 30년간의 와이너리 여행을 재구성하여 집필한 것이다. 따라서 일부 와이너리에 관한 내용은 최신 자료를 찾아 보완하고자 노력하였으나, 오류가 있을 수 있으니 독자의 이해를 구한다.

프랑스 주요 와인 생산 지방

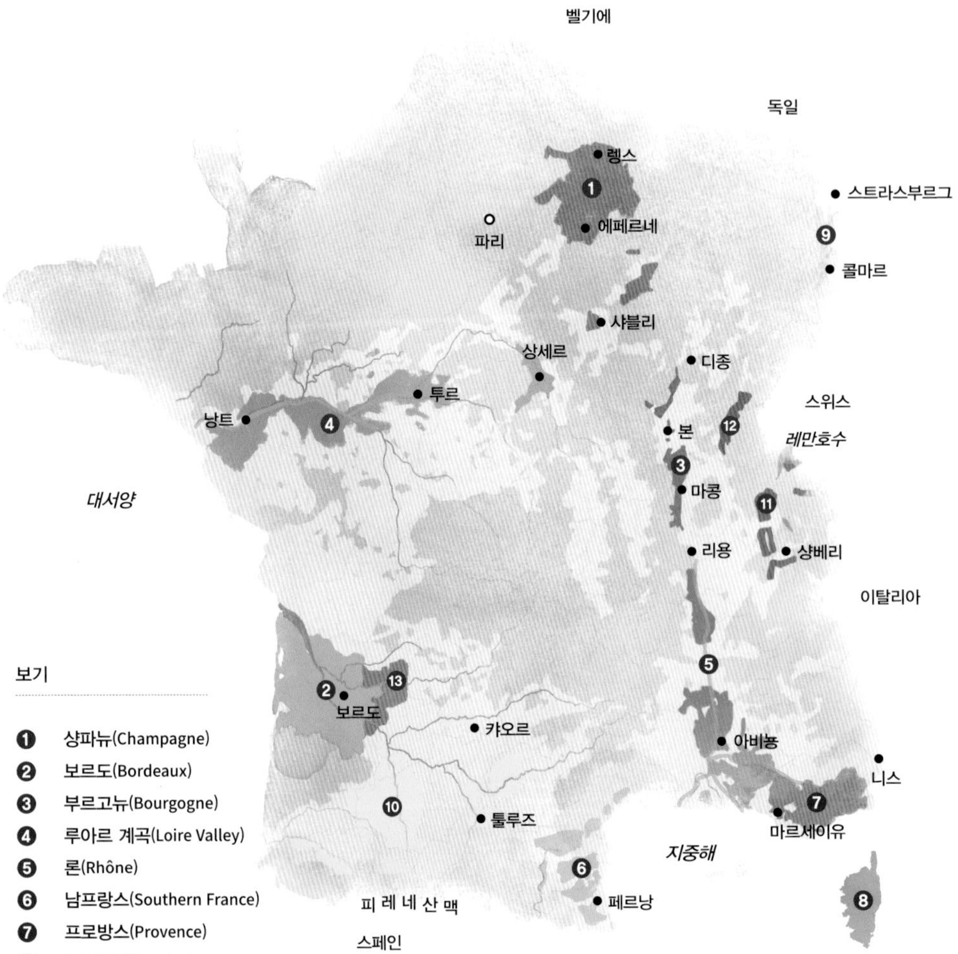

보기

1. 샹파뉴(Champagne)
2. 보르도(Bordeaux)
3. 부르고뉴(Bourgogne)
4. 루아르 계곡(Loire Valley)
5. 론(Rhône)
6. 남프랑스(Southern France)
7. 프로방스(Provence)
8. 코르시카(Crosica)
9. 알자스(Alsace)
10. 남서부(Southwest)
11. 사부아(Savoie)
12. 쥐라(Jura)
13. 도르도뉴(Dordogne)

프랑스는 예술의 나라로 우리에게 각인되어 있지만, 세계의 와인산업을 이끄는 와인의 나라이기도하다. 와인도 문화의 일부라고 할 때, 프랑스는 확실히 문화대국임에 틀림없다. 지금은 젊은이들의 음주패턴이 저알코올 술인지라 와인의 소비가 줄었지만, 한때 국민 1인당 연간 와인 소비가 100병에 육박하기도 하였다. 국제와인기구OIV가 2020년 추정한 프랑스의 와인 총 생산량은 43.9MHL(MHL=1억 리터)로 이탈리아에 이어 세계 2위를 기록하고 있다. 그러나 세계의 고급 와인시장은 여전히 프랑스가 선도하고 있다. 프랑스는 우리에게 잘 알려진 AOC 지역을 비롯한 전 국토가 와인 생산지라 하여도 과언이 아니다. 1855년 파리 만국박람회 때 결정된 보르도 그랑 크뤼 등급제도Grand Cru Classé가 보르도 지방의 고급 와인을 세계에 알리는데 일조하였다면, 1930년대에 도입된 원산지 명칭 통제제도인 AOCAppellation d'origine contrôlée 체계는 프랑스의 전반적인 와인산업을 발전시킨 일등공신이다. 정부기구인 원산지 명칭 통제국(INAO)에서 포도 생산 지역, 포도 품종, 면적당 수확량, 알코올 도수, 재배 방법과 양조 과정까지 엄격히 심사하여 원산지 명칭(AOC)을 부여한다.

물론 이렇듯 엄격한 AOC 제도는 신세계와 같이 다양한 스타일의 와인을 만들기 위한 새로운 실험이나 창조정신을 막는 장애요소가 되기도 한다. 그러나 이탈리아나 스페인처럼 구세계에서는 여전히 품질 관리를 위한 최선의 방법으로 AOC와 유사한 제도를 도입하여 운영하고 있다. 제2차 세계대전 이후 AOC 제도는 와인뿐만 아니라 치즈·버터 등 주요 농산물에까지 확대 적용되고 있다. 그동안 프랑스는 와인의 품질체계를 최고등급인 AOC와 함께 VDQSVin délimité de qualité supérieure, 뱅드페이Vins de Pay, 뱅드타블Vins de Table 등 총 4개 등급으로 분류하여 관리하여왔다. 2010년부터 EU 통합에 따라 AOC는 VDQS를 제외한 3개 등급인 AOPAppellation d'Origine Protégée로 개편되었다. 그러나 여전히 AOC가 통용되고 있으며, 이 책에서도 이해의 편의를 위해 기존의 AOC 표기법을 그대로 인용하였다.

수확이 한창인 샹파뉴 지방 랭스 근교의 가을 포도밭 풍경. 지평선 끝까지 광활하게 펼쳐져 있다.

Champagne

샹파뉴(Champagne)

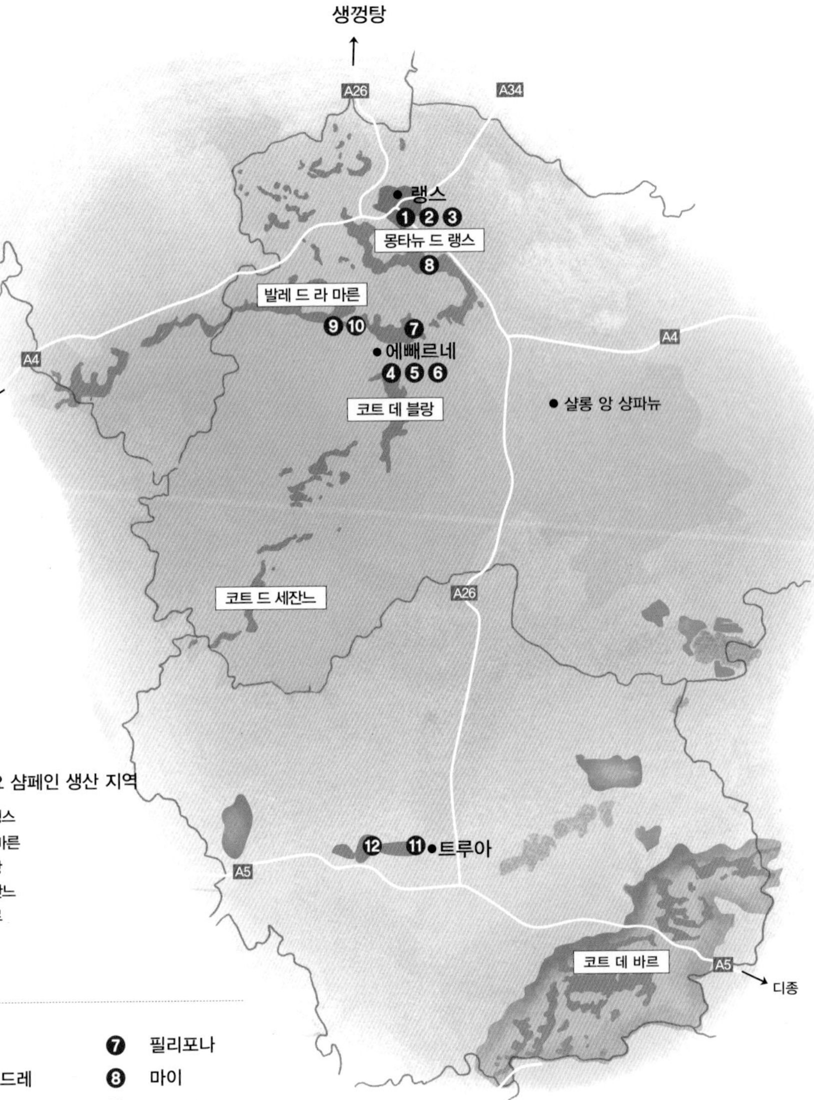

주요 샴페인 생산 지역

- □ 몽타뉴 드 랭스
- □ 발레 드 라 마른
- □ 코트 데 블랑
- □ 코트 드 세잔느
- □ 코트 데 바르

주요 방문지

1. 랭스
2. 루이 로드레
3. 파이퍼 하이직
4. 에페르네
5. 폴 로저
6. 모엣 에 샹동
7. 필리포나
8. 마이
9. 오빌레
10. 조셉 데뤼에
11. 트루아
12. 몽구

축제와 귀족의 와인 샴페인

대부분의 재위 기간을 전쟁터에서 보냈던 나폴레옹 보나파르트Napoleon Bonapart 황제는 일찍이 "승리의 기쁨을 샴페인Champagne으로 축배하고, 패배의 아픔 또한 샴페인으로 달랜다"라고 하였다. 살롱 문화를 꽃피웠던 루이 15세의 정부였던 퐁파두르Pompadour 여후작은 "샴페인은 마신 후에도 여인의 아름다움을 변하지 않게 하는 유일한 술이다"라고 극찬했다.

샴페인은 한때 일반 서민들이 접근할 수 없었던 황실과 귀족들의 전유물이었지만, 지금은 누구나 즐기는 축제의 술로 자리매김했다. 그것은 샴페인의 상큼하고 우아한 풍미와 끝없이 피어오르는 현란한 거품의 화려함 속에서 느낄 수 있는 고급 문화와 아름다운 예술적 이미지 때문일 것이다.

샴페인 여행은 세계의 미식가들이 동경하는 중세 부르고뉴Bourgogne 공국의 수도인 디종 Dijon이나 파리에서 출발하여 샹파뉴Champagne 지방의 중심도시인 랭스Reims나 에페르네Épernay에 묵으면서 샴페인 명가들을 방문하는 식으로 하는 것이 좋다. 샹파뉴 지방은 여러 차례 방문했지만, 가을 단풍이 물든 포도 수확기가 끝나고 방문한것은 이번이 처음이다. 프랑스에서 가장 북쪽에 위치하고 기온이 낮아 이 시기에 가장 아름다운 풍경을 연출한다. 작년 겨울에는 샹파뉴의 눈 내리는 포도원 풍경을 사진에 담기 위해 방문했지만 도착 며칠 전부터 이상기후로 비가 내려 실망한 적이 있었다. 이번 여행에서는 러시아 황제의 샴페인 크리스탈Cristal로 유명한 루이 로드레Louis Roederer, 윈스턴 처칠Sir Winston Churchill 샴페인 생산자인 폴 로저Pol Roger처럼 역사와 전통을 자랑하는 샴페인 명가와 작은 규모지만 자체 포도밭에서 수확한 포도로 최고 품질의 샴페인을 만들고 있는 필리포나Philipponnat 그리고 협동조합 형태로 생산하고 있는 마이Mailly를 방문하는 기회를 가졌다. 또한 작지만 개성있는 샴페인을 생산하고 있는 조셉 데뤼에Joseph Desruets와 한때 샴페인 지방의 중심도시였던 트루아Troyes를 새롭게 방문하였다.

프랑스 샹파뉴 지방의 샴페인 양조 방식으로 만든 스파클링 와인만이 '샴페인'이다

샴페인은 샹파뉴의 영어 발음으로 지금은 지역명보다는 이곳에서 생산하는 스파클링 와인으로 세계에 더 잘 알려져 있다. 샴페인 양조 방식Méthode Champenoise으로 생산된 이 지방의 스파클링 와인Sparkling Wine만이 '샴페인'이란 명칭을 사용할 수 있도록 법으로 보호받고 있다. 스파클링 와인은 전 세계 와인 생산국에서 다양한 방법과 스타일로 생산되고 있지만, 아직도 샴페인의 품질과 명성을 능가하지는 못하고 있다. 스파클링 와인을 스페인에서는 카바Cava, 이탈리아에서는 스푸만테Spumante(모스카토Moscato로 만든 것은 아스티Asti, 글레라Glera로 만든 것은 프로세코Prosecco라고 한다), 독일에서는 젝트Sekt, 샴페인 이외 지역의 프랑스에서는 크레망Crémant, 남아프리카에서는 캡 클라시크Cap Classique라고 부른다. 미국에서는 생산지 명칭을 함께 표시하면서 일부 샴페인이라는 명칭을 사용하고 있다.

샴페인은 이 지방 특유의 기후와 토양과 더불어 자연과 인간이 만들어낸 특별한

포도 수확 작업 중 포즈를 취해주는 젊은이들. 광활한 샹파뉴 지방의 포도밭이 마치 바다처럼 느껴진다.(위) 포도를 일일이 손으로 수확하는 노동자. 화려한 샴페인 거품은 힘든 노동의 대가이기도 하다.(아래)

병 속 2차 발효 과정에서 생긴 침전물. 이 침전물을 병목에 모이게 하는 작업이 르뮈아주다.
도자주 과정까지 끝난 샴페인이 자동화시설에 의해 완성된다.(아래)

와인이다. 샴페인 지방은 유럽 대륙의 와인 생산지 중 최북단에 위치해 겨울이 춥다. 그래서 가을 수확 후 1차 발효가 끝나야 할 와인이 겨울에 잠시 발효를 멈추었다가 이듬해 봄에 다시 2차 발효가 시작되고, 이때 생성된 탄산가스로 자연스럽게 스파클링 와인이 된다. 일반적인 스파클링 와인은 화이트와인에 이산화탄소를 주입하거나 대용량 탱크에서 2차 발효시킨 와인을 병입하여 만든다.

샴페인 양조 방식

샴페인의 아버지라고 불리는 돔 페리뇽Dom Pérignon은 병목이 깨지고 코르크 마개가 튕겨 나온 샴페인을 처음에는 잘못 만들어진 '악마의 와인'이라고 생각했다. 샴페인을 최초로 개발한 사람이 돔 페리뇽이라고 알려진 것은 와전이다. 세계 최초의 스파클링 와인은 기록상 1531년 카르카손느Carcassonne 인근에서 생산된 블랑케트 드 리무Blanquette de Limoux이지만 샴페인 양조 방식은 아니었다.

샴페인 양조 방식은 아주 복잡하다. 1차 발효를 끝낸 와인을 병에 넣고 설탕과 효모를 첨가(리쾨르 드 티라주Liqueur de Tirage)하여 2차 발효를 통해 탄산가스를 만든다. 그리고 발효 과정에서 생긴 침전물을 제거하기 위해 병을 거꾸로 세워 매일 매일 돌리는 작업(르뮈아주Remuage)을 통해 침전물을 병목에 모이게 한 후, 드라이아이스로 병목을 냉각시켜 병 속에 있는 탄산가스를 유지하면서 침전물을 제거한다(데고르주망Dégorgement). 이 작업이 끝나면, 제거한 양만큼 와인이나 설탕과 이스트를 섞은 혼합물을 다시 채운다(도자주Dosage).

샴페인의 압력을 견디는 유리병 제조, 코르크 마개가 튕겨 나가지 않게 고정시켜주는 철사인 뮈슬레Muselet의 개발, 병목을 드라이아이스로 냉각시켜 침전물을 제거하는 아이디어 등 200년 동안 인간의 끝없는 도전과 창조의 결실로 1800년이 되어서야 지금의 샴페인이 탄생하게 되었다.

230년의 역사를 자랑하는 샴페인 명가 루이 로드레의 우아한 본사 건물 입구

이후 샴페인은 베르사유에서 빈, 상트페테르부르크까지 황실의 필수품이 되었으며, 유럽 대륙의 격동기인 19세기에는 산업화에 성공했다. 지금도 랭스나 에페르네Épernay는 샴페인 명가('메종Maison' 혹은 '하우스House'라 칭한다)의 화려하고 우아한 건물들로 도시 전체가 부유하고 생동감 있는 분위기이다. 그것은 전적으로 샴페인이 가져다준 번영과 영광의 산물이다.

황제의 샴페인 '크리스탈'로 유명한 루이 로드레

샴페인은 일반 와인과 달리 특별히 빈티지가 중요하지 않다. 샴페인 메이커들이 그들만의 비법인 퀴브Cuvée로 최고의 맛을 내는 샴페인을 만들기 때문이다. 빈티지가 없는 샴페인을 농 빈티지Non Vintage(NV)라고 한다. 퀴브는 포도밭, 품종, 수확연도가 각기 다른 와인을 혼합하여 만든 샴페인 원료를 말하며, 결국 퀴브가 샴페인의 품질을 결정한다. 샴페인을 만드는 포도 품종은 이곳 테루아Terroir에 최적인 샤르도네Chardonnay, 피노 누아Pinot Noir, 피노 뫼니에Pinot Meunier 세 종류이다.

랭스에 있는 샴페인의 롤스로이스로 비견되는 대표적인 가족 중심의 샴페인 명가 루이 로드레Louis Roederer를 찾았다. 1776년에 설립해 230년의 역사를 자랑하는 루이 로드레의 우아한 본사 건물에서 마케팅 담당 이사인 이브 클레르 여사를 만나 셀러로 이동했다. 셀러 로비에 있는 크리스탈 샴페인의 창시자라고 할 수 있는 러시아 황제 알렉산드르 2세의 흉상이 인상적이었다.

한창 수확기여서 바쁘게 작업 중인 셀러를 둘러보고 테이스팅룸에서 테이스팅 시간을 가졌다. 브뤼 프리미에Brut Premier를 비롯하여 몇 가지 샴페인을 맛보았지만, 루이 로드레의 명성을 세계에 알린 황제의 샴페인 크리스탈을 빼놓을 수 없었다. 크리스탈은 1876년에 러시아 황제 알렉산드르 2세가 자기만을 위한 샴페인을

루이 로드레의 지하 셀러에서 르뮈아주 작업 과정에 있는 크리스탈 샴페인.

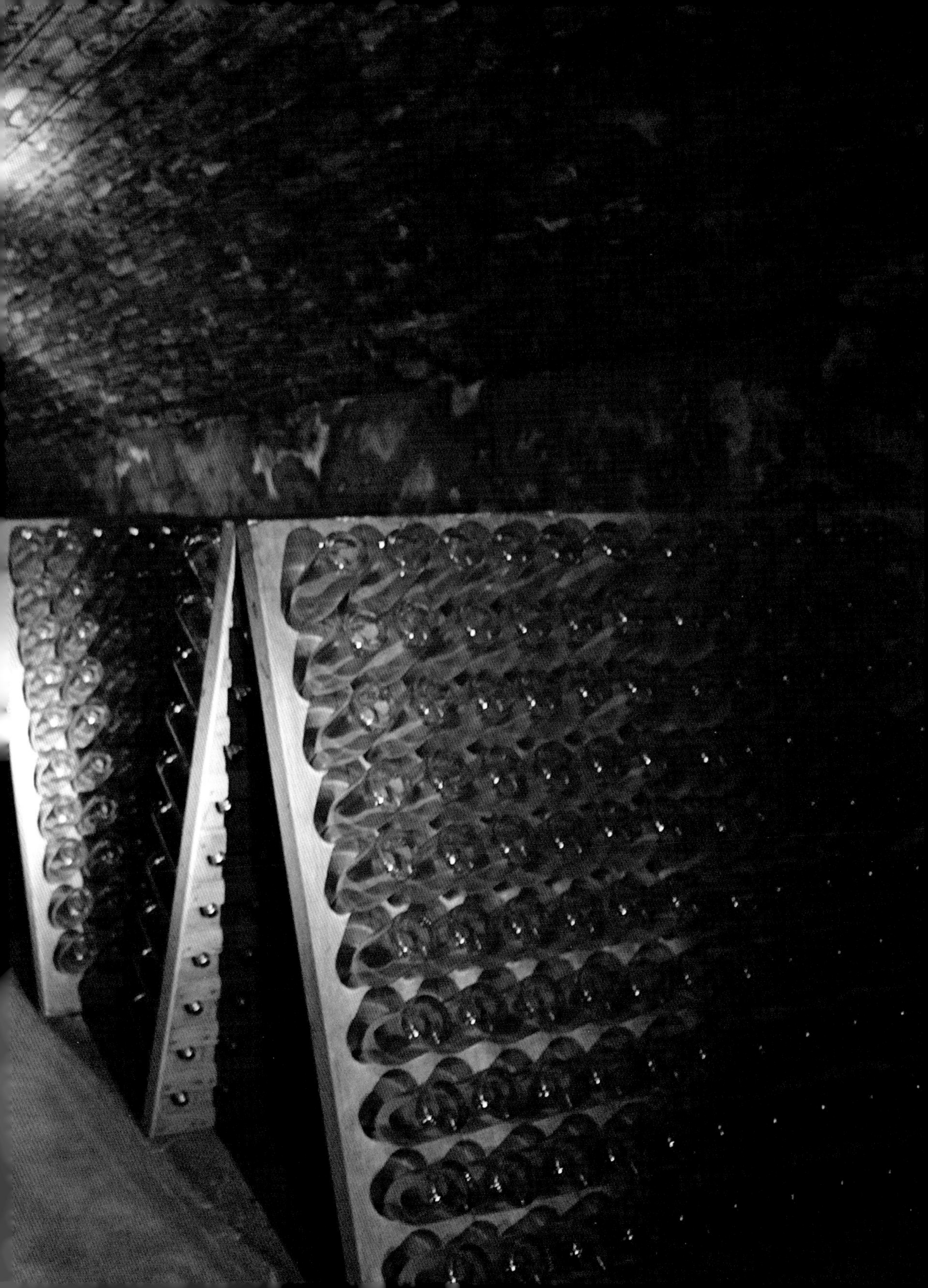

황제의 샴페인 크리스탈의 현란한 모습. 러시아 황제 알렉산드르 2세가 주문하여 특별히 개발한 제품이다.(위)

샴페인 명가 루이 로드레의 셀러에서 시음 중 포즈를 취한 이브 클레르 여사.(아래)

만들어줄 것을 요청하여 개발한 제품이다. 일반 샴페인 병과 달리 병 안을 볼 수 있도록 투명한 크리스탈로 제작되었고(그래서 샴페인 이름도 크리스탈이었으나 현재는 고품질의 유리병으로 대체되었다), 압력에 견디고 침전물이 모일 수 있도록 병 밑바닥이 쏙 들어간 펀트Punt가 없는 평평한 모양이다. 그것은 몇 차례 암살 위협에 직면했던 황제가 병 안에 폭발물이나 독극물을 숨기지 못하도록 하기 위해서였다고 한다. 샤르도네 40퍼센트, 피노 누아 60퍼센트의 비율로 배합한 황제만을 위한 최고 품질의 퀴브로 생산한다.

크리스탈은 다른 고급 샴페인이 가지고 있는 균형감과 복합적인 풍미에 강건하면서도 부드럽고 섬세하면서도 명료함이 공존하는 자기 정체성으로 시음할 때마다 감동을 준다. 크리스탈의 영광은 1917년 러시아의 볼셰비키 혁명으로 로마노프 황조의 몰락과 함께 역사의 뒤안길로 사라지는 듯했으나, 1925년 신흥 자본주의 강대국인 미국 시장의 개척으로 다시 부활하게 된다.

이것은 단순히 한 샴페인 명가의 성공을 넘어 와인문화가 한때 왕과 귀족의 전유물에서 대중문화로 발전해가는 역사의 흐름이라고 생각되었다. 자신만을 위해 크리스탈을 만든 황제는 사라졌지만, 그가 남긴 크리스탈은 우리를 위해 여전히 화려한 꽃을 피우고 있기 때문이다.

프랑스의 정신, 샹파뉴

샹파뉴를 '프랑스의 정신'이라고 하는 데는 역사적으로 상당한 근거가 있다. 이 지방은 오늘날의 프랑스 건국에 있어 정신적 중심지이기 때문이다.

샹파뉴의 중심도시 랭스는 카이사르의 갈리아 원정 6년째인 기원전 53년에 로마 군단을 주둔시키고, 갈리아 부족회의를 소집했던 전략적 요충지였다. 중세에

역대 프랑스 왕들의 대관식이 거행되었던 랭스의 노트르담 대성당.
유네스코에 등록된 세계문화유산이다.

는 유럽의 교통 요지로 와인 무역의 중심지였다. 로마 제국의 쇠퇴 후 481년 프랑크 왕국을 건설한 초대 왕인 클로비스Clovis 1세가 498년 이곳 주교인 성 레미기우스St. Remigius로부터 세례를 받은 이래 816년부터 1825년까지 37명의 프랑스 역대 왕들이 이곳에서 대관식을 가졌다.

랭스를 흐르는 벨 강가에 자리한 호텔을 나와 이 역사적인 장소를 다시 보기 위해 노트르담 대성당Cathedrale Notre Dame으로 향했다. 벨강을 따라 뻗어 있는 A4번 고속도로와 N31번 국도를 달리는 수많은 차량 행렬을 보면서 랭스의 파란만장한 역사와 문화의 숨결을 느낄수 있었다.

N31번 국도는 갈로-로만Gallo-Roman(로마화된 갈리아족) 시대에 로마 군단들이 사용했던 로마 가도였고, 역대 프랑스의 국왕들이 대관식을 마치고 파리로 돌아가던 길이었으며, 지금은 샴페인을 싣고 파리뿐만 아니라 세계로 향하는 산업도로이다. 또한 랭스는 제1차 세계대전 중 벨강을 사이에 두고 가장 치열한 공방전이 벌어졌고, 제2차 세계대전 때는 패배한 독일이 무조건 항복 문서에 서명했던 도시이다.

대관식이 치러졌던 노트르담 대성당은 고대 로마 시대의 목욕탕 부지에 있던 옛 성당이 불에 타서 13세기에 세워졌으나, 제1차 세계대전 중 파괴되었고 이후 복구된 것이다. 고딕 양식 건축물의 걸작으로 파리, 샤르트르와 함께 프랑스를 대표하는 3대 노트르담 사원으로 유네스

『구약성서』를 모티브로한 샤갈의 스테인드 글라스 작품.

코에 등록된 세계문화유산이다. 수많은 조각으로 치장된 웅장한 외관과 성당 안쪽에서 바라보는 거대한 장미창과 샤갈의 작품인 스테인드글라스가 아름답다. 『구약성서』를 모티브로 세 개의 창문에 디자인한 초현실주의 작품이 묘하게도 대성당 건물과 잘 어울린다. 이 성당을 방문하는 관광객만 한 해에 50만 명이 넘는다고 한다. 최근 화재로 파리 노트르담 성당의 탑 부분이 사라진 모습과 비교하니 이 건축물이 더욱 귀하게 여겨졌다.

샴페인은 숨겨진 등급체계를 가진다

샹파뉴 지방의 주요 샴페인 생산지는 랭스 남쪽 해발 300미터를 넘지 않는 구릉지인 몽타뉴 드 랭스Montagne de Reims, 에페르네를 흐르는 마른강가의 발레 드 라마른Vallée de la Marne, 남쪽의 코트 데 블랑Côte des Blancs뿐만 아니라 멀리 코트 드 세잔느Côte de Sézanne와 트루아Troyes의 코트 데 바르Côte des Bar 지역까지 광범위하게 펼쳐져 있다. 3만 2,000헥타르의 면적에서 1년에 약 2억 5,000만 병 이상의 샴페인이 생산되고 있다.

샴페인의 품질등급제도AOC는 포도밭을 그랑 크뤼, 프리미에 크뤼Premier Cru, 일반 포도밭으로 등급을 나누고, 그에 따라 포도의 구매 가격이 결정되는 독특한 제도이다. 이는 샴페인 메이커들이 자체 소유한 포도원의 포도와 여러 지역의 포도 재배 농가로부터 구매한 더 많은 양의 포도를 배합하여 퀴브를 생산하기 때문이다. 따라서 일부 싱글 빈야드Single Vineyard(단일 지역 포도원 혹은 구획)나 빈티지 샴페인을 제외하고는 레이블에 특별한 등급 표기를 하지 않는다. 그래서 흔히들 샴페인은 '숨겨진 등급체계'를 가진다고 한다. 대신 레이블에 생산자마다 특별한 기호를 표시한다. 즉 포도를 구매해서 생산한 자는 NM, 재배자 겸 생산자는 RM, 협동조합은 CM, 협동조합 와인을 판매하는 재배자는 RC, 그리고 포

랭스에 있는 샴페인 명가 파이퍼 하이직의 섬세한 샴페인 기포를 상징하는 현대적인 신사옥.(위)
에페르네 마을에 있는 샴페인 명가 페리에 주에 샴페인 하우스.(아래)

도구매자의 고유 명칭은 MA로 표기한다. 다음 날 아침 랭스에 있는 샴페인 명가 파이퍼 하이직Piper Heidsieck의 새로 지은 본사 건물을 구경하고 남쪽으로 30킬로미터 떨어진 샴페인마을 에페르네Épernay에 있는 대표적인 샴페인 명가 폴 로저Pol Roger를 찾았다. 마른Marne강 남안에 샴페인 명가들이 모여 있는 에페르네는 언제 보아도 샴페인과 같은 기품과 격조를 뽐내는 아름다운 마을이다. 아마도 폴 로저 외에도 모엣 에 샹동Moët & Chandon, 페리에 주에Perrier Jouet, 드 브노주de Venoge, 드 카스텔란de Castellane 등 이름만 들어도 가슴 두근거리는 샴페인 명가들이 뿜어내는 기포와 향기 때문일지도 모른다.

윈스턴 처칠로 유명한 폴 로저

'윈스턴 처칠Winston Chrchill'이라는 최고급 샴페인으로 유명한 폴 로저는 1849년에 설립된 이래 루이 로드레처럼 5대가 이어온 가족 중심의 샴페인 명가 중 하나이다. 윈스턴 처칠과의 특별한 관계로 주소 역시 윈스턴 처칠 3번가였지만 내비게이션에는 나타나지 않아 지도로 찾아갔다.

겨우 약속시간에 맞춰 스페인과 영국에서 온 방문객들과 지하 셀러에서 합류했다. 450만 병의 샴페인이 잠자고 있는 어두운 지하 셀러 곳곳에는 1900년 시설 확장 중 붕괴되었던 사고의 흔적이 크랙으로 남아 있었다. 당시의 사고로 폴 로저는 총 500배럴과 100만 병 이상의 귀한 샴페인을 잃고 말았다.

수출 담당 이사 위그 로마냥Hugues Romagnan 씨의 안내로 셀러 방문을 마치고 시음을 위해 한 블록 떨어진 본사로 자리를 옮겼다. 와인 색깔의 붉은 벽돌로 지어진 고색창연한 본사 건물 현관에 반가운 태극기가 스페인·영국 국기와 함께 걸려 있었다. 손님을 배려한 폴 로저의 마케팅 정신이 놀라웠다. 특별히 화려한 로코코풍의 VIP

고급 샴페인 '윈스턴 처칠'로 유명한 폴 로저의 본사. 현관 위에 내 방문을 기념해 태극기가 꽂혀 있다.(위)
폴 로저의 VIP 시음장의 방명록과 태극기가 꽂혀 있는 탁자.(아래)

룸에서 시음이 시작되었는데, 이곳 방명록 탁자에도 탁상용 태극기가 꽂혀 있었다.

윈스턴 처칠과의 우정이 만들어낸 '윈스턴 처칠' 샴페인

폴 로저가 생산한 여러 종류의 샴페인 중 엑스트라 퀴브 드 레제르브 NV[Extra Cuvée De Reserve NV]와 2004년 빈티지 그리고 대망의 퀴브 윈스턴 처칠 2000을 시음했다. 엑스트라 퀴브 드 레제르브 NV는 최고 품질의 NV 샴페인 중 하나로 신선한 과일·꽃 향기와 함께 수정같이 맑고 깨끗한 풍미가 느껴진다.

우리는 영국 총리 처칠이 제2차 세계대전에서 연합군을 승리로 이끈 리더십과 영웅담 때문에 그의 낭만적이고 예술적인 면모를 간과하기가 쉽다. 그는 정치가이기 전에 육군사관학교 출신의 군인으로 전 세계의 전쟁터를 누빈 유명한 종군기자였으며, 1953년 노벨문학상을 수상한 위대한 작가였고, 뛰어난 화가였다. 특히 두주불사의 애주가로 다양한 술을 매일 즐겼는데, 우연한 자리에서 폴 로저의 샴페인을 접하고 나서부터 열렬한 애호가가 되었다.

윈스턴 처칠 샴페인의 탄생은 1944년 처칠이 파리의 한 파티에서 폴 로저의 안주인인 오데트 폴 로저[Odette Pol Roger] 여사를 만난 것이 계기가 되었다. 도버해협을 넘나든 두 사람의 우정은 1965년 처칠이 사망할 때까지 계속되었고, 1975년 그의 사후 10주년을 기념하기 위해 최고급 샴페인인 윈스턴 처칠을 만들었다. 윈스턴 처칠의 퀴브 배합 비율과 양조법은 가문의 비밀이나, 풍부하고 잘 익은 풀보디의 다소 남성적인 스타일이지만 기포가 섬세하고 말린 과일과 장미꽃 향기, 우아한 바닐라 풍미는 아마도 피노 누아를 주 품종으로 하여 10년 이상 지하 셀러에서 저온으로 장기 숙성한 결과일 것이다.

피와 땀과 눈물을 통해 제2차 세계대전을 승리로 이끈 처칠의 원동력은 그가 생전에 마신 500상자 이상의 샴페인 덕분이 아닐까. 91세까지 장수하면서 그는 이

폴 로저의 톱아이콘 제품인 윈스턴 처칠 2000.(위)
샴페인 지방의 토양은 지질연대의 2기에 형성된 백악질 층이다.(아래)

지상의 모든 애주가들에게 희망적인 메시지를 남기고 떠났다.
"나는 알코올을 통해 잃은 것보다 더 많은 것을 얻었다 I have taken more out of alcohol than alcohol has taken out of me."
이후 폴 로저는 2004년부터 영국 왕실의 공식 샴페인 공급자가 되었으며, 2011년 4월 윌리엄 왕자와 케이트 미들턴의 웨딩 샴페인으로 사용되면서 더욱 유명해졌다.

샴페인의 로마네 콩티, 필리포나

농 빈티지와 싱글 빈야드

역사적으로 샴페인은 일반 와인과 달리 샴페인 하우스의 전통과 명성의 영향을 많이 받으며, 상류문화의 이미지를 강조한 귀족 명품 마케팅 전략으로 성장해왔다. 기술적으로는 전통적인 샴페인 양조법을 고수한다. 그러나 최근에는 샴페인 역시 와인으로서 테루아와 포도밭의 중요성을 강조하고 새로운 양조법과 싱글 빈야드의 빈티지 샴페인을 소개하는 일종의 샴페인의 아방가르드 경향이 일어나고 있다.
오랜 전통을 이어온 퀴브 와인의 샴페인 양조 방식은 대부분의 소비자로 하여금 이 지방의 특별한 테루아의 성격과 단일 포도원의 중요성을 간과하게 했다. 실제로 250곳 이상의 다른 구획에서 생산된 포도를 배합한 퀴브로 생산하는 농 빈티지NV 샴페인의 맛을 구별하고 이해한다는 것은 어려운 일이다.
샴페인 지방은 연평균 기온이 섭씨 10.5도를 넘지 않고, 겨울이 춥지만 과숙 기간인 가을은 기온이 높고 길다. 토양은 지질연대의 제2기에 형성된 두꺼운 백악질층으로 이루어져 수분을 쉽게 흡수하고 낮 동안 조사된 태양열을 복사하므로,

최초의 싱글 빈야드인 샴페인 클로 데 고아세로 유명한 500년 역사의 필리포나 샴페인 하우스.

최북단에 위치해 있음에도 불구하고 포도 재배에 좋은 환경이라고 할 수 있다. 나는 이곳 포도원을 방문할 때마다 한결같이 우아하게 빛나는 하얀 거품의 샴페인이 이곳 백악질의 토양을 닮았다는 느낌을 받는다. 특히 전체적으로 서늘한 기후는 신선하고 상큼한 맛의 샴페인을 만드는 데 필요한 풍부한 산도의 피노 누아와 샤르도네의 재배에 적합하다.

아방가르드 샴페인 명가 필리포나

테루아와 빈티지의 중요성을 강조하며 와인 고유의 맛과 향도 느낄 수 있도록 새로운 샴페인 생산을 선도하고 있는 샴페인 메이커가 필리포나Philipponnat 샴페인 하우스다. 샴페인 애호가들에게 샴페인의 로마네 콩티Romanée Conti라는 필리포나는 마뢰이유-쉬르 아이Mareuil-sur Ay와 아이Ay 지역에서 1552년부터 포도를 재배하다가 17세기부터 샴페인을 생산해온 500년 전통의 샴페인 명가이다. 특히 1935년에 로마 시대부터 와인을 생산해왔던 역사적인 클로 데 고아세Clos des Goisses 포도원을 매입하여 이 지방 최초로 싱글 빈야드 샴페인을 소개한 위대한 개척자이다. 에페르네에서 동쪽으로 마른강과 운하로 연결되어 있는 마레이유-쉬르 아이에 있는 필리포나까지 가는 동안 나지막한 랭스산 남향 경사면에 그림같이 펼쳐져 있는 샹피용Champillon과 아이 지역의 최고급 그랑 크뤼 포도원들을 볼 수 있다.
1997년 필리포나는 부아젤 샤누안 샹파뉴Boizel Chanoine Champagne(BCC) 그룹에 합병되었지만, 그들의 전통을 지키기 위해 필리포나 가문의 16대손인 샤를 필리포나 씨가 1999년 사장으로 임명되었다.
와이너리에 도착하니 필리포나 씨가 직접 맞아주었다. 세계적인 샴페인 전문 잡지 《파인 샴페인 매거진*Fine Champagne Magazine*》의 취재진들과 함께할 계획이었는데, 그들의 도착이 늦어져 와이너리 인근에 있는 유명한 클로 데 고아세 포도밭으로

벨기에서 온 노부부가 샴페인 포도밭에서 피크닉을 즐기고 있다. 멀리 보이는 마을이 상피용이다.(위)
전형적인 백악질의 석회암으로 만들어진 필리포나 샴페인 하우스의 지하 셀러 입구.(아래)

필리포나 본사가 있는 아름다운 마뢰이유 마을.
마을 뒤에 펼쳐진 클로 데 고아세 포도밭과 마른강 운하가 어우러진 멋진 풍경이다.

안내받았다.

5.5헥타르 면적의 작은 포도밭은 남쪽으로 급경사를 이뤄 많은 일조량으로 샴페인 지역의 평균 기온보다 섭씨 1.5도가 높다. 게다가 풍부한 백악질의 토양으로 인해 양질의 피노 누아와 샤르도네를 생산하는 최고의 테루아가 되었다. 계단을 따라 성모상이 있는 언덕 위로 올라가니 북쪽의 랭스산과 남쪽의 마른강 계곡의 포도밭을 한눈에 바라볼 수 있었다.

성모상은 제2차 세계대전이 끝난 1946년에 마을 사람들에 의해 세워졌는데, 이곳은 제1차 세계대전의 주요 격전지로 와이너리를 포함한 대부분의 시설이 철저하게 파괴된 아픈 역사가 있다. 이런 이유로 제2차 세계대전 때에는 많은 사람이 독일군의 공습을 피하게 해달라고 기도했던 곳이라고 한다. 그 덕분인지 연합군의 오인 폭격으로 파괴된 지역을 제외하고는 비교적 피해가 적었다고 한다.

하지만 그것이 제1차 세계대선의 경험을 통해 삼페인을 안정적으로 공급받기 위한 나치의 생산 장려 정책 때문이었다는 점은 매우 흥미롭다. 샴페인으로서는 참으로 행운이었다. 심지어 나치 당국은 도자주에 필요한 설탕을 전쟁 중에도 지속적으로 샴페인 생산자들에게 공급했다고 한다. 당시의 샴페인 가격은 정책으로 결정되었지만, 비교적 합리적인 가격이었다고 필리포나 씨는 설명했다.

취재진들이 도착했다는 연락을 받고, 그들과 함께 샴페인을 시음하기 위해 와이너리의 테이스팅룸으로 다시 돌아왔다. 기사로만 접했던 유명한 편집자인 에시 아벨랑Essi Avellan 여사와 인사를 나눈 후 곧바로 시음에 들어갔다.

신선한 아로마와 라임의 풍미, 클로 데 고아세 2004

국내에서 여러 차례 시음한 경험이 있지만 2013년에 데고르주망하여 농-도자주Non-Dosage 방식으로 생산한 NV 필리포나 로얄 레제르브와 최고급 싱글 빈야

겨울이 오면 봄은 멀지 않으리라고 노래한 P. B. 셸리의 시처럼 눈 내린 포도밭은 새로운 봄을 기다린다.(위)
와이너리는 겨울에도 쉴 틈이 없다. 성빠용에서 가지치기를 하는 농부들.(아래)

필리포나 샴페인 가문의 16대손인 샤를 필리포나 사장이 자랑스럽게 자신의 샴페인을 설명하고 있다.(위)
샴페인의 로마네 콩티라는 필리포나의 농-도자주 방식으로 생산한 NV로얄 레제르브.(아래)

드 샴페인 클로 데 고아세 2004가 인상적이었다. 농-도자주 방식은 일명 제로-도자주Zero-dosage 또는 브뤼 나튀르Brut nature라고 하는데, 싱글 빈야드와 함께 최근 유행하고 있는 샴페인의 새로운 양조 방식이라고 할 수 있다.

샴페인의 스타일은 당도가 1리터당 6그램 미만인 엑스트라-브뤼Extra-brut부터 브뤼Brut, 엑스트라-드라이Extra-dry, 드라이Dry/섹Sec, 드미-섹Demi-Sec 그리고 50그램 이상인 가장 달콤한 두Doux로 구별한다. 이러한 스타일은 도자주 과정에서 얼마나 많은 설탕을 첨가하느냐에 따라 결정되는데, 농-도자주는 설탕을 넣지 않은 순수한 브뤼 퀴브Brut Cuvee를 채워주는 방식이다. 또한 사용하는 포도 품종에 따라 100퍼센트 샤르도네면 블랑 드 블랑Blanc de Blancs, 피노 누아면 블랑 드 누아르Blanc de Noirs라 하고, 핑크색 샴페인은 로제Rose라 한다.

NV 필리포나 농-도자주 로얄 레제르브는 일반 도자주 샴페인보다 더 맑게 빛났으며, 신선한 아로마와 함께 풍부한 백악질의 미네랄리티Minerality를 강하게 느낄 수 있었다. 클로 데 고아세 2004는 필리포나의 명성을 알린 아이콘 상품으로 전통적인 도자주 방법을 사용하나, 최상의 싱글 빈야드에서 생산된 포도의 맛을 살리기 위해 설탕을 리터당 4.3그램의 소량만 사용하고 있다고 하였다. 피노 누아 65퍼센트, 샤르도네 35퍼센트의 비율로 배합한 이 전설적인 샴페인은 이 지역 최초의 싱글 빈야드 샴페인이다. 옅은 황금빛을 띠는 투명한 색깔, 비단결 같은 섬세함과 신선하면서 복합적인 흰 과일류의 아로마, 라임 향이 피어나는 미네랄의 오랜 풍미는 이곳 테루아의 강건함과 순수함을 잘 표현하고 있다.

전통과 아방가르드, 어느 것이 앞으로 이 지역의 샴페인 사업을 선도할지는 알 수 없다. 하지만 현재 필리포나 클로 데 고아세는 파리의 미슐랭 가이드MICHELIN Guide 3스타 레스토랑 르 생크Le Cinq를 비롯하여 전 세계의 미식가와 와인 애호가들이 즐겨 찾는 유명한 식당과 호텔의 와인 리스트에 포함되어 있다. 한때는 에

모엣 에 샹동 본사에 있는 샴페인의 대명사 돔 페리뇽 신부의 동상.

어프랑스와 JAL 일등석에서 서빙되기도 하였다.

모엣 에 샹동의 예술 마케팅

귀족적인 이미지와 대중적 호응을 동시에 끌어낸 마케팅 전략

LVMH^Louis Vuitton, Moët & Chandon, Hennessy! 여성들이 열광하는 명품 브랜드 루이뷔통이 샴페인 모엣 에 샹동이나 코냑 헤네시와 같은 그룹이라는 것을 아는 일반인은 많지 않다. LVMH 그룹의 2019년 한 해 주류 분야의 매출이 약 2,486백만 유로이고 순이익만 772백만 유로가 넘는 것을 보면 유럽에서 와인산업이 차지하고 있는 경제적 비중을 새삼 실감하게 된다.

그동안 여러 차례 방문한 바 있는 샴페인의 대명사인 돔 페리뇽^Dom Pérignon으로 유명한 모엣 에 샹동 본사에 들렀다. 에페르네의 샴페인 거리 중심에 있는 모엣 에 샹동 본사는 변함없이 서 있는 돔 페리뇽 동상과 함께 여전히 관광객으로 붐볐다. 사실 샴페인의 아버지라고 불리는 돔 페리뇽의 동상은 오빌레 마을의 수도원에서 1832년에 이곳으로 옮겨논 것이라는 것을 아는 사람은 많지 않다. 그것은 모엣 에 샹동에서 생산하는 '돔 페리뇽'이라는 이름의 아이콘 샴페인 때문일 것이다. 모엣 에 샹동 샴페인은 또한 나폴레옹 1세가 독일 원정길에 들러서 즐긴 것으로 유명하다. 이를 기념하여 '모엣 에 샹동 임페리얼'이 탄생하였다. 지금도 복도 전시실에는 1814년 엘바^d'Elba 섬에 귀양 갔을 때 썼던 나폴레옹의 트레이드 마크인 이각모자^Bicorn Hat 실물이 전시되어있다.

모엣 에 샹동이 자랑하는 길이가 무려 27킬로미터인 지하 와인셀러는 사전에 예약하면 유료로 방문할 수 있다. 백악질 지층을 뚫어 만든 이 거대한 동굴은 샴페인을 저장하고 숙성하는 데 알맞는 천혜의 조건을 갖추고 있다. 어둡고 , 일정한

길이가 무려 27킬로미터인 모엣 에 샹동의 지하 와인셀러(아래)와 시음장.(위)

온도와 습도를 유지할수 있기 때문이다. 방문객들은 이 지하 저장고에서 각종 빈티지의 샴페인을 비교·시음할 수도 있다. 때마침 앤디 워홀Andy Warhol을 잇는 미국의 세계적인 팝 아티스트 제프 쿤스Jeff Koons가 레이블을 제작한 돔 페리뇽 2004 샴페인과 함께 각종 제품이 전시되어 있었다. 대부분의 샴페인 명가는 수입상이나 저널리스트를 제외하고는 그들의 셀러를 일반인에게 공개하지 않고 있으며, 여전히 전통과 역사를 자랑하는 귀족 명품 마케팅 전략을 중시하고 있다.

그러나 모엣 에 샹동은 샴페인의 귀족적 이미지를 잃지 않으면서도 샴페인의 대중화 마케팅 전략을 통해 상업화에 성공한 대표적인 사례라고 할 수 있다. 시장 상황에 따라 능동적으로 대처하는 변화와 개혁은 와인산업에도 예외가 아니다. 제프 쿤스의 작품과 함께 입구 로비와 판매장에 있는 수많은 샴페인 잔을 활용한 설치작품이 인상적이다.

와인 잔은 와인문화의 중요한 에티켓 중 하나다. 현재 일반화되어 있는 와인 잔은 유리를 만들기 시작한 고대보다 훨씬 후인 17세기가 되어서야 본격적으로 사용되었다. 와인 잔은 몸통bowl, 줄기stem, 밑받침foot or base으로 정형화돼, 와인의 종류나 스타일에 따라 각기 외형을 달리한다. 비록 과학적으로 증명된바는 없지만 와인 잔의 모양에 따라 와인의 향기나 맛을 좀더 확실하게 느낄 수 있다는 것은 누구나 주의깊게 시음을 해보면 알 수 있다.

예를 들어 우리의 대표 전통주인 백세주를 투박한 도자기 잔 대신 화이트와인 잔에 마셨을 경우 은은한 황금빛깔과 함께 저온숙성한 쌀과 누룩의 향을 좀더 섬세하게 느낄 수 있다.

나는 평소에 막걸리나 소주를 제외하고 모든 한국 전통주는 화이트와인 잔으로 즐긴다. 샴페인 잔은 몸체의 입구rim가 좁고 줄기가 긴 플루트Flute 형이 일반화되어 있지만 결혼식이나 축제, 살롱에서는 입구가 넓고 둥그스름한 쿠프Coupe 잔을

모엣 에 샹동에 진열되어 있는 세계적인 팝 아티스트 제프 쿤스의 작품. 돔 페리뇽을 주제로 하였다.

모엣 에 샹동 본사 로비에 플루트 샴페인 잔으로 설치되어 있는 조형물. 아름다운 잔으로 샴페인을 마시는 것도 중세 귀족문화의 일부였다

선택적으로 사용하고 있다. 마치 여성의 가슴처럼 볼륨감 있는 아름다운 쿠프 잔의 탄생에는 재미있는 일화가 있다.

고대 그리스의 신화 『일리아스*Ilias*』에 등장하는 절세미인 헬레네부터 루이 16세의 부인 마리 앙투아네트, 나폴레옹의 첫 번째 부인 조세핀, 루이 15세의 정부 퐁파두르 여후작까지 그녀들의 아름다운 가슴을 본떠 만들었다는 것이다.

그러나 문헌상으로 1663년 영국에서 디자인된 쿠프Coupe 잔은 1930년대부터 시작된 하나의 유행이었다. 기포를 오랫동안 유지하는 데는 쿠프 잔보다 플루트Flute 잔이나 튤립Tulip 잔이 더 적합하지만, 끝없이 피어오르는 하얀 거품과 황금색 샴페인의 귀족적인 풍류를 즐기는 데는 분명히 이 아름다운 샴페인 잔이 한몫하지 않았을까? 최근에는 와인 잔에도 새로운 유행이 일어나고 있다. 화이트와인 잔과 유사한 잔을 사용하여 샴페인의 기포와 풍미를 동시에 음미하고, 리델Riedel 사가 개발한 줄기와 밑받침이 없는 'O' 시리즈 잔으로 와인을 즐기기도 한다.

75명이 함께 만들어가는 협동조합 샴페인 하우스 마이

아침 일찍 샴페인 루트를 따라 사진 촬영을 하고, 협동조합이라는 독특한 형태로 최고의 그랑 크뤼 샴페인을 생산하고 있는 마이Mailly 샴페인 하우스를 찾았다.

샴페인은 전통적으로 기업화된 메종이나 가족 중심의 전통을 이어온 명가, 그리고 작은 규모의 일부 포도 재배자들에 의해서 생산되어왔다. 그러나 샹파뉴의 침체기인 20세기 초, 포도 재배 마을을 중심으로 설립된 새로운 협동조합이 지금은 샴페인 총 생산량의 10퍼센트 정도를 생산하고 있다. 마이는 1920년에 그랑 크뤼를 획득해 랭스산 북쪽 경사지의 마이 마을에서 70헥타르를 소유하고 있는 75명의 조합원으로 구성된 협동조합 형태의 샴페인 메이커이다.

총괄 이사 장 프랑수아 프레오 씨가 마이 샴페인 하우스에서 포즈를 취하고 있다.
마이 샴페인 하우스에서 시음했던 샴페인들. 맨 오른쪽이 브뤼 레 제르브이고 왼쪽에서 두 번째가 레제샹숑이다.(아래)

남쪽의 마른 계곡에 비해 수확 시기가 늦은 관계로 이곳을 방문했을 때는 수확이 한창이었다. 와이너리에 도착하니 총괄이사인 장 프랑수아 프레오 씨가 반갑게 맞아주었다. 지금껏 방문했던 화려한 샴페인 명가와는 달리 순박한 우리의 농촌 풍경 같다는 것이 첫인상이었다.

와이너리에 안내되어 일련의 양조 과정을 자세히 볼 수 있었는데, 막 도착한 포도송이에서는 달팽이가 살아 움직이고 있었다. 특히 인상적이었던 것은 지하 19미터에 위치한 1킬로미터 길이의 셀러였는데, 조합원들이 조합 설립 초기에 30년 동안 겨울철마다 일일이 손으로 뚫어 완성하였다고 한다. 이곳에서는 병을 회전시켜 침전물이 병목 쪽으로 모이게 하는 르뮈아주 작업을 자동화 시스템으로 운영하고 있으며, 1년에 약 50만 병의 샴페인을 생산하고 있다.

마이 샴페인의 특징은 모노Mono(단일 지역)-그랑 크뤼 포도밭, 북향에 위치한 포도밭의 독특한 테루아, 그리고 조합원이 직접 재배한 최고 등급의 그랑 크뤼 포도로만 생산한다는 점이다.

바쁜 수확기여서 프레오 씨의 제안으로 농부들과 함께 구내식당에서 점심을 먹었는데 좋은 경험이었다. 채소샐러드와 치즈, 빵과 스테이크가 나왔는데 반주는 역시 샴페인이었다. 요리사는 농번기 때나 행사가 있을 때만 인근 식당에서 임시로 고용한다는데, 비록 투박하고 심플했지만 시골 밥상처럼 맛깔스러운 점심이었다.

식사를 마치고 포도밭을 전망할 수 있는 2층에서 마이가 생산한 총 아홉 종류의 샴페인을 시음했는데, 이렇게 많은 종류의 샴페인을 한꺼번에 음미해보는 것은 처음이었다. 전체적인 마이 샴페인의 공통점은 힘, 남성다움, 신선함에 있었다. 마이의 대표 브랜드라고 할 수 있는 브뤼 레제르브Brut Reserve는 100퍼센트 그랑 크뤼 포도로만 생산하는데, 피노 누아 75퍼센트와 샤르도네 25퍼센트의 비율로 배합하여 10년 이상 숙성한 퀴브로 노란빛을 띤 황금색, 풍부한 과일 향과 뒷맛이 깨끗한 매혹적인 샴페인이었다.
마이의 톱 브랜드라고 할 수 있는 레제샹송 Les Échansons 2004는 작황이 좋은 해에만 생산한 한정품으로, 병마다 고유의 번호가 매겨져 있다. 현란한 황금빛, 반짝이는 호박색, 관능적이고 화려하게 피어오른 기포의 아름다움과 함께, 잘 익은 과일 향과 유자 향이 느껴졌다. 또한 순수한 미네랄리티·아몬드·벌꿀 맛에 모노폴 Monopole 그랑 크뤼 테루아를 반영한 충만함과 균형감이 입안에 오랫동안 지속되었다.
샴페인의 빛깔처럼 순수한 마이를 떠날 때 장 프랑수아 프레오 씨는 내가 특별히 좋아한 레제샹송 2004 한 병을 선물했는데, 그 샴페인은 아직도 내 셀러에서 좋은 날을 기다리며 잠자고 있다.

돔 페리뇽이 살았던 전설의 마을 오빌레

앞에서 이야기했듯이 샴페인의 아버지 돔 페리뇽은 모엣 에 샹동 본사에 그의 동상이 있어 일반인들은 그가 이 샴페인 하우스와 관계가 있다고 생각하고 있다. 그러나 베네딕트 수도회의 수도승이었던 돔 피에르 페리뇽은 에페르네 근교에 있는 오빌레 Hautvillers 수도원에 살면서 포도 재배와 양조를 담당하였다. 그가 살았던 17세기에는 오늘날과 같은 세련된 샴페인이 아직 개발되기 전이었다. 그는 포도 재배와 가지치기, 포도 품종의 선별, 추운 겨울에 발효가 멈추었던 와인이 이듬해 봄에 다시 발효가 시작되면서 쉽게 병이 깨지는 것을 막는 방법을 고

마이 샴페인 하우스의 샤르도네 포도. 포도알을 자유롭게 넘나드는 달팽이의 모습에서 자연의 순수함이 느껴진다.(위) ▶
지하 셀러에 있는 마이 샴페인 하우스의 르뮈아주 작업 자동화 시스템.(아래)

수확이 끝난 몽타뉴 드 랭스 북쪽 언덕에 위치한 단풍으로 물든 포도밭이 아름다운 가을 풍경을 연출한다.

안하는 등 샴페인 탄생에 많은 공헌을 하였다. 그런 의미에서 이 마을은 샴페인의 탄생지라 할 만하다. 프랑스 대혁명 이후 폐허가 되었던 오빌레 수도원을 복원하면서 1832년 돔 페리뇽 동상을 모엣 에 샹동 본사 앞마당으로 옮겼고, 모엣 에 샹동은 그의 이름을 딴 샴페인을 생산하여 오늘에 이르고 있다. 아름다운 중세풍 마을의 모습을 잘 간직하고 있는 오빌레 마을은 마른강 북쪽, 에페르네와 랭스를 연결하는 D951번 도로 좌측 구릉에 광활하게 펼쳐져 있는, 대부분 프리미에 크뤼 포도밭의 꼭대기에 위치하고 있다. 제일 높은 마을 뒤쪽 언덕에 있는 전망대에 오르니 마른강 너머 멀리 에페르네와 D951번 도로 건너에 광활하게 펼쳐져있는 샹피용 마을을 한눈에 조망할 수 있었다. 오늘 내가 이 마을을 방문한 이유는 돔 페리뇽의 발자취를 찾기 위해서가 아니라 작지만 아주 특별한 샴페인 하우스를 방문하기 위해서다. 마을 중심에 있는 관광안내소를 지나 작은 골목길을 따라가면 좌우로 작은집에 조셉 데뤼에Joseph Desruets라는 샴페인 하우스 간판이 나온다. 이곳이 오늘 이 마을을 방문한 목적지이다. 1888년에 설립되어 현재 6대째 이어온 유서 깊은 샴페인 하우스다. 서울 경리단길 골목에 프랑스풍의 아담한 샴페인 바가 있는데, 이곳을 지인들과 함께 운영하고 있는 한국계 프랑스 국적의 토마 김 데뤼에Thomas Kim Desruets 씨가 그의 남동생인 마티아스 은 데뤼에Matthisa Eun Desruets 씨와 이 와이너리를 공동소유하고 있다.

한국인의 피가 흐르는 샴페인 하우스 조셉 데뤼에

나는 평소에 일이 끝나면 샹송이 흐르는 그의 샴페인 바에 들러 그가 만든 샴페인을 마시면서 하루의 피로를 풀곤 한다. 둘째아들 녀석도 이곳의 단골이라고 나중에 그가 귀띔해주었다. 그곳에서 만난 토마 김으로부터 어린 시절 그의 동

오빌레 마을 언덕에서 바라본 광활한 포도밭. 샴페인의 아버지 돔 페리뇽이 이곳 수도원에서 현대적인 샴페인 개발에 공헌하였다.(위) 조셉 데뤼에가 자랑하는 다르크-플라망 압착기 앞에서 포즈를 취한 마티아스 은 데뤼에 가족.(아래)

생과 함께 프랑스로 입양되었고, 양부모가 죽은 후에 자연스럽게 이 와이너리가 형제에게 상속되었다는 얘기를 들었다. 아마 모르긴 해도 그의 양부모는 대단한 휴머니스트이고, 한국이라는 나라를 무척 좋아했던 것 같다. 지금은 동생이 프랑스에서 양조를, 토마 김은 영업을 담당하면서 그가 태어난 한국에서 아직도 친부모를 찾고 있다고 한다. 토마 김과 함께 샴페인 바를 운영하고 있는 파트너들도 대부분 한국계 입양아 출신이다. 나는 언젠가는 그의 와이너리를 방문하기로 약속했는데, 오늘에야 실천에 옮기게 되었다. 조심스럽게 양조장 문을 여니 동생부인인 안나 데뤼에Anna Desruets 씨가 다른 방문객들과 시음 중이었다. 방문객이 돌아간 후 반갑게 맞아주었는데, 남편 마티아스 씨는 외출 중이라고 하였다. 와이너리 안의 첫인상은 마치 소인국의 양조장처럼 작은 규모였지만, 50여 평의 면적에 모든 양조시설이 두루 갖추어져 있었다. 지금까지 내가 방문했던 수많은 와이너리 중에서 가장 작은 규모였다. 그러나 나에게 인상적이었던 시설이 두 곳 있었는데, 하나는 4,000킬로그램의 포도를 부드럽게 압착할 수 있는 '다르크-플라망Darcq-Flamain'이라는 125년 역사를 가지고 있는 참나무 압착기였고, 또 하나는 세계에서 가장 작고 귀여운 지하 셀러(저장고)였다. 1년에 약 2만 5,000병의 소량생산이므로 대규모의 시설이 필요하지 않다고 한다. 양조장을 둘러보고 시음을 시작할 때쯤 마티아스 씨가 귀여운 딸 라이 들롱을 안고 돌아왔다. 그동안 서울에서 대부분 그의 샴페인을 마셔봤지만 이곳에서 직접 시음하니 느낌이 남달랐다. 퀴브 레제르브Cuvée Reserve, 당분을 첨가하지 않은 농 도제 퀴브 나튀르Non Dosage Cuvée Nature 브뤼에 이어 시음한 퀴브 드 피노Cuvée de Pinots 엑스트라 브뤼가 가장 인상적이었다. 피노 누아 90퍼센트와 피노 뫼니에Pinot Meunier 10퍼센트의 비율로 배합하여 만든 이 와인은 옅은 황금색 빛깔의 섬세한 기포, 배·사과·살구 그리고 딸기·라즈베리 등 온갖 흰 과일과 붉은 과일이 혼합된 매혹적인 아로마

내가 방문했던 와이너리 중 가장 작고 아름다운 지하 와인셀러에서 포즈를 취하고 있는 안나 데뤼에 여사.(위)
조셉 데뤼에에서 시음했던 퀴브 드 피노 엑스트라 브뤼.(아래)

와 입안에서는 부드럽고 섬세하면서 풍부한 산도와 미네랄리티의 복합적인 풍미가 오랫동안 지속된다. 이러한 풍미는 오랜 전통과 수작업을 통해 정성껏 소량생산하여야만 가능할 것이다. 또한 다른 양조장에서 볼 수 없는 '다르크-플라망'이라는 특별한 압착기와 섬세한 한국의 DNA가 어우러져 그토록 깨끗하고 순수하며 복합적인 풍미를 갖는 샴페인이 탄생되었으리라 생각되었다. 시음이 끝나자 마티아스 씨는 지난 여름철에 숯불 바비큐 식당을 열었는데 대박을 터트렸다고 하였다. 지금은 시즌이 지나 문을 닫았지만 집기비품을 추가로 구입하기 위해서 곧 서울을 방문할 예정이라고 말하였다. 지금 어디를 가나 프랑스는 한국문화열풍이 불고 있다. 내년에 이곳을 방문하는 한국관광객은 어쩌면 마티아스 부부가 요리한 한국음식을 샴페인 탄생지에서 맛볼 수 있을지도 모르겠다. 마티아스 씨와 곧 서울에서 만날 것을 약속하고 작지만 아름다운 데뤼에 형제의 샴페인 하우스를 떠났다.

아름다운 중세풍 마을 트루아

샴페인 지방을 여행할 때마다 아쉽게도 항상 지나쳤던 도시가 트루아Troyes였다. 한때 샴페인의 주도였던 트루아는 오랜 역사를 가지고 있는 도시로, 로마 제국이 프랑스를 정복할 때 밀라노와 이어지는 전략적 요충지였다. 16세기 대 화재로 아쉽게도 고대 로마 도시의 모습은 사라졌지만, 그때 재건된 전통목재가옥Half timbered house과 르네상스풍의 건축물이 어우러진 아름다운 도시로 유명하다. 길 양편에 줄지어있는 중세 목재건물들은 내가 알자스 지방에서 보았던 것보다 섬세하고, 고양이가 양쪽 건물 사이를 뛰어다닐 수 있을 정도의 좁은 골목길은 더욱 낭만적으로 느껴졌다. 관광객으로 넘쳐흐르는 거리에서는 한국식당 간판도

화려한 플랑부아 양식의 조각과 장미창으로 유명한 트루아의 생-피에르-에 생-폴 대성당.(위)
고색창연한 트루아의 옛시가지. 좁은 골목이 인상적이다.(아래)

MONTGUEUX

볼 수 있다. 파리에서 불과 남동쪽으로 160킬로미터, 랭스에서 남쪽으로 120킬로미터의 거리에 있어 접근성도 좋았는데, 뒤늦게 새로운 보석을 발견한 기분이었다. 이곳은 코트 드 데바 샴페인 AOC 지역에 포함되어 있는데도 랭스와 에페르네에 집중되어 있는 화려한 샴페인 명가들의 그늘에 가려 일반인들에게는 아직도 생소한 지역이다. 트루아를 대표하는 건축물인 화려한 장미창으로 유명한 생-피에르-에-생-폴 대성당Cathédrale Saint-Pierre-et-Saint-Paul de Nantes 앞에 있는 오래된 와인 숍 셀라 옥스 샹파뉴Celler aux Champagnes에 들러서 이 지역에서 생산되는 다양한 샴페인을 시음하였다. 이 중에서 가장 고가이며 대표샴페인이라고 추천한 쟈크 라센느Jacques Lassaigne의 끌로 셍뜨소피 몽구Clos Sainte Sophie Montgueux 2011, 블랑 드 블랑 브뤼 나튀르Blanc de Blancs Brut Nature가 인상적이었다. 특히 청사과·리치 등의 과일 향, 시트러스·시나몬과 견과류 향이 숨어 있는 미네랄리티의 풍미가 좋았는데, 설탕을 넣지 않는 제로 도자주 때문인지 입안에서는 드라이하면서도 쓴맛의 잔향이 날카롭게 느껴졌다. 전체적으로 개성이 강한 샴페인이었는데, 프랑스 국내와 유명 레스토랑에서 인기가 점점 높아지고 있으며 가격도 오르고 있다고 한다. 시음을 마친 후 쟈크 라센느가 있는 테루아를 직접 보고 싶어 트루아에서 서쪽으로 약 10킬로미터 떨어져 있는 몽구Montgueux로 향했다. 끝없이 펼쳐진 평원을 지나니 높은 구릉에 위치한 한적한 몽구 마을이 나타났다. 아쉽게도 쟈크 라센느가 문을 닫아 양조장 시설을 볼 수 없었지만, 아름다운 조형물이 설치되어 있는 언덕 위 주차장에서 포도밭의 지형과 토양을 관찰할 수 있었다. 동남 방향으로 급경사진 지형에 위치한 포도밭은 풍부한 일조량을 확보할 수 있고, 배수가 용이하며, 백악질로 이루어진 토양으로, 샤르도네 재배에 최적의 테루아라고 생각했다. 멀리 푸른 초원 너머 아름다운 트루아 시도 한눈에 볼 수 있다.

◀ 쟈크 라 센느가 있는 몽구 마을의 언덕에 있는 포도송이를 상징하는 조형물이 아름답다.

보르도 샤토의 아름다운 전형을 보여주는 샤토 피숑-롱그빌 바롱. 1988년에 리노베이션하였다.

Bordeaux

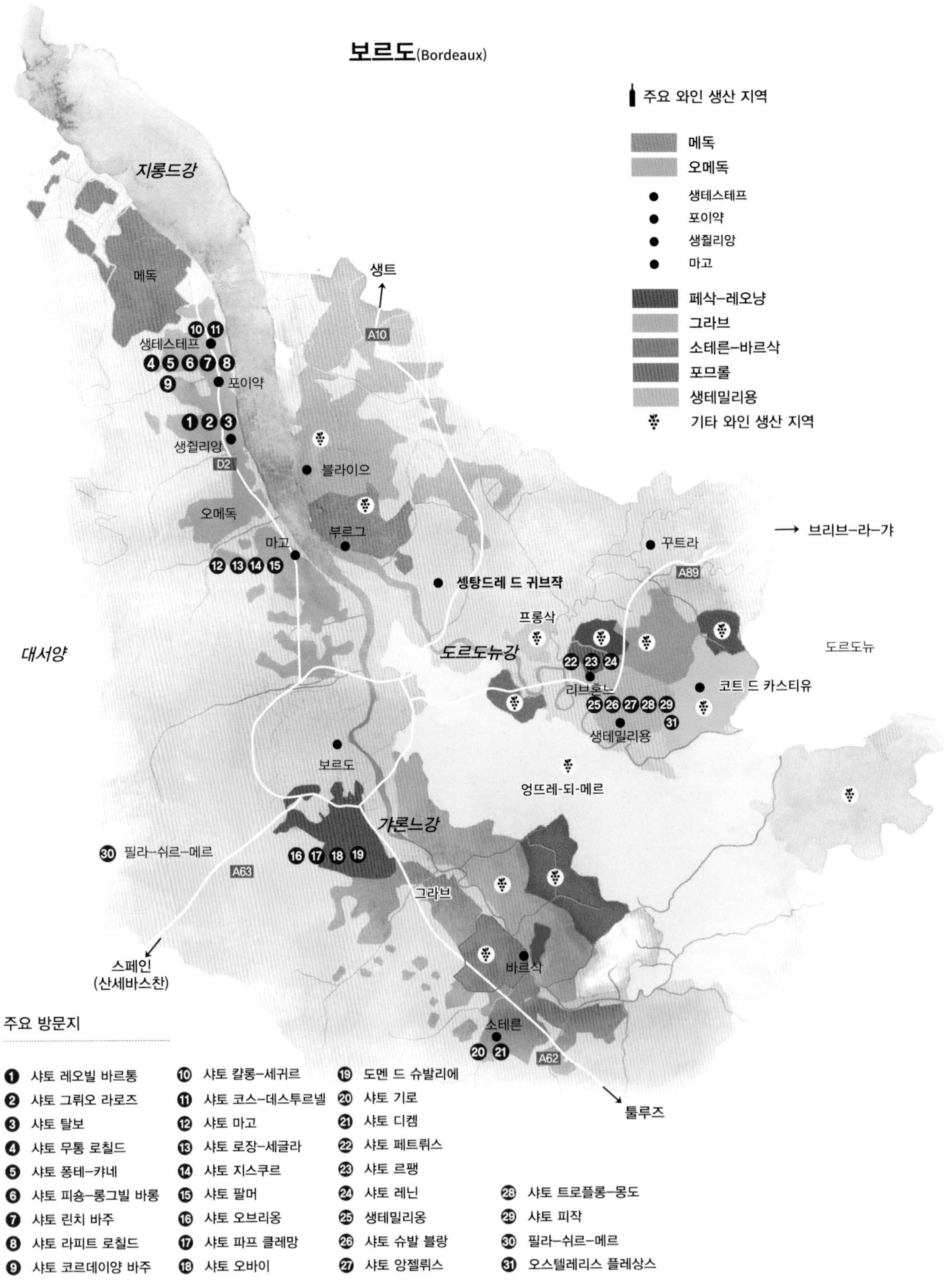
보르도(Bordeaux)
주요 와인 생산 지역
메독
오메독
생테스테프
포이약
생쥘리앙
마고
페삭-레오냥
그라브
소테른-바르삭
포므롤
생테밀리용
기타 와인 생산 지역
지롱드강
메독
생트
A10
생테스테프
포이약
생쥘리앙
D2
블라이으
오메독
마고
부르그
셍탕드레 드 귀브쟉
꾸트라
브리브-라-갸
A89
프롱삭
대서양
도르도뉴강
도르도뉴
리브혼느
코트 드 카스티유
생테밀리용
보르도
엉뜨레-되-메르
가론느강
필라-쉬르-메르
A63
그라브
스페인
(산세바스찬)
바르삭
소테른
A62
툴루즈
주요 방문지
1 샤토 레오빌 바르통
2 샤토 그뤼오 라로즈
3 샤토 탈보
4 샤토 무통 로칠드
5 샤토 퐁테-캬네
6 샤토 피숑-롱그빌 바롱
7 샤토 린치 바주
8 샤토 라피트 로칠드
9 샤토 코르데이양 바주
10 샤토 칼롱-세귀르
11 샤토 코스-데스투르넬
12 샤토 마고
13 샤토 로장-세글라
14 샤토 지스쿠르
15 샤토 팔머
16 샤토 오브리옹
17 샤토 파프 클레망
18 샤토 오바이
19 도멘 드 슈발리에
20 샤토 기로
21 샤토 디켐
22 샤토 페트뤼스
23 샤토 르팽
24 샤토 레닌
25 생테밀리옹
26 샤토 슈발 블랑
27 샤토 앙젤뤼스
28 샤토 트로플롱-몽도
29 샤토 피작
30 필라-쉬르-메르
31 오스텔레리스 플레상스

프랑스의 대표 와인 산지 보르도

보르도Bordeaux 지방은 부르고뉴Bourgogne와 함께 프랑스 와인을 대표하는 양대 산맥이다. 부르고뉴 와인이 여성적이고 관능적인 향기를 뿜어내는 것과 대조적으로 보르도는 강건하고 남성적인 성격의 와인을 생산한다. 단일 품종 생산을 고집하는 부르고뉴와 달리 여러 포도 품종을 배합하여 만든 보르도 와인은 시간의 흐름에 따라 미묘한 와인의 향기를 더욱 발현시키는 특별함이 있다. 양조기술뿐만 아니라 산업 자본의 도입을 통해 세계 와인산업을 이끈 일등공신이다. 그래서 보르도는 단순히 프랑스 와인 산지 중 한 곳이 아니라, 세계 와인의 표준이자 세계 와인산업을 선도하는 중심지가 되었다.

1855년 파리 세계만국박람회 때 결정된 그랑 크뤼 등급제도는 AOC 와인 중에서도 최고 등급인데, 160년 동안 변함없이 유지되고 있다. 메독Médoc 와인 중 다섯 개 등급으로 나뉜 총 61개의 그랑 크뤼 와인의 등급제도는 1973년에 샤토 무통 로칠드Château Mouton Rothschild가 1등급으로 승급한 것을 제외하고는 단 한 번도 변한 적이 없다. 포도밭을 중심으로 등급을 매긴 부르고뉴와 달리 당시의 와인 판매 가격을 참고하여 생산자인 샤토를 중심으로 등급을 정했다.

보르도 지방의 유명 와인 생산지는 보르도 시 주변에 발달해 있다. 보르도 시의 북쪽으로 흐르는 지롱드강 좌안인 메독, 지롱드의 지류인 갸론느Garonne강 서안에 위치한 페삭-레오냥Pessac-Léognan, 더 남쪽으로는 스위트 와인Sweet Wine으로 유명한 소테른Sauternes과 바르삭Barsac이 있다. 지롱드강 상류 도르도뉴Dordogne강 우안에 있는 포므롤Pomerol과 생테밀리옹Saint-Émilion은 좀더 부드럽고 풍만한 와인으로 20세기 이후에 각광받고 있는 지역이다. 도르도뉴강과 갸론느강 사이에는 가장 넓은 앙트르-되-메르 Entre-deux-Mers AOC 지역으로, 대부분의 보르도 쉬페리에 Bordeaux Superieur급 와인이 이곳에서 생산된다. 그밖에 지롱드강 우안에는 지명도가 다소 떨어진 AOC 지역으로 코트 드 부르Cotes de Bourg와 코트 드 블라이Cotes de Blaye가 있다.

오늘날 보르도가 세계 와인의 중심지로 우뚝 솟은 이유는 일차적으로 좋은 품질의 와인에 적합한 기후와 토양을 가진 자연조건에서 찾을 수 있겠지만, 지정학적인 이유도 크다.

이 지역은 고대 갈리아인과 로마 제국의 정복을 시작으로 1,000년 동안의 혼란과 암흑기를 거쳐 1154년 비로소 평화와 번영의 시대를 맞게 된다. 아키텐 공국의 엘레오노르Aliénor 공주가 후에 영국의 왕이 된 헨리 2세와 결혼하여 보르도는 300년 동안 영국의 영토가 되어, 대부분의 와인을 영국에 쉽게 수출할 수 있었기 때문이다. 또한 대서양으로 통하는 넓은 지롱드강은 수출항으로서 천혜의 조건을 갖추고 있다.

100년전쟁으로 보르도는 다시 프랑스의 영토가 되어 와인산업은 잠시 침체되었지만, 18세기부터 영국, 독일, 신대륙으로의 수출이 활발하게 이루어져 다시 오늘날과 같은 번영을 이루었다. 보르도 시내에는 18세기에 쌓은 부로 건설한 수많은 건물들이 있고, 이 건물들은 현재 유네스코에 세계문화유산으로 등록되어 와인과 함께 또 다른 관광자원이 되고 있다.

생쥘리앙에서 가장 큰규모의 샤토 탈보의 광활한 포도밭이 녹색의 지평선을 이룬다.(위)
지롱드강 좌안 메독의 심장부를 관통하는 D101번 지방도로의 이정표.(아래)

샤토 레오빌 바르통의 아치창문을 통해 양조장을 보면서 시음할 수 있는 테이스팅룸.(위) 내가 시음했던 와인들.(작은 사진) 지하 셀러에서 새로운 와인을 숙성시킬 오크통을 정돈하고 있다.(아래)

2019년 세계 100대 와인 중 1위로 선정된 샤토 레오빌 바르통

생쥘리앙Saint-Julien에 있는 샤토 레오빌-바르통Château Leoville Barton을 방문하기 위해 아침 일찍 보르도 시에서 오메독Haut-Medoc으로 향했다. 보르도에서 북쪽으로 지롱드강 좌안 D101번 지방도로를 따라 오메독의 북쪽 마을인 생테스테프Saint Estephe까지 달리면 보르도 최고의 그랑 크뤼 샤토들을 만날 수 있다. 차창 밖은 연한 핑크색을 머금은 회색 석회암으로 지어진 보르도컬러의 아름다운 건물들과 마치 녹색 바다처럼 끝없이 펼쳐진 포도밭이 어우러져 가장 보르도적인 풍경을 연출한다. 지난 2년간 와인 MBA 시절 이 길을 무수히 달렸던 추억들이 새롭게 밀려왔다. 샤토 레오빌 바르통이 있는 생쥘리앙 마을에 진입하기 전 왼편에 이 지역에서 가장 넓은 샤토 탈보Château Talbot의 포도밭이 광활하게 펼쳐져 있다. 부티크 레스토랑인 쥘리우스에서 점심을 먹고 샤토 레오빌 바르통을 찾았다. 생쥘리앙은 마고Margaux, 포이약Pauillac, 생테스테프Saint-Estephe와 함께 메독 지역에서 최고 명품 와인을 생산하는 마을이다.

아일랜드인으로 1725년에 와인상으로 보르도에 정착한 토마스 바르통Thomas Barton 가문은 그의 손자인 휴 바르통이 처음으로 포도밭을 매입하면서 와인산업을 시작하였다. 그 후 프랑스 대혁명의 소용돌이 속에서 한때는 와인 밭이 혁명 정부에 몰수당하기도 하였지만 우여곡절 끝에 1821년 샤토 랑구아Château Langoa(그랑 크뤼 3등급)와 1826년 재정적인 어려움을 겪고 있던 샤토 레오빌Château Léoville의 일부 포도밭 119에이커(그후 샤토 레오빌 바르통으로 명명)를 매입하여 현재의 와인명가를 이루었다. 당시 이러한 분할 매각으로 샤토 레오빌은 현재 바르통 외에도 레오빌-푸아페레Léoville Poyferré, 레오빌-라스까즈Léoville-Las Cases 등 레오빌을 쓰고 있는 그랑 크뤼 포도밭이 세 개가 되었다. 샤토 레오빌 바르통은 1855년 그랑 크

생쥘리앙의 그랑 크뤼 와인 메이커 샤토 레오빌 바르통의 오너가 살고 있는 저택.
18세기의 대표적인 건축 양식으로 지어진 아름다운 샤토다.

샤토 레오빌 바르통의 후원에 환경 보호를 위해 남겨둔 울창한 숲. 생쥘리앙에 유일하게 남아 있다.

뤼 등급 제정 시 2등급을 부여받았는데, 그 당시의 그랑 크뤼 포도밭을 지금까지 계속해서 소유하고 있는, 보르도에 유일하게 남아 있는 세 가문 중 하나이다. 최근에는 리스트락Listrac에 있는 모베상 바르통Mauvesin Barton을 추가로 매입하였다.

아일랜드인의 장인정신이 빚어낸 보르도의 정통 와인

현재 이 샤토는 세 세대가 함께 운영하고 있는데, 8세대인 안토니 바르통Anthony Barton의 지휘 아래 그의 딸 릴리엉Lilian 그리고 10대에 해당된 손자 다미앙Damien과 손녀 멜라니Melanie가 가문의 전통을 이어가고 있다. 바르통 가문이 추구하고 있는 와인철학은 의외로 단순하다. 아무리 좋은 와인이라도 모든 사람을 만족시킬 수 없으므로 와인 메이커가 만족하고 마실 수 있는 와인을 만들기 위해 최선을 다한다는 것이다. 이를 위해 환경 파괴 없이 보르도 테루아의 정체성을 유지하면서 포도밭을 가꾸는 지속 가능성의 추구와 구세계 와인의 오랜 전통의 정교함을 통해 매력 있는 와인을 만들고 판매한다는 것이다. 이를 위해 와인은 스테인리스통 대신 고전적인 대형 오크통에서 발효시킨다. 생쥘리앙에 남아 있는 유일한 숲도 이 샤토의 소유지만, 더 이상 포도밭으로 개발하지 않고 환경 보호를 위해 남겨두고 있다고 한다. 와인의 가격도 2등급 그랑 크뤼 와인으로서는 매우 합리적인 가격이다.

마케팅 담당인 마갈리Magali 여사의 안내로 먼저 오래된 와인셀러, 전형적인 18세기 건축물과 정원을 가진 아름다운 샤토를 구경했다. 이 와이너리의 특징은 오너인 안토니 바르통이 보르도의 다른 와인 메이커들이 대부분 파리에 거주하고 있는 것과 달리 샤토에 상주하며 직접 포도밭을 돌보고 와인 생산에 참여한다는 것이다. 이것은 스코틀랜드와 함께 세계 최고 품질의 위스키를 생산하는 아일랜드인의 장인정신일지도 모른다. 그리고 이것은 와인의 품질에 큰 영향을 미친다.

오크통에서 숙성 중이던 레오빌 2013과 랑고아 2013을 시음하였다. 아직 젊어 입안을 조이는 타닌이 느껴지지만, 깊고 오래 지속되는 향기는 그랑 크뤼 와인의 존재감을 충분히 과시했다. 특히 청색이 깃든 짙은 붉은색에 검은 과일 향, 강렬한 바이올렛과 아니스의 향미가 잔향에서 느껴졌다. 최소 10년 이상의 숙성을 거쳐야만 그 진가를 발휘할 것 같았다. 2016년 빈티지가 2019년《와인 스펙테이터Wine Spectator》가 선정한 세계 100대 와인 중 당당히 1위에 랭크되었지만, 300년 동안 고집스럽게 보르도 와인의 전통과 역사를 간직해온 이 와인에는 어쩌면 너무 뒤늦은 영광인지도 모르겠다.

토머스 제퍼슨 대통령이 인정한 샤토 그뤼오 라로즈

생쥘리앙의 또 다른 그랑 크뤼 와인인 샤토 그뤼오 라로즈Château Gruaud-Larose는 와인 애호가였던 미국의 3대 대통령 토머스 제퍼슨이 주프랑스 대사 시절인 1778년 보르도 와인 투어를 하며 네 개의 1등급 그랑 크뤼 와인의 뒤를 이을 2등급 와인으로 지목한 것으로 유명하다. 실제로 1855년 프랑스 정부로부터 2등급 와인으로 지정 받았다. 제퍼슨 대통령의 와인에 대한 지식과 혜안을 새삼 짐작할 수 있다.

미국인 최초의 포도 재배자로 알려진 제퍼슨 대통령은 은퇴 후 1807년 고향 버지니아의 몬티첼로 저택 주변에 두 곳의 포도밭을 조성했다. 비록 필록세라Phylloxera(포도나무뿌리 진딧물의 일종)로 성공하지는 못했지만, 와인에 대한 그의 끝없는 열정은 죽을 때까지 계속되었다.

18세기에 세워진 그뤼오 라로즈의 상징인 타워에 올라가니 프랑스 삼색기와 함께 캐나다 국기가 꽂혀 있었다. 캐나다 주요 정부 인사가 방문 중이라고 하였다.

샤토 그뤼오 라로즈의 상징인 종탑. 18세기에 지어졌다.

메독의 그랑 크뤼 와인 메이커 샤토 그뤼오 라로즈의 종탑에서 바라본 광활한 녹색의 포도밭 풍경.

샤토 그뤼오 라로즈의 발효탱크. 오크통이 아닌 시멘트로 만들어졌다.(위)
샤토 그뤼오 라로즈에 있는 발효탱크의 온도 자동 조절 컨트롤 패널의 모습이 마치 팝아트 작품 같다.(아래)

타워에서 바라본 포도원 가운데 지금까지 보지 못했던 특별한 목재건축물이 있었는데, 그것은 바로 우박을 막기 위한 포대였다. 우박이 예상되면 이 포대에서 대포를 쏘아 반경 4킬로미터까지 우박 결정체의 형성을 막을 수 있고, 우박의 피해 또한 어느 정도 줄일 수 있다고 한다. 포도 농사에서 가장 치명적인 자연재해는 서리와 우박이다. 봄철 포도나무에 꽃필 무렵 서리가 내리면 열매 맺기가 어렵고, 여름철 우박이 내리면 포도 알갱이에 상처를 주어 좋은 와인을 만들 수가 없기 때문이다. 발효탱크는 여전히 시멘트를 재료로 사용하고 있었지만, 양조시설은 매우 현대화되어 있었다. 특히 발효탱크의 온도를 컴퓨터로 통제하고 있었는데, 컨트롤 패널의 모습이 인상적이었다.

'무통 로칠드'는 결코 변하지 않으리라

그뤼오 라로즈에서 와인 시음을 마치고 샤토 무통 로칠드Château Mouton Rothschild를 방문하기 위해 생쥘리앙에 인접해 있는 포이약으로 향했다. 내게 무통 로칠드는 특별한 곳이다. 와인 MBA 시절을 보냈던 보르도에서의 2년은 단순히 함께 공부한 클래스메이트들과 친교를 나눈 시간만은 아니었다. 이곳을 대표하는 샤토들의 초청을 받아 세미나와 만찬에 참석했고, 그들이 궁극적으로 추구하는 최고 와인을 만드는 노력과 철학을 몸소 체험할 수 있는 값진 시간이었다. 그중 하나가 무통 로칠드이다.

2001년 보르도 경영대학원에 개설된 최초의 와인 MBA의 멘토가 바로 무통 로칠드의 오너 필리핀The Baroness Philippine Rothschild 여사였는데, 얼마 전 80세의 나이로 작고했다는 외신을 접하고 특별한 슬픔을 느꼈다. 그녀가 초청한 만찬은 물론, 전 세계 와인업계 지도자들과 저널리스트 약 200명이 참석한 가운데 샤토에서

단아하면서도 화려한 자태를 뽐내는 그랑 크뤼 와인 메이커 샤토 무통 로칠드의 아름다운 전경.
단순한 샤토의 외형과 잘 정돈된 공간이 감탄을 자아내게 한다.

성대하게 거행된 졸업식의 추억을 잊을 수 없다. 졸업식에서 오픈한 샤토 무통 로칠드 1983 레드와인만도 100병이 넘었다. 파리에서 유명한 배우로 활동하던 그녀는 아버지의 뒤를 이어 경영에 참여하여 현재의 무통 로칠드를 있게 한 와인업계의 거성이었다. 우리에게도 친숙한 와인인 무통 카데Mouton Cadet나 칠레의 명품 와인 알마비바Almaviva도 그녀의 작품이다.

2013년 레이블은 이우환 작가의 작품

사실 이 여행길에서 오랜만에 그녀를 만나 인사도 하고 예술적인 와인셀러와 박물관을 집중적으로 취재하려 했으나, 고인이 된 그녀를 이제는 만날수 없고, 상중이라 샤토도 문을 닫아 못내 안타까웠다. 작열하는 9월의 태양 아래 샤토 무통 로칠드는 단아하고도 화려한 자태를 뽐내고 있었지만, 열정적이던 그녀를 이제 더이상 볼 수 없다고 생각하니 왠지 공허한 풍경으로 다가왔다.

프랑스 그랑 크뤼 역사 118년 만의 유일무이한 사건, 무통 로칠드가 1등급으로 승급한 1973년, 그들은 피카소가 그린 레이블에 "현재는 1등급이고, 과거는 2등급이었지만, 무통은 변하지 않는다First I am, Second I was, Mouton does not change"라는 유명한 문장을 남겼다. 비록 필리핀 여사는 사라졌지만 이 문구처럼 무통 로칠드는 결코 변하지 않고 현재의 품질을 유지할 것이다. 유난히 예술을 사랑했던 무통 로칠드 가문은 피카소 외에도 샤갈, 달리, 워홀 등 세계적인 작가의 작품을 레이블로 사용한 것으로 유명하다. 매년 세계의 와인 애호가들은 그해의 레이블에 누구의 작품이 선택될 것인지 기다리고 있다. 2013년 빈티지의 레이블은 우리나라 이우환 작가의 작품이 선택된 것을 보면 한국도 세계 와인소비시장에서 일정한 위치를 차지하게 된 듯하다.

샤토 무통 로칠드의 그림 레이블. 맨 오른쪽 레이블이 한국의 이우환 작가 작품이다.(위) 내 멘토였던 샤토 무통 로칠드의 오너 필리핀 여사(왼쪽)와 찍은 와인 MBA 졸업식 기념사진.

보르도의 새로운 등급체계 크뤼 부르주아

상위 등급을 능가하는 하위 등급의 와인들

보르도 와인을 좀더 이해하기 위해서는 그랑 크뤼 등급과 크뤼 부르주아Crus Bourgeois 제도를 살펴볼 필요가 있다. 메독의 그랑 크뤼 와인은 AOC 와인 중 총 61개가 있으며, 이 와인들은 다시 최고 등급인 1등급First Growth or Premier Cru classés에서부터 5등급Fifth Growth or Cinquieme Crus까지 분류되어 있다.

1등급은 와인 애호가들이 흔히 이야기하는 5대 샤토로 마고, 라투르Latour, 샤토 라피트 로칠드Château Lafite Rothschild, 무통 로칠드, 샤토 오브리옹Château Haut-Brion이다. 이중 샤토 오브리옹만 유일하게 메독이 아닌 페삭-레오냥Pessac-Leognan 지역에 속한다. 이러한 그랑 크뤼 등급은 앞서 언급했듯이 1855년 파리 세계만국박람회 때 결정된 이후, 1973년 무통 로칠드가 유일하게 2등급에서 1등급으로 승격된 이후 한 번도 변경되지 않았다. 물론 그전에도 네고시앙Négociant(와인 판매자)들과 소비자들 사이에서는 비공식적으로 가격과 샤토에 따라 그 등급이 매겨져왔다. 그러나 160년이 지나는 동안 당시의 샤토들이 소유하고 있던 포도밭 면적이 늘어나고, 네고시앙 대신 샤토에서 직접 양조하여 병입하는 등 생산 환경의 변화와 함께 와인의 품질 역시 변하게 되었다. 그 결과 지금은 하위 등급이 상위 등급을 능가하는 품질이거나 더 높은 가격으로 팔리는 기현상이 발생하게 되었다. 참고로 3등급인 샤토 팔메Château Palmer는 거의 1등급 수준으로, 5등급인 샤토 린치 바주Château Lynch Bages나 샤토 퐁테-카네Château Pontet-Canet는 2등급 수준의 가격으로 시중에서 유통되고 있다.

메독을 대표하는 5대 샤토 못지않게 우수한 품질의 와인을 생산하는 수많은 샤토들이 그들의 억울함과 등급제도의 모순을 지적하면서 프랑스 정부를 상대로

샤토 린치 바주가 운영하는 레스토랑 샤토 코르데이양 바주. 미슐랭 2스타 레스토랑이다.(위)
메독의 와인 명가 샤토 린치 바주의 양조장에 전시된 현대미술 작품들. 와인 박물관 수준이다.(아래)

보르도 5대 샤토 중 하나인 샤토 마고의 우아한 모습.

신르네상스 양식인 샤토 팔메르.

치열한 로비전을 펼치고 있지만, 앞에서 이야기했던 샤토 무통 로칠드를 제외하고는 아직까지 승급한 사례가 없다. 사실 무통 로칠드의 승급은 와인업계에 여러 가지 파장을 몰고 왔다. 소테른의 특1등급 와인 샤토 디켐Château d'Yquem은 프랑스 정부를 상대로 무통 로칠드의 1등급 승격 무효 소송을 제기했으나 패소한 바 있다. 물론 무통 로칠드의 1등급 자격에 대해 의문을 제기한 사람은 없지만, 최근에 작고한 필리핀 여사의 아버지인 바롱 필립 로칠드와 전 프랑스 대통령 쟈크 시라크와의 특별한 관계를 기반으로 승급이 이루어졌다는 이야기가 와인업계의 정설로 받아들여지고 있다.

최근 필리핀 여사의 영결식에도 시라크 전 대통령의 영부인이 특별히 참석했다는 것은 시사하는 바가 크다. 1973년 무통 로칠드가 1등급으로 승급할 당시 주무부처인 농무부의 장관이 바로 시라크였다.

크뤼 부르주아 와인의 탄생

이러한 등급제도의 모순을 해결하기 위해 메독 지역의 와인 생산자들을 중심으로 1932년 새로운 분류법인 크뤼 부르주아를 제안하게 된다. 1966년에야 본격적으로 시행된 이 분류법은 내부적인 경연 대회와 수정 과정을 거쳐 2003년에 공식적인 등급이 결정되었다. 등급은 크뤼 부르주아, 크뤼 부르주아 쉬페리외르Cru Bourgeois Supérieur, 최고 등급인 크뤼 부르주아 엑셉시오넬Cru Bourgeois Exceptionnels로 결정되었다. 그러나 등급 심사 결과에 불만을 가진 샤토들의 소송으로 2007년부터 크뤼 부르주아 단일 등급으로 통일하였다. 그러나 이러한 일련의 과정을 통해 그랑 크뤼를 능가하는 샤토 샤스-스플린Château Chasse-Spleen과 샤토 드 페즈Château de Pez 같은 새로운 명품 와인들이 탄생하게 되었다. 이것은 전적으로 크뤼 부르주아 제도가 낳은 위대한 성과물이라 할 수 있다. 특히 샤토 샤스-스플린은 「악의 꽃」으로 유명한 천재 시인 보들레르가 즐겨 마신 와인으로, 이름도 그가 헌정하였다고 한다.

'부르주아'라는 말은 원래 프랑스어에서 성城을 뜻하는 '부르bourg'에서 유래하였다. 그러나 중세 이후 상공업의 발달로 부를 축적한 신흥 부자들이나 자본가들이 영주들에게 막대한 재물을 바치고 성내 거주권을 얻어 성 안에서 안전하고 윤택한 생활을 누리게 되었고, 이런 성내인城內人을 '부르주아'라고 지칭했다. 17~18세기 부르주아 시민혁명 이후 이들은 노동자에 대칭되는 자본가 계급으로 발전했지만, 새로운 크뤼 와인 명칭을 '부르주아'라고 부른 것은 매우 흥미로운 일이다. 아마도 돈 많은 신흥 부자들이 마시는 좋은 와인이라는 의미가 아닐까.

샤토 무통 로칠드의 이웃, 샤토 퐁테-카네

그랑 크뤼 제도의 오랜 전통 때문에 억울하게 피해를 보고 있다고 생각되는 샤토 중 대표격인 퐁테-카네와 그 밖의 그랑 크뤼 생산자들을 찾았다. D205번 도로를 사이에 두고 무통 로칠드와 이웃하고 있는 샤토 퐁테-카네는 무통 로칠드에 버금가는 그랑 크뤼 와인을 생산하는 것으로 유명하다. 메독 그랑 크뤼 와인 생산자 중 120헥타르로 가장 넓은 포도 재배 면적을 갖고 있는 이곳은 18세기에 설립된 이후 1975년, 코냑·와인상이며 생테스테프 그랑 크뤼인 샤토 라퐁 로셰Château Lafon Rochet의 오너인 테세론 가문이 구입해 현재에 이르고 있다.

삼촌 알프레드Alfred와 공동소유자인 멜라니 테세론Mélanie Tesseron 씨는 나의 도착을 알리는 전갈을 받고 회의 중인데도 달려나와 반갑게 맞아주었다. 금발 미녀인 그녀가 얼마 전 한국을 방문했을 때 나는 그녀와 와인을 시음하며 저녁식사를 함께한 적이 있었다.

18세기에 지은 메독의 그랑 크뤼 와인 메이커 샤토 퐁테-카네 전경.(위)
샤토 퐁테-카네가 실험적으로 운영하고 있는 고대 암포라 형태의 숙성통.(아래)

샤토 퐁테-캬네의 포도원을 전망할 수 있는 2층 시음장. 예술적으로 분할된 창 너머로 보이는 포도밭이 한 폭의 그림 같다.(위)
미슐랭 가이드 2스타 레스토랑인 샤토 코르데이양 바주 레스토랑에서 마셨던 샤토 퐁테-캬네 1998. (아래)

더 좋은 와인을 향한 퐁테-캬네의 실험

퐁테-캬네는 1990년대 말부터 최고 품질의 와인을 만들기 위해 몇 가지 획기적인 계획을 실천에 옮기고 있다. 우선 1999년 전설적인 와인 메이커 미셸 롤랑Michel Rolland을 컨설턴트로 영입해 전통적인 양조 방법을 개선했다. 또한 최고의 와인은 일차적으로 포도 재배에서 시작한다는 철학을 가지고 모든 역량을 포도밭에 집중했다. 이에 따라 이 지역 최초로 2004년부터 유기농법보다 한 단계 위인 바이오다이나믹Biodynamic 농법으로 포도를 재배하고, 트랙터 대신 말을 이용해 원시적으로 포도밭 이랑을 갈고 있다. 바이오다이나믹 농법은 유기농보다 더 엄격한 자연친화적 농법으로 1920년대 오스트리아의 철학자이자 농학자인 루돌프 슈타이너Rudolf Steiner 박사가 제창하였다. 우주의 주기 변화와 자연의 질서에 순응하는 농법으로, 특히 달의 변화 주기에 따라 포도밭을 경작하고, 소뿔을 포도밭에 묻고, 각종 허브나 쇠뜨기를 퇴비에 섞어 뿌린다. 트랙터 대신 말이 포도밭 이랑을 갈고 있는데, 말은 트랙터보다 가볍기 때문에 땅을 부드럽게 하여 산소를 풍부하게 공급할 수 있다고 한다. 우리나라 농촌에서 사용하는 음력의 24절기와 농경 방법이 흡사하다는 것이 흥미롭다. 샤토 마고와 라투르도 퐁테-캬네의 영향을 받아 현재 이 방법을 쓰고 있다. 또한 포도 수확부터 양조 과정까지 모든 단계가 인간의 손으로 이루어진다. 대부분의 샤토들이 현대 양조기법으로 도입한 컴퓨터 시스템도 배제하고 있다.

이곳 양조시설을 둘러보는 동안 고대 암포라Amphora 모양을 한 900리터 용량의 숙성용 콘크리트통이 특히 눈에 띄었다. 이곳 포도밭에 있는 자갈과 석회암을 시멘트와 혼합해 만들었다고 했다. 그것은 숙성 과정에서도 이곳 테루아의 특성을 발현하도록 한 배려였다. 이 암포라 통에서 숙성된 와인은 아직 시판되지 않고 있지만 그 결과가 몹시 기대되었다.

메독 그랑 크뤼 와인 중 가장 북쪽 생테스테프에 위치한 샤토 칼롱-세귀르의 시음장에서 와인 MBA 후배가 직접 안내하였다.(위) 특이하게 목재를 사용하여 지은 샤토 지스쿠르의 부속건물.(아래)

와인 시음은 광활하게 펼쳐진 포도밭을 창문 너머 볼 수 있는 2층 발코니 앞에서 하였는데 수확량이 적었던 2013년 빈티지였다. 풍부한 과일 향과 함께 블랙커런트·흙·시가 향 그리고 풀 보디의 풍부한 질감을 가진 와인이었다. 카베르네 소비뇽 65퍼센트, 메를로merlot 30퍼센트의 비율에 카베르네 프랑Cabernet Franc과 프티트 베르도Petit Verdot 등을 배합하여 16~20개월 동안 60퍼센트 프렌치 새 오크통에서 숙성시켰다고 한다.

샤토를 떠나기 전 나는 그녀에게 이렇게 좋은 와인을 생산하고 있으면서 이웃인 무통 로칠드처럼 왜 승급을 위한 로비를 하지 않느냐고 물었다. "언젠가"라고 대답하면서 웃는 그녀의 미소는 160년 동안 변함없이 지켜온 메독 와인의 전통과 그랑 크뤼 제도의 패러독스를 다시 한 번 되새기게 했다. 퐁테-카네 2009년 빈티지는 와인 평론가 로버트 파커Robert Parker로부터 100점 만점을 받았다. 샤토 방문을 마치고 포이악의 와인 명가 샤토 린치 바주가 운영하는 미슐랭 가이드 2스타 레스토랑인 샤토 코르데이양 바주Château Cordeillan Bage에서 점심을 먹었다. 레드와인 퐁테-카네 1998을 곁들였는데 파워풀하면서도 부드러운 타닌과 복합적인 풍미를 발산하는 전형적인 메독의 그랑 크뤼 와인을 또 한 번 확인할 수 있었다.

메독의 유명한 그랑 크뤼 샤토들

양조장에 항상 현대미술 작품을 전시하는 와인 명가 샤토 린치 바주, 1988년 리노베이션 공사를 통해 새롭게 건설한 보르도 샤토의 아름다운 전형을 보여주는 샤토 피숑-롱그빌 바롱Château Pichon-Longueville Baron, MBA 시절 만찬과 함께 세미나를 열어주었던 5대 샤토 중 하나인 샤토 라피트 로칠드와 인도풍의 개성 있는 샤토 코스-데스투르넬Château Cos-d'Estournel, 신르네상스 양식의 샤토 팔메르, 샤넬이

보르도 5대 샤토 중 하나인 샤토 라투르. 타워 너머 지롱드강이 보인다.

주인인 2등급 그랑 크뤼 샤토 로장-세글라Château Rauzan-Segla, 와인 MBA 출신 직원을 배치하여 나를 특별히 안내해준 메독 그랑 크뤼 중 가장 북단에 위치하고 있는 샤토 칼롱-세귀르Château Calon-Ségur, 목재를 쓴 특이한 샤토 건축물로 유명한 마고의 샤토 지스쿠르Château Giscours 등은 모두 직접 방문했던 특별한 샤토들이다. 그들이 자랑하는 와인의 정체성과 그 아름다운 샤토들을 지면 관계상 일일이 소개할 수 없다는 것이 아쉽다. 그러나 가을이면 메독에서는 어디서든 황금빛 포도원이 바다처럼 펼쳐지고, 밤하늘의 별처럼 수많은 샤토를 만날 수 있다. 그리고 160년 전에 태어난 그랑 크뤼 와인들은 변함없이 오늘도 황금알을 낳고 있다.

보르도의 또 다른 명품 와인 산지 페삭-레오냥

보르도 시 남쪽 갸론느강 좌안은 오메독 못지않은 명품 와인 생산지이다. 특히 보르도 시에 인접해 있는 그라브Graves 지역의 페삭-레오냥은 레드와인의 중심지이며, 건조한 모래와 자갈이 뒤섞인 토양으로 예로부터 소나무숲으로 유명하다. 아침 일찍, 클레망Clement 5세가 교황이 되기 전인 보르도의 대주교 시절 와인을 재배했던 샤토 파프 클레망Château Pape Clément을 방문하기 위해 페삭을 가로지르는 아르카숑Arcachon의 옛 가도를 달렸다. 옛날에도 한가로운 교외였지만, 보르도 시의 일부가 된 지금도 익어가는 포도밭 너머로 펼쳐져 있는 짙푸른 소나무숲은 여전히 평화로운 모습이었다.

가는 길에 잠시 메독의 그랑 크뤼 1등급 5대 샤토 중 하나인 샤토 오브리옹Château

Haut-Brion에 들렀다. 아침부터 중년으로 보이는 일본인 단체 관광객들이 버스에서 내려 기념 촬영을 하느라 여념이 없었다. 일본의 관광 트렌드가 단순한 방문지 여행에서 테마 관광으로 변하고 있음을 알 수 있다.

샤토 오브리옹은 1855년 그랑 크뤼 제도를 도입할 때 메독 이외의 지역에서 유일하게 1등급 그랑 크뤼에 선정된 곳이다. 그 이유는 메독이 와인 산지로 유명해지기 훨씬 전인 14세기 때부터 이곳은 이미 보르도를 대표하는 명품 와인 산지였기 때문이다. 실제로 오브리옹은 오메독 지역의 그랑 크뤼 와인 맛과는 구

샤토 오브리옹의 포도원에서 익어가는 카베르네 소비뇽. 이곳의 토양은 자갈과 모래 그리고 철분을 포함하고 있는 점토로 구성되어 있다.(작은 사진)

CHATE
HAUT-B

1855년 메독 이외 지역에서 유일하게 1등급 그랑 크뤼로 분류된 그라브 페삭 지역의 샤토 오브리옹.

별된다. 향이 강하지는 않지만, 균형이 잡혀 있으면서도 힘과 농후함을 느낄 수 있는 와인이다. 길 건너편에 있는 샤토 라미숑 오브리옹Château La Mission Haut-Brion도 샤토 오브리옹에 비견되는 그랑 크뤼 와인이다. 그 밖에도 샤토 레카르메 오브리옹Château les Carmes Haut-Brion이나 샤토 피크 카이유Château Picque Caillou도 그랑 크뤼에 버금가는 와인을 생산하고 있다.

교황의 와이너리 샤토 파프 클레망

마을 밖을 벗어나자 눈부시도록 아름다운 가을 단풍과 환상적으로 어우러진 고색창연한 샤토의 모습이 나타났다. 교황 클레망 5세가 대주교 시절 포도를 재배했던 샤토 파프 클레망이다.

클레망 5세는 프랑스 필리프Philippe 4세 왕의 세속적인 권력에 굴복하여 로마에 부임하지 않고 아비뇽Avignon에 새로운 교황청을 만든 장본인이지만, 와인산업에서는 일등공신이라 할 수 있다. 오늘날 세계 최고의 명품 와인으로 떠오른 남부 론의 샤토뇌프-뒤-파프Châteauneuf-du-Pape 와인이 바로 그의 작품이기 때문이다. 1309년부터 1377년까지 계속되었던 아비뇽 시대를 후세 사가들은 고대 유대인이 바빌론Babylon에 강제 이주된 고사에 비유하여 '아비뇽 유수幽囚'라고 한다.

로마 제국 시대에 심어진 샤토 파프 클레망의 수령 1,800년이 넘은 올리브나무. 스페인에서 이식해왔다.

보르도에서 가장 오래된 와이너리 중 하나인 그라브 페삭 지역의 그랑 크뤼 샤토 파프 클레망.
14세기에는 교황 클레망 5세의 소유였다. 왼쪽의 유리로 된 건물이 시음장이다.

개발사업 담당 이사인 어거스틴 드샹 씨의 친절한 안내로 교황 클레망 5세의 관이 전시된 오래된 지하 셀러와 로마 제국 시대에 심어진 수령 1,800년이 넘은 올리브나무들이 있는 정원을 구경했다. 샤토 클레망은 1252년 최초로 포도를 수확한 이후 교회와 프랑스 정부를 거쳐 현재는 열정적인 미국인 와인 사업가 베르나르 마그레Bernard Magrey의 소유가 되었다. 전 세계에 40개가 넘는 샤토를 소유하고 있는 그는 보르도에만 샤토 파프 클레망을 포함하여 샤토 라 투르 카르네Château La Tour Carnet, 퐁 브로주Fond Broz, 샤토 클로 오페라게Châeau Clos Haut-Peyraguey 등 네 개의 그랑 크뤼 와이너리를 소유하고 있다.

과일 향의 완벽한 하모니, 클레망 화이트와인

스테인드글라스 창문을 통해 샤토를 바라볼 수 있는 예술적인 현대식 건물에서 2007년산 레드와인과 2009년산 화이트와인을 시음했다. 1959년에 그라브의 그랑 크뤼 와인으로 분류된 레드와인은 1985년 빈티지부터 매년 최고 품질의 와인을 생산하고 있다. 메독에 비해 메를로의 배합 비율이 다소 높지만, 풀 보디에 깊고 풍부한 질감과 오랜 잔향이 이곳 와인의 스타일을 잘 표현하고 있다.

그러나 가장 인상적이었던 와인은 소량생산하고 있는 화이트와인 2009년산이다. 소비뇽 블랑Sauvignon Blanc 40퍼센트, 세미용Semillon 35퍼센트, 소비뇽 그리Sauvignon Gris 16퍼센트에 뮈스카델Muscadelle 9퍼센트의 비율로 배합한 이 와인은 허니듀Honeydew·벌꿀·레몬껍질 향과 신선하면서도 잘 익은 과일 향의 복합적인 하모니가 완벽함을 자랑했다. 이런 와인이 아직 그랑 크뤼에 오르지 못했다는 사실이 아쉽다.

이 와인에 크게 감동하자 드샹 씨가 시간이 되면 이곳에서 약 한 시간 거리인 대서양 연안의 아르카숑Arcachon 남쪽 유럽 최대의 사구(모래언덕) 필라-쉬르-메르

그랑 크뤼 와인 샤토 파프 클레망의 지하 셀러에 저장된 오래된 와인들.(위)
샤토 파프 클레망의 예술적인 시음장에서 최고 품질의 2009년산 화이트와인을 따르고 있는 개발사업 담당 이사 드샹 씨.(아래)

유럽 최대의 사구인 보르도 인근 대서양 연안 필라-쉬르-메르에서 석양을 즐기고 있는 관광객들.

PASSAGE
INTERDIT

Domaine des Perdrix
2008
ECHEZEAUX
GRAND CRU

Pilar-sur-Mer에 있는 라코니스 레스토랑에서 굴과 함께 이 와인을 마셔볼 것을 권했다. 지금 막 굴 철이 시작되었다면서 친절하게도 직접 예약까지 해주었다. 그곳은 와인 MBA 시절 방문한 적이 있는 보르도 인근의 관광 명소이다.

계획에 없었지만 석양에 물든 사구의 풍경, 싱싱한 대서양의 굴과 향기로운 와인을 상상하면서 아르카숑만을 거쳐 대서양 연안을 따라 남쪽으로 80킬로미터를 달려 도착했다. 힘들게 주차를 하고 언덕에 오르니 원시 상태의 광활한 모래사장과, 그 높이가 무려 110미터에 달하는 모래언덕 듄느 듀 필라Dune du Pilat가 500미터 폭으로 2.7킬로미터나 뻗어 있다. 때마침 석양에 물든 대서양과 어우러져 장관을 연출하면서.

유네스코에 등록된 세계자연유산 필라-쉬르-메르

호텔과 함께 있는 라코니스 레스토랑은 사구의 끝자락에 위치하여 아름다운 풍경을 한눈에 조망할 수 있는 곳이다. 레스토랑 출입구 바닥에는 사람보다 큰 체스판이 있었고, 안으로 들어서니 운동장만큼이나 큰 규모의 테라스는 입추에 여지 없이 손님들로 꽉 차 있었다. 그리고 그 너머로 석양의 풍경이 펼쳐져 있는 모습에 나는 다시 한 번 압도당했다.

나도 그들의 일부가 되어 이곳 특산물인 굴을 비롯한 각종 어패류에 샤토 파프 클레망 2009 화이트와인을 주문했다. 비릿하지만 기분 좋은 바다 냄새를 풍기는 도버해협의 신선한 굴과 파프 클레망 그리고 저물어가는 이곳 사구의 풍경이 완벽한 하나의 페어링Pairing(궁합)이 되었다. 비록 교황 클레망 5세는 역사 속으로 사라졌지만, 그는 우리에게 명품 와인 샤토뇌프-뒤-파프와 샤토 클레망을 남겼다.

◀ 석양에 물들고 있는 필라-쉬르-메르에 있는 라코니스 레스토랑. 도버해협의 굴로 유명하다.(위)
라코니스 레스토랑에서 샤토 파프 클레망 다음에 마셨던 부르고뉴 엑세조 2008 레드와인.(아래)

미국인 사업가인 로버트 윌머스 씨가 소유하고 있는 레오냥의 대표적인 그랑 크뤼 샤토 오바이.
정원에 있는 조각은 베르나르 브네의 작품이다.

북위 45도의 마술, 도멘 드 슈발리에

보르도 그랑 크뤼 연합회장이며 일찍이 와인산업에서 '북위 45도의 마술The Magic of the 45th Parallel'을 주장해온 소테른의 샤토 기로의 공동소유자이자 레오냥의 그랑 크뤼 도멘 드 슈발리에Domaine de Chevalier의 오너인 올리비에 베르나르Olivier Bernard 씨를 만나기 위해 다시 레오냥으로 향했다. 가는 길에 레오냥의 가장 대표적인 그랑 크뤼 중 하나인 샤토 오바이Château Haut-Bailly에 들렀는데, 아담한 샤토 건물 앞 정원에 있는 베르나르 브네Bernar Venet의 조각작품이 인상적이었다.

셀러에는 중국 작가의 작품들이 전시 중이었는데, 이곳에서도 최근 와인업계의 큰손으로 급부상한 중국인의 위상을 느낄 수 있었다. 미국에서 온 홍보 담당 다이나 포랭 씨 덕분에 유창한 영어로 설명을 들으며 편하게 셀러를 구경하고 와인을 시음했다. 샤토 오바이는 400년 이상의 역사를 가지고 있는데, 1998년부터 미국인 사업가 로버트 윌머스의 소유이다.

점심시간에 도멘 드 슈발리에에 도착하니 올리비에 베르나르 회장과 홍콩에서 마케팅을 담당하고 있는 아들이 기다리고 있었다. 넓은 포도원과 소나무숲을 배경으로 거대하고 현대적인 와이너리 건물이 자리 잡고 있는 것이 매우 인상적이었다. 입구가 마치 미국 캘리포니아

보르도의 여느 샤토와는 달리 레오냥의 그랑 크뤼 도멘 드 슈발리에는 현대식 건축물이다.
소유주인 베르나르 씨는 '북위 45도의 마술' 이론으로 유명하다.

'북위 45도의 마술' 전도사인 그랑 크뤼 도멘 드 슈발리에의 소유주인 베르나르 씨가 테이스팅을 위해 2013년산 와인을 배럴에서 직접 뽑아내고 있다.(위)
베르나르 씨가 그의 셀러에서 '북위 45도의 마술'을 설명하고 있다.(아래)

California의 나파 밸리Napa Valley에 있는 오퍼스 원Opus One과 흡사했는데, 보르도의 일반적인 샤토 모습과는 판이했다.

1763년에 설립된 이 와이너리는 여러 소유주들을 거쳐 1983년 네고시앙이던 베르나르 가문의 소유가 되었으며, 과거 소유주들이 한때 유행처럼 사용했던 '샤토'라는 명칭 대신 여전히 '도멘'이란 이름을 하나의 유산으로 유지해오고 있다.

균형과 중용을 갖춘 와인을 만들어내는 것

한창 익어가는 2013년산 레드와인의 배럴 테이스팅을 마치자, 채 묻기도 전에 올리비에 베르나르 씨가 저서에 친필 서명을 해주며 '북위 45도의 마술'을 설명했다. 로마네 콩티, 슈발 블랑Cheval Blanc, 오브리옹, 라투르뿐만 아니라 이탈리아의 유명 와인 산지, 캘리포니아의 최고 와인 산지는 모두 북위 45도를 중심으로 40도와 50도 사이에 걸쳐 있다고 한다. 45도는 북극과 적도의 중간에 위치해 각기 상이한 자연환경이 어울려 균형과 중용을 갖춘 최고 품질의 와인을 생산할 수 있는 지구상 최적의 와인 생산지라는 것이다. 즉 테루아는 결코 변하지 않는다는 이론이다.

나는 귀국 후 그의 책을 읽으며 지구의 온난화가 급속히 진행되고 있는 지금, '북위 45도의 마술'이 미래에도 계속될 수 있을지 의문이 들었다.

귀부병에 걸린 포도송이. 짙게 숙성된 포도알만 골라 일일이 손으로 수확한다.

최고의 스위트 와인 산지 소테른

샤토 디켐과 쌍벽을 이룬 샤토 기로

곰팡이가 최고의 와인을 만들다

보르도 그라브 지역은 페삭-레오냥의 레드와인과 함께 일찍이 12세기부터 소테른-바르삭Sauternes-Barsac의 스위트 와인으로 전 세계에 알려졌다. 이곳의 스위트 와인은 메독 와인과 함께 1855년에 이미 그랑 크뤼 등급으로 분류되었다. 지금도 소테른 와인을 대표하는 샤토 디켐은 그 이름만 들어도 와인 애호가들의 가슴을 설레게 하는 마력을 가지고 있다. 1981년, 세기의 결혼식이었던 영국 찰스 왕세자와 다이애나 비의 결혼식 공식 디저트와인이기도 했다. 1855년에 결정된 소테른-바르삭의 등급체계는 특1등급Superior First Growth or Premier Cru Supérieur 1곳, 1등급First Growth or Premier Cru 11곳, 2등급Second Growth or Deuxième Cru 14곳이다.

나는 특1등급인 샤토 디켐과 한때 자웅을 겨뤘던 1등급 소테른 와인을 생산하는 샤토 기로Château Guiraud를 방문하기 위해 보르도 시에서 남동쪽으로 약 40킬로미터 떨어진 소테른으로 향했다. 하늘을 찌를 듯 키가 큰 가로수가 늘어선 정문에 들어서니 포도 수확으로 분주한 농부들의 모습이 눈에 들어왔다.

소테른의 포도는 한 번의 수확 과정을 거치는 대부분의 테이블와인과 달리 여러 차례에 걸쳐 일일이 손으로 수확하기 때문에 그만큼 많은 노동력이 필요하다. 귀부병Noble Rot에 걸려 짙게 숙성된 포도알만을 골라 일일이 손으로 수확해야 하기 때문이다. 말 그대로 고상하게 부패한 '귀부貴腐' 포도는 보트리티스 시네레아Botrytis cinerea라는 곰팡이가 포도알 표면에 활착하여 포도알 속에 있는 수분을 흡

소테른의 유일한 특1등급 그랑 크뤼인 샤토 디켐의 고색창연한 모습.

Château
d'Arche
GRAND CRU CLASSÉ
Sauternes

La Maison du Vigneron
PRODUCTION FAMILIALE
DE SAUTERNES
OFFRE SPECIALE
Pour l'achat de 6 bouteilles de Sauternes
=
DEGUSTATION gratuite du CHATEAU d'YQUEM
GUSTATION
PEDITIONS
PECIALITES
GIONALES
SAUTERNES
GRAVES
ST EMILION
ST ESTÈPHE
PAUILLAC
POMEROL

수하여 생긴 현상이다. 그결과 건포도처럼 껍질이 쭈글쭈글해지고 당도가 농축되어 독특한 풍미를 발현시키는 값비싼 스위트 와인이 된다. 결국 곰팡이가 최고의 와인을 만드는 일등공신이 된 샘이다.

포도나무 한 그루에서 한 잔만을 생산하는 황금의 액체

귀부병은 습도가 높은 밤이나 안개가 많은 아침처럼 습한 기후 조건이 필요하지만, 한편 낮에는 날씨가 화창하고 건조해 귀부병의 활동을 멈추게 해야 한다. 그렇지 않으면 귀부병에 걸린 포도가 부패해 와인을 만들 수 없기 때문이다. 그래서 세계적인 귀부병 와인 생산지는 강이나 호숫가에 위치해 있다. 소테른도 시롱Ciron이라는 작은 강줄기의 언덕에 위치해 있어 밤낮으로 습한 날씨와 건조한 날씨가 교차하여 소테른 와인 생산에 천혜의 자연조건을 갖추었다.

포도나무 한 그루에서 겨우 한 잔의 소테른 와인을 생산한다고 하니 가히 황금의 액체라 할 수 있으며, 세계에서 가장 값비싼 포도라 하겠다. 소테른에 버금가는 귀부貴腐 와인으로는 헝가리의 토카이Tokaji가 있다.

대외홍보 담당인 캐롤라인 데그몽트 여사의 안내로 셀러를 돌아본 후 1층 시음실에서 드라이 타입의 화이트와인 지 드 기로G de Guiraud 2013과 스위트 와인 프티트 기로Petit Guiraud 2012, 1등급인 샤토 기로 2002 빈티지를 시음했다. 샤토 기로 2002는 흰 꽃·살구·달콤한 시트러스·송로버섯 향의 복합적인 풍미와 섬세하고 균형 잡힌 밸런스가 좋았다. 15년이 지났는데도 신선함을 잃지 않았으며, 앞으로 25년 이상 숙성이 가능하다고 했다. 포도 품종은 세미용과 소비뇽이며, 소테른 그랑 크뤼 중 2011년 최초로 유기농 인증서를 받았다.

◀ 소테른에 있는 소테른 병 모양의 대형 조형물.(위)
소테른 마을에 있는 와인 숍. 소테른은 젊은이들에게도 인기 있는 관광지다.(아래)

소테른 1등급 그랑 크뤼 샤토 기로에서 시음한 와인들. 가운데가 샤토 기로 2002 빈티지이다. 검은 레이블은 시민혁명의 상징이다.(위)
나와 함께 소테른 와인을 시음하는 자비에 폴랑드 이사. 그는 샤토 기로의 공동소유자이기도 하다.(아래, 왼쪽)

시민의 자유를 지지했던 샤토 기로

시음이 끝날 때쯤 네 명의 공동소유자 중 한 사람이자 와이너리 책임자인 자비에 플랑티Xavier Planty 이사가 합석해 별도로 대화시간을 갖게 되었다. 이 자리에서 평소 궁금했던, 가격과 품질 면에서 이웃인 샤토 디켐과 큰 차이가 나는 근본적인 이유가 무엇인지 물었다. 직접적인 원인은 이곳은 제2차 세계대전 때 독일군의 병영으로 징발되어 포도원이 완전히 황폐해진 반면, 샤토 디켐은 그 명성 때문인지 독일 점령 기간에도 전혀 피해를 입지 않아서라고 했다. 소테른 지역 주민들은 대부분 가톨릭신자로 보수적 성향을 띠며 정치적으로 왕정파였다. 귀족의 상징인 샤토 디켐은 왕정파의 중심이었고, 시민을 상징하는 샤토 기로는 외롭게 이 지역 공화파를 지지하며 항상 자유의 깃발을 게양했다고 한다. 이웃이지만 양 가문은 끝내 화해하지 못하고 등을 돌렸는데, 두 샤토 사이에 나무숲으로 울타리를 쳐 서로를 볼 수 없게 했다고 한다.

대부분의 귀족들이 19세기 중반 루이 16세와 마리 앙투아네트의 죽음을 애도하는 표시로 검은 나무액자 안에 왕의 문장을 장식했는데, 기로 가문은 프랑스 시민혁명의 상징인 나폴레옹 1세를 애도하는 뜻으로 검은 나무액자 위에 황금색의 문장을 새겼다고 한다. 이것은 자유를 지지하고 시민의 편에 섰던 샤토 기로가 현재까지 사용하고 있는 와인 레이블이기도 하다.

나는 이 재미있는 일화를 듣고 와인 MBA 시절에 방문한 적 있는 샤토 디켐에 들렀다. 가장 높은 언덕에 위치한 샤토 디켐에서도 여전히 샤토 기로는 보이지 않았다. 샤토의 건물 양식도 신교도교회 스타일인 소박한 기로에 비해 디켐은 장중하고 화려한 귀족풍임을 알 수 있다.

특히 샤토 디켐은 유명한 『수상록Essai』의 저자 미셸 드 몽테뉴Michel de Montaigne 가문이 1477년부터 소유해왔다는 것을 아는 사람은 많지 않다. 1966년에 LVMH에

19세기에 공화정을 열렬히 지지했던 소테른 1등급 그랑 크뤼 샤토 기로의 소박한 풍경.

매각되었지만, 당시 개신교인 위그노였던 몽테뉴 가문이 왕정파를 지지했다는 것은 나로서는 이해할 수 없는 일이었다.

보르도의 보석 생테밀리옹과 포므롤

생테밀리옹을 닮은 와인들

보르도 지롱드강의 우안에 위치한 생테밀리옹과 포므롤은 좌안의 메독이나 그라브와는 다른 스타일의 명품 와인을 생산하는 지역이다. 비교적 새롭게 떠오른 보르도의 보석이지만, 로마 시대부터 와인을 생산해온 오랜 역사가 있다.
나는 보르도에서 동쪽으로 40킬로미터 떨어진 도르도뉴강가에 위치한 최고의 와인 산지 생테밀리옹과 리부른Libourne 근교의 포므롤을 다시 찾았다.
로마 시대의 유적과 유네스코에 등록된 세계문화유산에 빛나는 고도 생테밀리옹은 언제 보아도 가슴을 뛰게 한다. 핑크색이 은은하게 섞여 있는 크림색 생테밀리옹 석재로 지은 이 도시의 건축물들은 와인과 함께 인류의 오랜 문화유산이 되었다. 메독 지역이 카베르네 소비뇽이 주 품종인데 반해, 이곳에서는 메를로와 카베르네 프랑을 주 품종으로 재배한다.
나는 언제나 와인이 그곳의 테루아를 반영한다고 믿고 있는데, 이곳 와인들이야말로 생테밀리옹의 아름다운 빛깔처럼 부드럽고 은은한 풍미를 가장 잘 느끼게 한다. 샤토 슈발 블랑과 포므롤의 페트뤼스Pétrus가 바로 이 지역을 대표하는 와인이다.

로마 시대부터 있었던 생테밀리옹에서는 어디를 가나 로마 시대의 유적을 볼 수 있다.

생테밀리옹 마을 입구. 왼쪽에 보이는 것은 고대 로마 시대의 유적으로, 이곳에는 로마의 옛정취를 느낄 수 있다.

카베르네 프랑으로 만든 명품 와인 샤토 슈발 블랑

명품 패션 그룹 루이뷔통이 소유

영화 〈사이드웨이Sideways〉에서 최고의 와인으로 언급된 샤토 슈발 블랑은 카베르네 프랑을 주 품종으로 하여 메를로를 배합해 만든 가장 부드럽고 균형 잡힌 와인이다. 18세기에 시작된 이 샤토는 1832년 샤토 피작Château Figeac으로부터 푸르코-로삭Fourcaud-Laussac 가문이 구입하여 1998년까지 소유하면서 세계 최고의 명품 와인을 생산하는 샤토로 발전시켰다. 루이뷔통 가방으로 잘 알려진 프랑스 패션 그룹 LVMH의 회장 베르나르 아르노Bernard Arnault와 벨기에 사업가인 알베르 프레레 남작Baron Albert Frere이 1998년에 공동으로 인수하여 현재에 이르고 있다. 그 밖에도 LVMH는 샤토 디켐, 샴페인 모엣에 샹동과 코냑 메이커 헤네시 등을 소유하고 있는 와인업계의 큰손이라는 것은 앞에서 설명한 바 있다. 이번에 샤토를 방문해보니, 와인 MBA 시절 와인 테이스팅을 했던 타원형 모양의 리셉션 건물은 사라지고, 그 자리에 현대적인 양조장이 새롭게 건설되어 있었다. 그러나 오래된 크림색의 교회당과 샤토 본관은 여전히 그 아름다움을 자랑하고 있다. 당시의 오찬 메뉴와 화려한 와인 리스트를 생각하면 지금도 감동이 밀려온다. 첫 번째 시음 와인은 세컨드 와인인 르쁘띠 슈발Le Petit Cheval

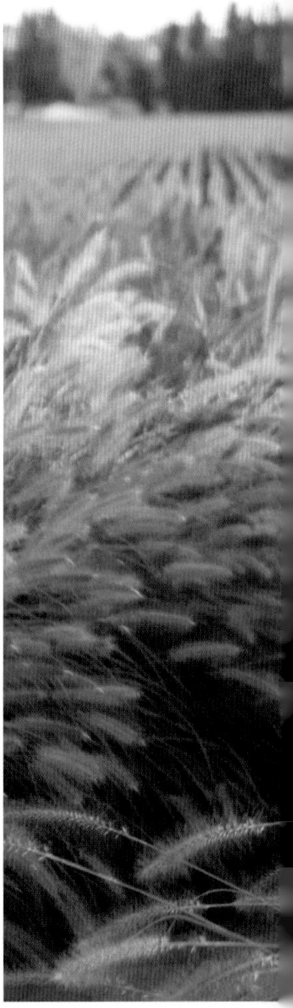

샤토 슈발 블랑의 새롭게 건설된 셀러 루프탑에서 바라본 석양 무렵 포도밭의 모습.

카베르네 프랑으로 생테밀리옹 특1등급 와인을 생산하는 샤토 슈발 블랑.
영화 〈사이드웨이〉에서 언급되어 더욱 유명해졌다.

문화재급인 샤토 슈발 블랑의 오래된 크림색 교회 건물이 여전히 단아한 자태를 뽐내고 있다.

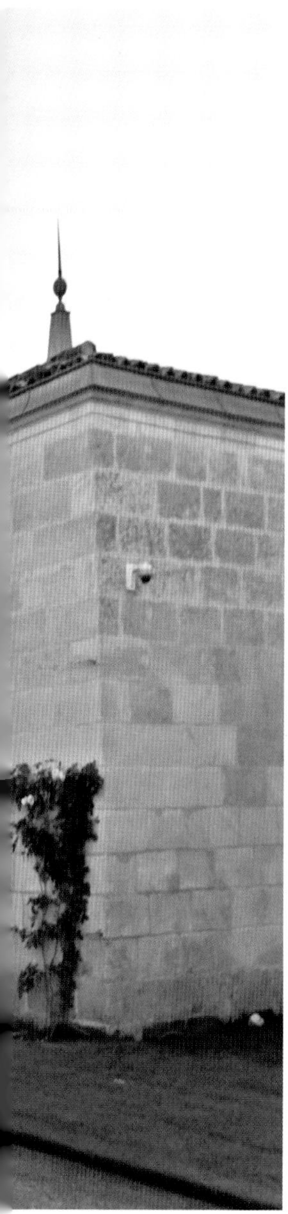

1995, 두 번째는 슈발 블랑 1989년 빈티지, 마지막으로 슈발 블랑 1985년 빈티지가 네 가지 코스 요리와 함께 서빙되었다. 1992년부터 1996년까지 슈발 블랑의 양조 기술 이사를 역임한 바 있으며, 「생테밀리옹의 토양 연구」 논문을 쓴 보르도 대학 양조학과 코르넬리스 반 리우엔 교수의 빈티지 소개가 있었다. 1947년부터 최근 빈티지까지 각 빈티지의 기후 조건, 포도 수확 날짜, 생육 상황과 테이스팅 노트까지 자세한 기록과 분석 결과를 보면서 슈발 블랑이 왜 세계의 와인 애호가들을 열광케 하는지 이해가 되었다.

강하면서도 섬세하고 복합적인 아로마를 동시에 실현한 와인

세 종류의 와인이 모두 흠잡을 데 없이 좋았지만, 아름다운 짙은 적벽돌색을 띤 슈발 블랑 1989년 빈티지가 가장 인상에 남았다. 카베르네 프랑 58퍼센트와 메를로 42퍼센트의 비율로 배합하여 만든 이 와인에서는 과일 컴포트·블랙커런트·자두의 아로마 그리고 이끼 덮인 관목과 스파이시한 후추 향을 느낄 수 있다. 전체적으로 메를로에서 나오는 풍부하면서도 벨벳같이 부드러운 타닌과 섬세한 구조감 그리고 카베르네 프랑에서 발현된 신선하면서도 복합적인 아로마를 동시에 느낄 수 있는 명불허전의 와인이다. 이것은 슈발 블랑만이 가지

현대적인 건물로 새롭게 단장한 샤토 슈발 블랑 셀러의 루프탑으로 올라가는 계단.(위)
카베르네 프랑의 재배에 적합한 모래와 자갈로 구성된 슈발 블랑의 토양.(아래)

는 특별한 테루아 덕분이라고 했다. 슈발 블랑은 생테밀리옹 AOC에 속하지만 포므롤 지역의 경계에 있어 흙, 모래, 자갈이 섞여 있는 토양 이외에도 두 가지 타입이 더 혼재해 있다. 즉 하층토인 점토 위에 모래와 자갈이 각각 표토를 구성하거나 하층토와 표토 모두가 커다란 자갈로 이루어진 세 가지 타입이다. 이러한 토양 구성은 한 포도밭에서 카베르네 프랑과 메를로를 함께 재배할 수 있는 최적의 조건이 되었으며, 강하면서도 섬세하고 복합적인 아로마를 동시에 구현하는 와인을 탄생시켰다. 샤토 슈발 블랑은 40년 전후 수령의 포도나무에서 수확한 최고 품질의 포도로 1년에 약 6,000케이스만, 그리고 양질의 포도로 르쁘띠 슈발Le Petit Cheval 세컨드 와인을 2,500케이스만 한정 생산한다. 나머지 포도는 일반 양조장에 판매하여 최고 품질을 유지하고 있다. 이러한 슈발 블랑 와인은 영화 〈사이드웨이〉에서뿐만 아니라 1983년작 제임스 본드 영화인 〈007 네버 세이 네버 어게인〉, 2007년 〈라따뚜이〉, 2008년 〈와인 미라클〉 등의 영화에서 최고의 와인으로 언급된바 있다.

메를로로 만든 명품 와인 샤토 페트뤼스와 르팽

포므롤의 페트뤼스는 특별한 등급 와인이 아닌데도 로마네 콩티에 버금가는 세계에서 가장 값비싼 와인 중 하나이다. 생테밀리옹과 북서쪽으로 경계를 이루고 있는 포므롤은 매우 작은 규모의 와인 생산 지역이다. 약간의 자갈이 섞여 있는 모래나 점토질의 토양으로 생테밀리옹과는 차이가 있지만, 그 경계 지역에 유명한 샤토들이 산재해 있다.

특히 페트뤼스나 르팽Le Pin이 있는 곳은 약간 붉은색을 띠는, 메를로 재배에 적합한 순수한 점토질 토양이다. 메독에서는 단순히 보조 역할을 하는 메를로만

메를로 100퍼센트로 만든 전설적인 와인으로 유명한 포므롤의 샤토 페트뤼스.
와인의 명성에 비해 평범한 저택 규모다.

으로 세계 최고의 명품 와인을 생산한다는 것은 놀라운 일이다. 드라이하고 거칠지만 오랜 시간이 지나면서 부드러워지는 메독의 카베르네 소비뇽과는 달리 메를로는 장기 숙성에 적합하지 않은 품종이다. 그러나 포므롤의 테루아를 닮은 이곳 메를로 와인은 몇 년이 지나면 부드럽고 섬세한 우아함을 자랑하는데, 대부분 10년 안에 마시는 것이 좋다.

페트뤼스와 관련된 재미있는 에피소드가 있다. 2005년 골든글러브 작품상을 수상한 영화 〈사이드웨이〉에서 주인공 마일스가 애지중지 보관하고 있는 보물 같은 와인이 원래 시나리오에는 슈발 블랑이 아니라 페트뤼스였다고 한다. 그러나 시나리오를 받아본 페트뤼스의 오너 장 피에르 무엑스Jean-Pierre Moueix가 별 볼 일 없는 영화로 생각하고 대사에서 빼달라고 했다고 한다. 그후 시나리오가 페트뤼스 대신 슈발 블랑 1961로 수정되었고, 주인공은 피노 누아 품종을 극찬하면서 페트뤼스를 만든 메를로 품종을 개성 없고 형편없는 포도라고 말한다. 금세기 최고의 와인 스토리텔링 영화가 된 〈사이드웨이〉의 성공 이후 전 세계는 피노 누아와 슈발 블랑의 열풍에 빠져들었으니, 페트뤼스와 포므롤 와인 생산자들에게는 참으로 통탄할 일이 아닐 수 없었을 것이다.

새롭게 떠오르는 와이너리, 르팽

이곳에서 페트뤼스와 자웅을 겨룰 수 있는 또 다른 와인 중에는 르팽이 있다. 페트뤼스의 포도원을 구경한 후 르팽을 찾았는데, 지도와 내비게이션으로도 찾을 수가 없었다. 마을 전체가 작은 포도밭으로 엉켜 있고 메독처럼 눈에 띄는 샤토 건물을 발견할 수도 없었기 때문이다. 카튀소라는 작은 마을에서 자전거를 타고 있는 초등학생을 만나 물었더니 차량이 통과하기 힘든 작은 길을 따라 마을 뒤에 있는 르팽까지 안내해주었다. 동전 2유로를 팁으로 주었더니 휘파람을 불며 언덕 너머 포도밭 사잇길로 순식간에 사라졌다. 나는 지금도 그 장면을 생각하면 웃음이 절로 나면서 팁이 적당했는지 궁금하다.

르팽은 소나무라는 뜻인데, 실제로 작지만 예술적이며 현대적이고 아담한 양조장 건물 앞에 두 그루의 소나무가 외롭게 서 있다. 나를 맞이해준 오너 티앙퐁Thienpont 가문의 조카 시릴 씨는 양조장 건물이 벨기에의 세계적인 건축가 폴 로브렉트Paul Robbrecht의 작품이라고 했다. 5헥타르의 작은 포도원에서 1년에 5,000~6,000병의 와인을 소량생산하고 있는데, 최근에는 페트뤼스보다 더 높은 가격에 거래된다. 그것은 포도 재배부터 발효·숙성까지 전 과정을 수작업을 통해 만드는 장인정신과 희귀성 때문일 것이다.

보르도에서 샤토는 와이너리이다

페트뤼스나 르팽은 변변한 샤토 건물이 없는데도 현지인들은 샤토라고 부른다. 심지어 보르도에는 밤하늘의 별만큼 샤토가 많다고 했는데, 어떤 와이너리에 가면 샤토는 찾아볼 수 없고 작은 농가만 있기도 하다.

샤토Château(영어로는 캐슬Castle, 독어로는 부르크Burg)는 원래 적의 공격을 방어하거나 고대 로마군의 군단기지처럼 겨울을 나기 위한 주둔지로서 흙이나 돌로 쌓

포므롤, 생테밀리옹의 대표 와인, 왼쪽부터 페트뤼스, 슈발 블랑, 앙젤뤼스.(위)
포므롤의 새롭게 떠오르는 별 샤토 르팽에서 포즈를 취한 티앙퐁 가문의 시릴 씨.(아래)

특1등급A 와인에 버금가는 특1등급B 와인인 샤토 카농의 모습.

은 건축물이다. 오늘날 우리가 이야기하는 유럽의 성은 9세기 이후 중세 봉건 시대에 영주나 왕이 자신들이 지배하고 있는 영토를 지키고 영향력을 행사하기 위해 머물던 요새화된 귀족 건축물이었다. 따라서 당시의 성은 아름답지만 견고하였다. 프랑스에서는 지금도 루아르강가에 있는 앙제 성이나 앙부아즈 성을 방문하면 이런 모습을 볼 수 있다. 그러나 보르도의 샤토는 대부분 와인산업이 융성하던 18세기 이후에 지어졌으며, 해자로 둘러싸여 있거나 포탑으로 무장한 샤토가 아니라 주거용 저택으로 지어진 것이다. 그 규모나 건축양식도 우리가 일반적으로 인식하고 있는 성과는 거리가 멀다. 따라서 보르도의 샤토는 성이 아니라 포도밭을 소유한 농장주가 포도를 재배하고 직접 와인을 양조하는 와이너리, 굳이 번역한다면 포도밭이 있는 양조장이라라고 정의할 수 있겠다.

카리용으로 〈애국가〉를 연주해주는 샤토 앙젤뤼스

1993년에 캘리포니아의 와인클럽 멤버들 그리고 2002년 와인 MBA 시절에 방문한 적이 있는 생테밀리옹의 대표 와이너리 중 하나인 샤토 앙젤뤼스Château Angelus를 다시 찾았다. 샤토 파비Château Pavie와 함께 2012년에 특1등급으로 승급하였고, 2014년에 새롭게 샤토를 리모델링

AN

2014년에 신축한 샤토 앙젤뤼스의 아름다운 모습. 건물에 사용한 석재가 유명한 생테밀리옹의 프롱트낙 석회암이다. 내가 방문하자 종탑에서 〈애국가〉가 울려퍼졌다.

특1등급A로 승진한 샤토 앙젤뤼스의 2012 빈티지.
샤토 앙젤뤼스에 들어서면 보이는 로비의 아름다운 돔 천장이 인상적이다.

했다는 소식을 접하고 어떻게 변했는지 궁금해서였다. 1993년 방문 당시 시골스럽지만 정겨운 고택의 뜰 안에서 샤토에서 준비한 오찬과 함께 1980년대산 와인들을 시음했던 추억을 지금도 잊을 수가 없다. 보르도의 그랑 크뤼 와인만을 취급하는 네고시앙 몽타냑 씨의 안내로 앙젤뤼스에 도착하니 그 옛날의 모습은 사라지고, 종탑이 있는 새로운 건물이 서 있었다. 매우 인상적이고 아름다운 건축물이었지만 동시에 시간의 흐름이 느껴지는 묘한 순간이었다. 샤토의 정문에 들어서는 순간 갑자기 종탑에서 카리용carillon으로 〈애국가〉가 연주되었다. 나의 샤토 방문을 환영하는 깜짝 이벤트였다.

700년의 역사를 가진 이 유서 깊은 샤토는 1782년에 부아르Bouard 가문이 본격적으로 개발을 시작하여 생테밀리옹의 대표 와이너리로 성장하였다. 2014년에 완공한 새로운 건물은 고건물 복원 전문가로 유명한 건축가 장-피에르 에어러스Jean-Pierre Errath의 작품이다. 특히 샤토 앙젤뤼스의 심벌인 종탑을 포함하여 로비는 중세 성당을 방불케 하였는데, 그 단아하면서 화려한 모습이 가장 생테밀리옹적인 색깔과 자태를 느끼게 하였다. 그것은 이 건물에 사용된 석재가 생테밀리옹의 유명한 프롱트냑Frontenac 석산에서 가져온 핑크빛 도는 석회암이기 때문일 것이다.

생테밀리옹 지역의 그랑 크뤼 등급

샤토의 현대화 프로젝트와 함께 앙젤뤼스의 가장 자랑스러운 성과는 2012년에 특1등급APremier Grand Cru Classe A로 승급한 일이다. 1955년에 제정된 생테밀리옹 지역의 그랑 크뤼 등급은 몇 차례의 등급 변경을 거쳐 현재에는 4개의 특1등급A, 14개의 특1등급BPremier Grand Cru Classe B와 64개의 1등급Grand Cru Classe 와인이 있다. 앙젤뤼스와 파비가 특1등급으로 승급하기 전까지는 단지 샤토 슈발 블랑과 샤토 오존Château Ausone만이 특1등급A이었다. 내부 투어를 마치고 2층 발코니에 오르니 광활하게 펼쳐진 포도밭에서 모래와 흰 석회암 자갈이 섞여 있는 전형적인 생테밀리옹의 토양을 볼 수 있었다. 셀러에 돌아와 샤토 앙젤뤼스 2009 빈티지와 세컨드 와인인 카리옹 당젤뤼스Carillon de Angelus 2012 빈티지를 시음하였다. 메를로 60퍼센트, 카베르네 프랑 40퍼센트 비율로 배합한 앙젤뤼스는 18~24개월 동안 프렌치 뉴 오크통에서 숙성 후 여과 없이 병입한다. 짙고 푸른 잉크색을 띤 검붉은 와인에서 아카시아와 바이올렛 꽃향기를 느낄 수 있다. 블랙체리, 라즈베리와 카시스의 복합적인 부케와 함께 풀 보디이지만, 부드럽고 크리미한 풍미가 오랫동안 입속에 맴돈다. 앞으로 15년은 더 숙성이 가능하리라 생각하면서, 왜 이 와인이 특1등급A로 승급하게 되었는지 이해할 수 있었다.

샤토 앙젤뤼스는 그 밖에도 남아공 스텔렌보슈Stellenbosch 지역에 진출하여 안빌카Anwilka와 클레인 콘스탄시아Klein Constantia에도 와이너리를 소유하고 있으며, 보르도를 대표하는 로지 드 라 캬덴느Logis de la Cadene 레스토랑을 운영하고 있다.

생테밀리옹의 새로운 별 샤토 트로플롱-몽도

샤토 트로플롱-몽도Château Troplong-Mondot의 초청으로 샤토가 운영하고 있는 호텔 레스토랑 레 벨 페르드릭스Les

한때 수도원 건물이던 샤토 트로플롱-몽도의 소박한 모습.

Belles Perdrix에서 점심을 먹었다. 생테밀리옹의 북동쪽에서 가장 높은 해발 100미터 언덕에 위치한 샤토 트로플롱-몽도는 2006년에 1등급 와인으로 승급된 생테밀리옹 와인의 새로운 별이다.

야외 테라스에서 향기로운 트로플롱-몽도 와인을 마시고 청명한 가을 하늘 아래 펼쳐진 포도밭 너머 생테밀리옹 마을을 바라보면서 즐기는 점심식사는 이번 여행에서 백미였다. 식사를 마치고 본격적으로 와이너리 투어에 들어갔다. 아담한 샤토 건물은 17세기에 포도원을 소유하고 있던 레이몽드 드 세즈Raymonde de Sèze 수도원장이 지은 것으로, 비록 규모는 작지만 여전히 우아한 모습을 간직하고 있다. 샤토 이름은 1850년 레이몽드 트로플롱Raymond Troplong이 소유하면서 지어져 현재까지 이른다. 원래 특1등급인 샤토 파비의 일부였던 이 와이너리는 1936년 보르도 와인상 알렉산더 발레트Alexandre Valette가 인수한 후 1980년부터 그의 손녀인 크리스틴Christine Valette이 운영하면서 더욱 유명해졌다. 그녀는 포도의 생산량을 줄이고 친환경적인 농법과 양조 과정에 새로운 장비와 기술을 과감하게 도입하는 한편, 전설적인 와인 메이커 미셸 롤랑Michel Rolland과 장-필리프 포르Jean-Philippe Fort에게 양조 컨설팅을 맡기면서 마침내 1등급 와이너리를 만들어냈다.

와인셀러 방문을 마치고 입구 시음실에서 세컨드 와인 몽도Mondot와 함께 2011년산 샤토 트로플롱-몽도를 시음하였다. 메를로 90퍼센트, 카베르네 소비뇽 8퍼센트, 카베르네 프랑 2퍼센트의 비율로 배합해서인지 보랏빛이 감도는 매우 짙은 루비색 레드 색감을 볼 수 있다. 또한 블랙체리·감초·카시스·초콜릿·버섯향과 스파이시한 후추 향의 짙은 아로마와 함께 풍부한 과일 향의 뉘앙스를 느낄 수 있다. 아직 어린 와인이어서 타닌이 다소 강하게 느껴졌지만, 전체적으로

◀ 생테밀리옹 1등급 와인 샤토 트로플롱-몽도의 레스토랑 테라스에서 바라본 포도밭. 눈앞에 펼쳐진 푸른 포도밭과 내리쬐는 따사로운 햇살 아래에서 하는 식사는 와이너리 여행의 백미였다.(위) 화려한 샹들리에가 아름다운 샤토 트로플롱-몽도의 지하 와인셀러.(아래)

Fugue de Nénin
2007
POMEROL
NENIN
2007
CHATEAU NENIN
POMEROL
MÉDOC
2007
MÉDOC
2007
SAINT-JULIEN
2007

-FIGEAC
GRAND CRU CLASSÉ
ST ÉMILION
2008
CHATEAU-FIGEAC
ST ÉMILION
CHATEAU-FIGEAC
ST ÉMILION

밸런스가 좋다. 특히 파워풀하면서 입안을 가득 채운 듯한 풍만함 뒤에 오는 우아한 여운이 무엇보다 매력적이다. 앞으로 20년 더 보관이 가능한 와인이다. 이러한 와인을 만든 것은 전적으로 크리스틴의 열정과 노력이었다. 아쉽게도 그녀는 2014년 샤토 트로플롱-몽도를 남겨두고 57세의 나이로 타계하였다. 내가 샤토를 방문할 때만 해도 그녀의 남편 자비에Xavier가 관리하고 있었는데, 2017년 7월 샤토는 프랑스 보험회사 SCOR에 매각되었다.

생테밀리옹을 떠나며

생테밀리옹과 포므롤에서는 샤토 슈발 블랑과 페트뤼스 외에도 특1등급인 샤토 오존Château Ausone과 샤토 파비Château Pavie처럼 이름만 들어도 가슴 두근거리는 유명한 샤토들을 쉽게 만날 수 있다. 특히 포므롤에서 가장 넓은 포도원을 소유하고 있는 샤토 네넹Château Nenin과 슈발 블랑에 버금가는 와인을 생산하고 있는 생테밀리옹 1등급 와인 메이커 샤토 피작Château Figeac은 나에게 많은 감동을 주었다.

보르도 여행의 마지막날을 기념하기 위해 미슐랭 가이드 2스타 레스토랑인 오스텔러리 드 플레장스Hostellerie de Plaisance 레스토랑에서 저녁식사를 하였다. 마을에서 가장 높은 곳에 위치한 레스토랑의 테라스에서 바라본 석양과 그 빛에 물들어가는 포도밭, 어둠이 깃드는 고즈넉한 마을 풍경은 몹시 서정적이었다.

그동안 몇 차례 이곳을 방문할 때마다 생테밀리옹은 나에게 언제나 마음의 위안과 평화를 선물한다. 그것은 아마도 이 마을이 변함없이 품고 있는 역사와 와인의 향기 때문일지 모른다. 저녁식사가 끝날 무렵 창밖을 바라보니 마을의 오래된 석조건물 창에서 희미한 불빛들이 새어나오기 시작하였다. 마치 중세에 켜놓은 촛불과 같다고 생각하면서 낭만이 가득한 와인마을 생테밀리옹을 떠난다.

◀ 샤토 네닌에서 시음한 와인들.(위)
생테밀리옹 1등급 와인 샤토 피작의 시음실. 다양한 장식이 곁들여져 오감을 만족시킨다.(아래)

MUSEE

고대 로마 시대의 유적과 유네스코에 등록된 세계문화유산으로 유명한 고도 생테밀리옹의 초저녁 풍경.
마을의 건물들은 크림색 생테밀리옹 석재로 지어졌다.

코트 드 본과 코트 드 뉘 경계 지역에 있는 클로 드 마레샬 와이너리 너머에 있는 대리석 채석장은 쥐라기 때 형성된 토양이다.

Bourgogne

부르고뉴(Bourgogne)

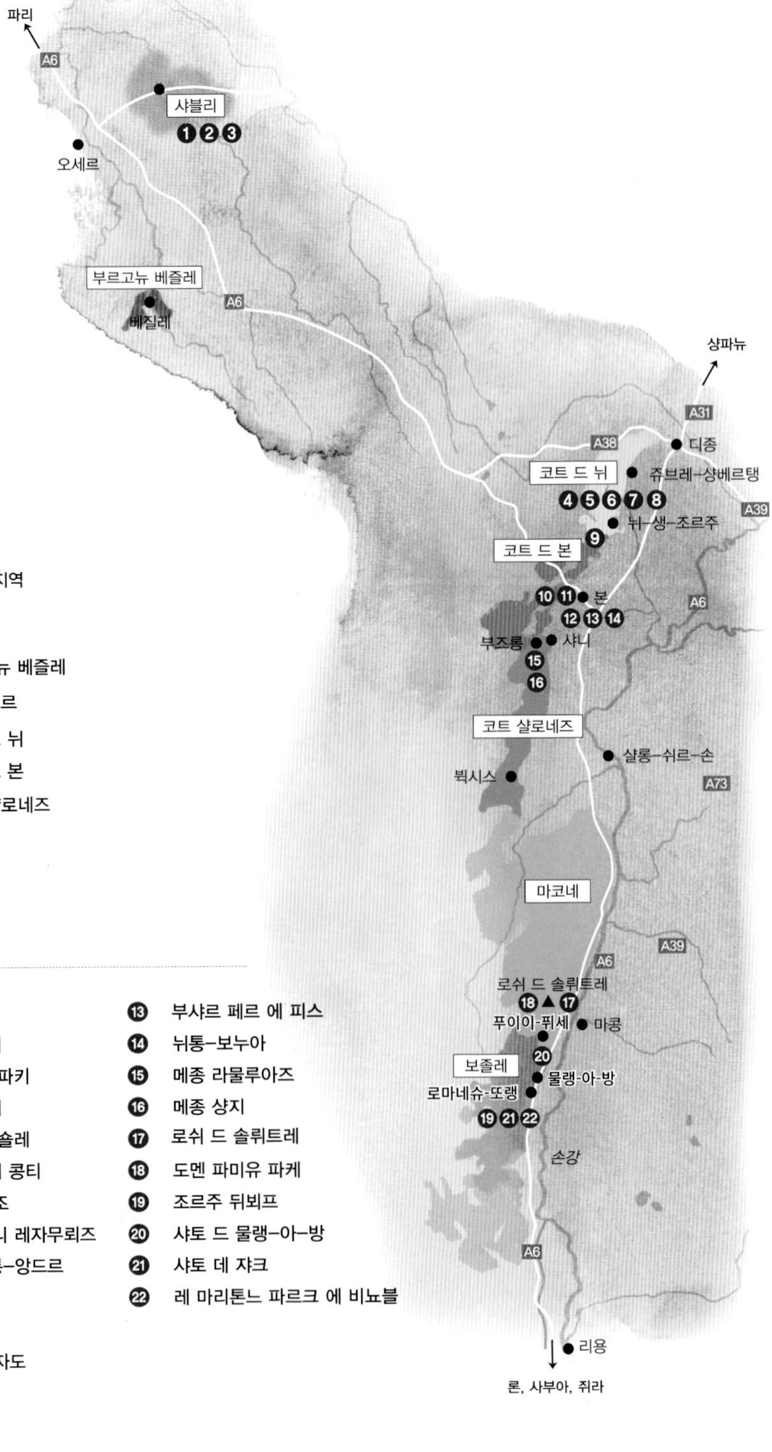

주요 와인 생산 지역

- 샤블리
- 부르고뉴 베즐레
- 코트 도르
  - 코트 드 뉘
  - 코트 드 본
- 코트 샬로네즈
- 마코네
- 보졸레

주요 방문지

1. 샤블리
2. 도멘 라로쉬
3. 도멘 롱-드파키
4. 도멘 페블레
5. 도멘 뤼페-숄레
6. 도멘 로마네 콩티
7. 클로 드 부조
8. 샹볼-뮈지니 레자무뢰즈
9. 샤토 코르통-앙드르
10. 본
11. 오텔-디외
12. 메종 루이 자도
13. 부샤르 페르 에 피스
14. 뉘통-보누아
15. 메종 라물루아즈
16. 메종 샹지
17. 로쉬 드 솔뤼트레
18. 도멘 파미유 파케
19. 조르주 뒤뵈프
20. 샤토 드 물랭-아-방
21. 샤토 데 쟈크
22. 레 마리톤느 파르크 에 비뇨블

피노 누아의 왕국 부르고뉴

부르고뉴의 와인 생산 지역

일주일간의 와이너리 여행을 통해 중년의 페이소스를 잘 표현한 영화 〈사이드웨이〉의 주인공인 마일스는 피노 누아Pinot Noir 예찬론자이다. 이 영화의 영향으로 2005년 미국에서만 한 해 피노 누아 와인 판매가 16퍼센트나 증가했으며, 세계 와인시장에는 새로운 피노 누아 붐이 일었다.

피노 누아의 왕국인 부르고뉴Bourgogne, 영어명 버건디의 이름은 중세에 프랑스 왕국과 패권을 다투었던 막강한 부르고뉴 공국에서 유래한 지명이다. 부르고뉴 와인 생산 지역은 북쪽의 샤블리부터 남쪽 보졸레Beaujolais 끝자락인 리옹Lyon 인근까지 300킬로미터가량 남북으로 길게 펼쳐져 있다.

이 지방의 와인은 화이트와인 생산지인 북쪽의 샤블리, 보졸레 누보로 잘 알려진 남쪽의 보졸레, 레드와인과 화이트와인을 생산하는 코트 샬로네즈Côte Chalonnaise, 푸이이-퓌세Pouilly-Fuissé 화이트와인으로 유명한 마코네Mâconnais 그리고 가장 중요한 코트 도르Côte-d'Or 등 여섯 지역으로 나뉜다. 이 중 '부르고뉴의 황금 언덕'으로 불리우는 코트 도르 지역은 한때 부르고뉴 공국의 수도였던 디종에서 부르고뉴의 중심도시 본Beaune 북쪽까지 연결되어 있는 코트 드 뉘Côte de Nuits

코트 드 뉘 지역의 테루아를 구성하고 있는 굴화석. 쥐라기부터 생성된 해저퇴적물과 갑각류 화석이다.

와 샤니Chagny 남쪽 상트네Santenay까지 뻗어 있는 코트 드 본Côte de Beaune으로 나뉜다. 특히 코트 드 뉘는 폭이 800미터를 넘지 않는 좁은 계곡이 남서쪽에서 북동쪽으로 약 20킬로미터나 뻗어 있다. 이곳은 부르고뉴의 최고급 레드와인 생산지로, 100퍼센트 피노 누아 단일 품종으로 만든다.

세계에서 가장 복잡하고 어려운 등급체계

부르고뉴의 AOC 등급은 세계에서 가장 복잡하고 어려운 체계를 가지고 있다. 우선 세계문화유산인 부르고뉴의 테루아는 이를 구성하고 있는 정교한 지질학적 특성과 미세한 자연조건에 따라 세분화되어 있는데 이를 클리마Climat라고 부른다. 또한 오랜 세월 동안 유산 상속 등을 통해 포도밭이 세분화되어 같은 지역이나 클리마에서도 포도 재배자와 네고시앙의 역량에 따라 와인의 품질이 천차만별이기 때문이다. 2018년에 개봉한 영화 〈부르고뉴, 와인에서 찾은 인생〉을 보면 세 남매가 포도밭을 상속 받아 점점 포도밭이 세분화될 수밖에 없는 내용이 잘 나온다.

부르고뉴의 와인을 이해하려면 약간의 지질학적 지식이 필요하다. 프랑스 주요 와인 생산 지역의 토양은 1만여 년 전 쥐라기에 형성된 석회암 위에 편암, 굴화석(백악질), 자갈, 모래가 오랜 세월 동안 쌓여 형성된 충적토뿐만 아니라 화강암, 이회암, 진흙 등으로 구성되어 있다. 코트 드 뉘는 해발 400미터 높이의 지질학적 단층선이 언덕을 형성하며 길게 뻗어 있는데, 주요 포도밭은 동쪽 손Saône강 유역에서 해발 350미터 지점까지 동향이나 정남향 언덕에 형성되어 있고 꼭대기는 산림지대다.

충적토로 이루어진 저지대에서는 4등급인 지방 단위 명칭인 부르고뉴 피노 누아와 3등급인 마을 단위 명칭인 빌라쥬 와인이 생산된다. 석회암, 굴화석, 이회

부르고뉴의 빌라쥬나 지방 단위 와이너리일 경우 기계로 포도를 수확하기도 한다.

토로 구성된 산비탈 중턱 해발 250미터 근방에는 2등급 와인 프리미에 크뤼와 1등급 와인인 그랑 크뤼를 생산하는 포도원이 집중적으로 분포되어 있다. 결국 이곳 테루아를 구성하고 있는 이 세 종류 토양의 구성비에 따라 와인의 맛과 향기가 결정되고 등급이 매겨지는 부르고뉴만의 비밀이 숨어 있다고 할 수 있다.

샤블리 와인의 중심지인 샤블리 마을. 우아한 중세풍 건물과 거리는 마치 시간이 멈춘 듯한 모습이다.

화이트와인의 성지 샤블리

굴화석이 빚어낸 샤블리 와인

'화이트와인의 성지'라고 불리는 샤블리Chablis는 파리에서 남동쪽으로 약 200킬로미터 떨어진 곳에 있다. 이곳은 부르고뉴 와인 생산 지역에 속하지만, 오히려 샹파뉴 지역에 가깝다.

샤블리 와인의 역사도 프랑스의 다른 지방의 와인처럼 고대 로마군에 의해 시작되었다. 12세기부터 이곳에 막강한 영향력을 행사했던 시토회 수도원에 의해 본격적으로 샤르도네가 재배되었으나, 중세 암흑기를 지나 와인업계에 샤르도네 와인 붐이 일어난 20세기 중반까지도 이곳 와인산업은 침체해 있었다. 이곳 포도밭은 석회암, 점토와 특이하게 작은 굴화석으로 이루어진 키메리지엔 클레이Kimmeridgian Clay 토양이며, 겨울이 길고 추운 대륙성 기후다. 냉해를 받지 않기 위해 포도원에서 직접 난로를 피우거나Smudge Pots, 물을 나뭇가지에 뿌려 얼음을 얼게 하여Aspersion Irrigation 마치 에스키모의 이글루처럼 포도나무를 보호한다.

100퍼센트 샤르도네Chardonnay 포도로 만든 샤블리 와인의 특징은 풍부한 과일 향보다는 이곳 테루아를 반영해 견고하면서도 수정같이 맑고, 우아하면서도 군더더기 없는 풍미의 순수성에 있다. 많은 와인 애호가들이 샤블리 와인과 가장 잘 어울리는 음식이 굴이라고 하는데, 그것은 산도 때문이기도 하지만 어쩌면 샤블리의 토양이 굴화석으로 이루어진 데에서 기인하지 않을까?

샤블리 와인은 한때 정통 화이트와인의 대명사로 신세계 화이트와인의 기준이 되기도 했다. 이 때문인지 미국이나 오스트레일리아에서는 지금도 이 이름을 차용하여 '샤블리'란 이름의 와인을 생산하고 있으며, 일부 와인 초보자들은 샤블

샤블리의 그랑 크뤼 밭인 레 프리즈의 겨울 풍경. 봄철 내리는 서리를 방지하기 위해 설치된 난로들이 보인다.

리를 포도 품종으로 오해하기도 한다. 그러나 현재 샤블리 와인은 일부 신세계의 샤블리 와인이나 심지어 같은 부르고뉴의 몽라셰Montrachet, 코르통-샤를마뉴Corton-Charlemagne, 뫼르소Meursault 와인에 비해 저평가되어 있다. 그 이유는 맛이 지나치게 견고하고 과일 향이 덜하며 산도가 강하고 드라이한 와인 스타일 때문이다.
샤블리 와인을 보호하기 위해 프랑스 정부는 1938년부터 AOC 최하위 등급인 프티트 샤블리부터 샤블리, 프리미에 크뤼, 그리고 최고급인 그랑 크뤼까지 네 등급을 도입하였다.

샤블리의 신화를 창조한 도멘 라로쉬

샤블리 마을에 도착한 시간이 오후였는데, 한적하고 고즈넉한 거리의 평화로움이 묘하게 가슴을 설레게 했다. 우윳빛 석회암으로 이루어진 중세 건물들과 석조로 포장된 거리가 마치 샤블리 와인처럼 우아하게 느껴졌다. 샤블리를 대표하는 도멘 라로쉬Domaine Laroche 와이너리가 직접 운영하는 비외 물랭The Vieux Moulin 호텔에 여장을 풀었다. 룸 아래로 흐르는 세렝Serein강의 지류에서 들려오는 물소리와 창밖으로 펼쳐지는 자연 풍경들이 어우러져 연출하는 아름다움에 잠시 시간이 멈춘 듯한 착각에 빠졌다.
다음 날 새벽에 호텔을 나와 샤블리의 포도원 풍경을 촬영하기 위해 그랑 크뤼 포도원들이 모여 있는 세랭강 건너편 언덕배기에 올랐다. 광활하게 펼쳐진 포도밭 너머 자욱한 새벽안개를 헤치고 화려하게 피어오르는 아침노을의 장관을 카메라로는 다 담을 수 없었다.
오전 일찍 샤블리의 신화를 창조한 대표적인 와이너리인 도멘 라로쉬를 방문했다.

한때 정통 화이트와인의 대명사였던 샤블리 와인의 품종인 샤르도네 포도. 가끔 샤블리를 포도 품종으로 오해하지만, 샤블리는 생산지 이름이다.

700년이 된 포도즙을 짜는 도멘 라로쉬의 목재압착기. 세계에서 가장 오래된 압착기로 유명하다.(위)
13세기부터 와인을 만들었던 지하 저장고에서 시음한 도멘 라로쉬 와인들은 그 무엇과도 비교할 수 없을 만큼 견고하고 우아한 맛이었다.(아래)

1850년에 설립된 라로쉬 본사는 13세기에 건설된 수도원으로, 석조건물이 붉게 물든 담쟁이덩굴과 어우러져 더욱 고색창연하게 느껴졌다. 9세기부터 이곳에서 와인을 만들었던 성 마르티노 수도사의 유적과 함께 지하 셀러는 13세기부터 수도원에서 와인을 제조해온 역사적인 장소다. 특히 세계에서 가장 오래된 거대한 목재압착기는 지금도 3년마다 포도 수확 축제 때 사용되고 있다고 한다. 이러한 규모의 압착기는 현재 프랑스에 세 개가 있는데, 그중 두 개는 끌로 드 부조Clos de Vougeot에 있다고 한다. 그러나 실제로 사용하는 압착기는 이곳이 유일하다고 자랑하였다.

이곳 책임자 에티엔 마들랭 씨는 다음 날 저녁 수확 축제에 100명의 VIP를 초청해 700년 된 이 기계로 직접 포도를 압착하는 행사를 열 예정이며, 원한다면 초청하겠다고 했다. 다음 일정으로 이 역사적인 페스티벌에 참석하지 못한 아쉬움이 지금도 남아 있다. 대신 13세기부터 와인을 만들었던 옛 수도원의 지하 셀러에서 도멘 라로쉬의 총 일곱 가지 와인을 시음하였다.

테루아 와인의 전형을 보여주는 샤블리

성 마르티노 샤블리 2011과 2012, 프리미에 크뤼 2009, 최고 등급인 그랑 크뤼 레클로Les Clos, 블랑쇼Blanchot 2009를 시음한 후, 마지막으로 라로쉬가 한정 생산하는 레제르브 드 로베디엉스Reserve de L'Obedience 1997을 시음했다.

레제르브 드 로베디엉스는 라로쉬가 160년 동안 지속적으로 추구해온 샤블리 와인의 전형을 느낄 수 있는 압축된 와인이다. 녹색을 띤 연한 노란색에 수정같이 맑은 투명도, 청사과 같은 신선함, 견고하면서도 감칠맛 나는 풍미의 복합성까지!

좋은 와인은 언제나 그가 태어난 테루아의 향기와 맛을 표현한다면 샤블리 와인

샤블리 최고의 그랑 크뤼 포도밭인 레클로에서 바라본 샤블리의 아침.
자욱한 안개 속에서 샤블리 마을이 보인다(작은 사진은 굴화석으로 이루어진 전형적인 이곳 토양을 보여준다).

250 m
CHABLIS
Auxerre
BOUGROS
PREUSES
N
UNION DES GRANDS CRUS DE CHABLIS

ALABEURTHE
25

이야말로 그의 고향이 어디인지 가장 명료하게 보여주는 모범생이 아닐까?

샤블리의 대표 와이너리 도멘 롱-드파키

오후에는 프랑스 대혁명기에 설립된 샤블리의 대표 와이너리 중 하나인 도멘 롱-드파키Domaine Long-Depaquit를 방문했다. 오랜 세월의 흔적을 느낄 수 있는 와이너리의 회백색 건물이 단아하면서도 아름다웠다. 이곳 총 책임자인 마티외 망주노Mathieu Mangenot 씨의 안내로 와인셀러를 구경한 후 프티트 샤블리를 제외한 네 종류의 와인을 시음했다. 일곱 개 그랑 크뤼 중 하나인 블랑쇼 2009는 풍부한 아로마와 함께 견고하면서도 우아한 풍미가 샤블리 그랑 크뤼 와인의 전형이었다.

포도 수확 장면을 보기 위해 망주노 씨와 함께 마을 남서쪽 근처에 있는 프리미에 크뤼 포도밭인 바이용Vaillons을 방문했다. 새벽부터 조별로 수작업으로 수확하면 대기하고 있던 운반용 탱크 차량에서 포도를 선별해 와이너리로 보낸다.

포도 자체의 압력으로 흘러나온 주스Free-run와 파쇄기를 통해 줄기를 제거한 포도와 함께 압착기를 거쳐 나온 주스를 발효통(스테인리스통 혹은 오래된 대형 오크통)에 옮겨 발효시킨다. 망주노 씨가 발효 전 그랑 크뤼와 프리미에 크뤼 포도주스 두 잔을 가져와 맛보도록 했는데, 그랑 크뤼 포도주스가 좀 더 맑고 깨끗한 맛이었다.

◀ 밭에서 수작업으로 수확한 포도를 포도밭에서 직접 선별작업한 후 와이너리로 운반한다.(위)
파쇄기를 통해 줄기를 제거한 포도와 프리런(주스)을 압착탱크에 넣는다.(아래 왼쪽)
발효 전의 포도즙. 오른쪽이 그랑 크뤼 와인이 될 주스이다.(아래 오른쪽)

샤블리의 그랑 크뤼 포도밭 블랑쇼에 있는 50년 수령의 샤르도네 포도나무. 구부러지고 상처 입은 그루터기의 모습에서 포도나무의 일생을 읽을 수 있다.(왼쪽)
수확 작업을 끝낸 아르바이트 학생들이 즐거운 모습으로 포즈를 취하였다.(위) 포도농사는 고되다. 그 노력의 땀방울로 명품 와인이 탄생한다.(아래)

황금 언덕 코트 드 뉘

저온 발효법을 고집하는 페블레 와이너리

샤블리에서 A6번 고속도로를 타고 남동쪽으로 130킬로미터를 달리면 코트 도르Cote d'Or의 와인 중심도시인 본Beaune이 있다. 코트 도르는 북쪽으로 코트 드 뉘와 남쪽으로 코트 드 본 지역으로 나뉘는데 명실상부한 부르고뉴 지방 최고의 와인 산지다. 본에서 다시 북쪽 디종을 향해 N74번 국도와 D122번 지방도로를 따라 달리면 왼편으로 나지막한 산 중턱에 그림 같은 포도밭이 파노라마처럼 펼쳐진다. 이 길이 유명한 부르고뉴의 그랑 크뤼 가도다. 와인 애호가들에겐 이름만 들어도 가슴이 두근거리는 뉘 생조르주Nuits Saint Georges, 본-로마네Vosne-Romanée, 클로 드 부조Clos de Vougeot, 샹볼-뮈지니Chambolle-Musigny, 모헤-셍-드니Morey-Saint-Denis, 주브레-샹베르탱Gevrey-Chambertin 마을이 모두 22킬로미터 길이의 이 황금 언덕인 코트 드 뉘에 있다.

그러나 이 지역도 고대에는 한낮 야만인(갈리아인)이 거주하는 황량한 자갈밭이었다. 율리우스 카이사르의 『갈리아 전기Commentarii de Bello Gallico』를 보면 이곳 와인의 역사는 전적으로 로마군에 의해 시작되었다고 볼 수 있다. 카이사르가 이곳을 정복하기 전까지 갈리아인은 포도를 재배할 줄 몰랐다. 기원전 59년부터 9년 동안 갈리아(현재의 프랑스)를 통치했던 카이사르는 지금의 이 와인가도를 이용해서 프랑스 북부와 벨기에 지역을 정복했다. 알자스 지방의 와인가도를 따라서는 게르만족을 라인강 북안으로 격퇴하였다. 카이사르는 정복지에 와이너리를 조성하여 주둔군에게 와인을 공급했고, 일부 양질의 와인을 본국으로 보냈다.

막 수확한 포도를 컨베이어벨트에 올려 선별작업하는 모습.(위)
페블레 와이너리에서는 파쇄기에서 발효통으로 옮기기 전에 저온 발효를 시키기 위해 드라이아이스를 이용하여 포도즙의 온도를 낮추는 작업을 한다.(아래)

그랑 크뤼 와인 산지인 알록스-코르통에 있는 샤토 코르통-앙드르의 아름다운 가을 포도원 풍경.
이 지역의 전통적인 모자이크 타일 지붕과 포도나무의 가을 단풍이 잘 어울린다.

지금도 유럽 와인 산지 대부분은 그 당시 로마군에 의해 조성된 것이고, 그때의 로마 유적들이 아직도 남아 있다. 오늘날 유럽의 와인산업을 꽃피게 한 일등공신이 로마 정복군이라는 사실은 역사의 아이러니가 아닐 수 없다. 결국 현재의 유럽 와인 지도는 카이사르에 의해 만들어졌다고 볼 수 있다.

일찍 본을 출발하여 고대 카이사르의 군단이 행진했던 옛 로마 가도인 황금 계곡을 달렸다. 안개 자욱한 알록스-코르통Aloxe Corton을 지나 약속시간에 맞춰 뉘 생조르주에 있는 페블레Faiveley 와이너리의 본사에 도착했다.

1825년에 설립되어 근 2세기 동안 7대에 걸쳐 세계적인 와인 메이커로 발전해온 페블레는 총 열세 종류의 그랑 크뤼 와인을 생산하고 있는데, 특히 저온 장기 발효와 숙성으로 부르고뉴 와인의 개성을 잘 표현하고 있는 것으로 유명하다. 마침 수확하는 날이어서 그랑 크뤼 와인의 발효 과정을 자세히 살펴볼 수 있었다.

우선 손으로 일일이 포도를 수확하여 으깨지지 않도록 작은 플라스틱 바구니에 담아 운반하며, 와이너리에 도착한 후 컨베이어벨트에서 선별작업을 한다. 선별된 포도송이는 다시 컨베이어벨트를 타고 파쇄기로 옮겨지며, 이곳에서 포도알은 부드럽게 으깨지고 줄기가 제거되어 발효통으로 옮겨진다. 특이한 것은 옮기기 전 저온 발효를 위해 드라이아이스로 포도즙 온도를 낮춘다는 점이다. 저온 발효나 숙성은 장기간이 필요하지만 피노 누아가 가진 섬세하고도 복합적인 아로마를 충분히 발현시킬 수 있는 양조 방법이다.

저온 발효로 피노 누아의 향기를 발현시키다

발효란 당분에 효모(이스트)가 작용하여 알코올과 탄산가스를 생성하는 생화학적 메커니즘인데, 알코올 1퍼센트를 만들기 위해서는 포도주스의 당분 함유량이 약 2퍼센트 내외여야 한다. 양조학에서는 당도를 브릭스Brix로 표시하는데, 포

페블레 와이너리에서 시음한 열두 종의 와인들. 시음을 위해 별도 생산한 375밀리리터 용량이다.(위)
수확이 끝난 포도밭에서 겨울에도 포도나무가 햇빛을 잘 받을 수 있도록 철사걸이를 수리하고 있는 농부.(아래)

코트 드 뉘의 와인마을 뉘 생 조르주의 거리.

TELEGRAPHES POSTES TELEPHONES
25 cl
50 cl
Vins blancs
Bourgogne Aligoté
Macon village
Saint-Véran
Montagny 1er Cru
Petit Chablis
Rosé de Provence
Le Beffroi

도주스 100그램에 들어있는 1그램의 당을 1브릭스라고 한다. 보통 포도주스에 포함된 당분의 55퍼센트를 가용한 알코올로 발효시킨다. 따라서 알코올 함유량이 13-14퍼센트인 와인을 만들기 위해서는 약 25브릭스 이상의 잘 익은 포도가 필요하다. 한 알의 포도에 당분과 수분을 제외하면 약 0.5퍼센트의 유기산, 타닌, 질소 화합물과 무기질이 있는데, 이런 물질로 와인의 특성과 품질이 결정된다는 사실은 참으로 흥미로운 일이다.

페블레의 마케팅 담당인 안느 세실 여사의 안내로 테이스팅룸에서 열두 종류의 와인을 시음했다. 그랑 크뤼 레드와인 마지 샹베르탱Mazis-Chambertin 2011은 아직 젊지만 입에 꽉 차는 듯한 강건한 개성을 뿜어냈다. 그녀는 향후 5년 이상 숙성하여야만 진정한 부르고뉴 그랑 크뤼의 진면목을 느낄 수 있을 것이라고 말하였다.

테루아 와인을 추구하는 뤼페-숄레 와이너리

테루아 와인과 포도의 와인

1903년에 설립된 대표적인 부르고뉴 와인 메이커로, 부르고뉴·샤블리 지역에 와이너리와 포도밭을 동시에 소유하고 있는 뤼페-숄레Lupé-Cholet 와이너리를 찾았다. 전통과 개혁을 추구하며 이곳 테루아의 성격을 반영하는 와인을 만드는 것을 최우선 목표로 삼고 있는 뉘 생조르주에 있는 특이한 와인 메이커다.

열렬한 테루아 지상주의자인 마케팅 책임자 샤레이론 이사는 와인에서 테루아의 중요성을 강조했다. 오래전에 수도원으로 사용했던 건물 앞에 있는 빌라쥬village 포도밭에서 이곳의 토양을 구성하고 있는 세 개의 작은 자갈 석회암, 굴화석 그리고 이회암을 집어 들고 부르고뉴 와인의 우수성을 설명했다.

대부분의 신세계 와인이 기름진 토양으로 포도나무가 깊게 뿌리내리지 않고 표

뤼페-숄레 와이너리의 잘 익은 피노 누아.(위)
뤼페-숄레 와이너리에서 파쇄를 끝내고 남은 포도송이 줄기.(가운데)
파쇄기에서 줄기가 제거된 포도즙. 레드와인 발효 과정에서 침용을 위해 중요한 껍질과 씨앗이 표면에 떠 있다.(아래)

토에서 쉽게 열매를 맺기 때문에 포도 자체가 가진 맛과 향기만을 표현하는 단편적인 와인이라면, 부르고뉴 와인은 테루아를 구성하는 미세한 기후와 다양한 토양에 깊숙이 뿌리를 내려 각종 미네랄과 영양소를 흡수하기 때문에 같은 피노 누아라도 말로 표현할 수 없는 미묘한 풍미를 가지고 있다고 했다. 즉 포도 자체의 맛과 향기에 테루아의 맛과 향기를 첨가한 복합적인 풍미를 가진 와인이라는 것이다. 예를 들면 화강암은 적당한 신맛과 풍부한 아로마, 석회암은 레몬 향과 미네랄, 이회암은 강건함과 후추의 맛, 점토는 타닌의 맛, 편암은 가늘고 간결한 맛, 그리고 부싯돌은 훈연의 향기와 맛을 낸다.

부르고뉴 와인은 어쩌면 쥐라기 때부터 1만여 년 이상의 긴 세월 동안 형성된 토양의 향기를 품고 태어난 와인이라고 할 수 있지 않을까? 나는 언제부터 와인의 종류를 '테루아의 와인'과 '포도의 와인'으로 분류하고 있다. 전자가 대부분 구세계 와인이라면, 후자는 신세계 와인에 가깝다. 어느 와인이 더 좋은 와인이냐는 전적으로 개인의 취향이지만, 스타일 면에서 확연히 다르다는 것은 누구나 알 수 있다. 즉 테루아의 와인이 좀 더 드라이하고 섬세하며 미네랄의 풍미가 강한 반면에 포도의 와인은 전반적으로 풍부한 과일 향과 함께 스위트하고 텍스처[Texture]가 리치하다. 테루아의 와인은 오랜 숙성기간을 통해 비로소 그 풍미를 발현하는 데 비해, 포도의 와인은 비교적 짧은 숙성기간에도 편하게 마실 수 있다는 장점이 있다. 이렇게 중요한 '테루아'의 의미는 무엇일까? 우선 프랑스어 'Terroir'의 뜻대로 '토양'을 말한다. 그러나 와인에서는 포도 재배에 영향을 미치는 모든 지리적 환경을 포괄하는 의미를 가지고 있다. 즉 포도밭을 구성하고 있는 토양의 성질과 구조, 지리적 위치, 경사도, 일조량, 배수, 그리고 미세한 주변 기후대 등이다. 포도는 그 품종에 맞는 최적의 테루아에서 재배하여야만 좋은 와인을 만들 수 있다. 소유주가 여러 차례 바뀌어도 500년 동안 그 명성을 유지하고 있는 로

열렬한 테루아 와인 지상주의자인 안느 세실 샤레이론 도멘 뤼페-숄레 이사.(위)
뉘 생 조르주에 있는 중세에 지어진 수도원 지하 셀러에서 시음한 도멘 뤼페-숄레의 와인들.(아래)

샹볼-뮈지니의 본 마르 지역의 광활한 포도밭 풍경.

한때 수도원이었던 뤼페-숄레 와이너리의 오래된 지하 와인셀러.

마네 콩티! 그것은 전적으로 결코 변하지 않는 그들의 테루아 때문이다. 그런 점을 생각하면 테루아의 중요성을 쉽게 이해할 수 있을 것이다.

태곳적 아름다움을 느끼게 해주는 우아한 풍미

몇 년 전 샹볼-뮈지니 근교 와인가도에 있는 본-마르Bonnes-Mares 그랑 크뤼 포도밭을 방문한 적이 있었다. 그곳에는 마치 케이크를 자른 듯한 전형적인 코트 드 뉘 토양의 단층이 있었는데, 포도나무뿌리가 영양분을 찾아 바위틈 사이로 뻗어 지하 10여 미터까지 내려간 눈물겨운 장면을 보면서 새삼 자연의 위대함을 느꼈다.

샤레이론 이사의 안내로 중세부터 사용했던 옛 수도원의 어두운 지하 와인셀러에서 2011년산 화이트와인과 2010년산 레드와인 열 종류를 시음했다. 그중 인상적이었던 와인은 최하위 등급 부르고뉴 피노 누아인 콩테스 드 뤼페Comtesse de Lupe와 프리미에 크뤼인 뉘 생조르주 레 크로Nuits-Saint-Georges Les Croes 레드와인이었다.

와인 입문자들이 하는 가장 흔한 질문이 "어떤 와인이 좋은가요?"이다. 정답은 일반적으로 값비싼 와인이 좋다. 그러나 와인 애호가들의 현명한 선택은 가격 대비 좋은 와인을 구매하는 것이다. 그런 의미에서 콩테스 드 뤼페 2010은 가장 추천할 만한 와인이다. 밝은 체리색에 딸기와 블랙커런트, 달콤한 향신료와 부드러운 과일 향이 느껴지고, 젊지만 신선한 타닌의 맛이 신세계의 피노 누아와는 분명히 다른 풍미를 자랑했다.

뉘-생-조르주 프리미에 크뤼 레 크로 2010은 아직 충분히 숙성되지 않았지만, 이곳 테루아를 잘 표현하여 부르고뉴 와인의 정통성을 보여주었다. 매혹적인 체리색에 천연의 단맛이 부드럽고 기분 좋게 뿜어내는 과일과 꽃향기, 균형 잡힌 산도, 타닌, 알코올에 미네랄의 상쾌함이 더해져 벨벳처럼 우아하고 순수한 풍미와 관능적인 잔향이 오랫동안 입안에 맴돌았다.

문득 〈사이드웨이〉에서 주인공 마일스가 여주인공 마야에게 한 말이 떠올랐다.
"피노 누아는 카베르네 소비뇽과 달리 아무 환경에서나 자랄 수 없어요. 껍질이 얇고 성장이 빨라 끊임없이 보살펴줘야 하기에 인내심 없인 재배가 불가능한 품종이지요. 하지만 부드러운 맛과 오묘한 향은 태곳적 아름다움을 느끼게 해주지요."

황금의 와인 산지 본 – 로마네와 클로 드 부조

뉘-생-조르주에서 북쪽으로 본-로마네Vosne-Romanée와 클로 드 부조Clos de Vougeot가 차례로 인접해 있다. 부르고뉴 와인을 발전시킨 데에는 12세기부터 시토회 수도원의 공이 크다고 하는데, 그랑 크뤼 와인 생산지인 클로 드 부조는 원래 이 수도원 소유였다. 900년의 역사를 가지고 있는 이 수도원은 1110년부터 본격적으로 와이너리로 개발되었다. 1200년경에는 현재의 50헥타르 면적에 돌담을 쌓았고, 그래서 클로 드 부조로 불리게 되었다(프랑스어에서 Clos는 영어의 Wall, 즉 담으로 둘러친 밭을 뜻한다) 그러나 프랑스 대혁명 때 나폴레옹이 수도원이 소유하고 있던 50헥타르의 포도원을 몰수하여 일반인에게 나눠주었고, 현재는 소유주가 85명에 이른다. 따라서 '클로 드 부조'라는 단일 그랑 크뤼 포도밭 50헥타르를 85명의 소유주가 잘개 쪼개어 각각의 역량에 따라 포도를 재배한다. 그 결과 같은 클로 드 부조 와인이라도 와인 메이커에 따라 품질이 다르다는 점에 유의해야 한다. 이렇게 같은 구획에 나뉘어진 작은 포도밭을 클리마라고 이미 설명한바 있는 데, 포도밭 면적이 한정되어 있는 부르고뉴 지방의 특징이다. 이러한 클리마의 특징을 부르고뉴에서 가장 극명하게 보여주는 포도밭이 바로 클로 드 부조이다.

광활한 포도원 가운데 와인 양조시설로 건설된 웅장한 클로 드 부조 성을 바라보면 당시 수도원의 세속적인 권력과 부를 새삼 절감할 수 있다. 성 내부에서는 중세의 와인셀러, 12세기의 우물과 르네상스 시대의 부엌 시설을 관람할 수 있다. 또한 사블리의 도멘 라로쉬에서 언급한바 있는 거대한 포도 압착기 두 개도

클로 드 부조 성의 내부 모습. 건물 안에 들어가면 갈라디너 장소, 와인셀러와 전시장 등을 볼 수 있다.(위) ▶
르네상스 시대의 부엌.(아래)

한때 시토회 수도원 소유였던 클로 드 부조 포도밭과 순전히 양조시설을 위해 16세기에 세워진 클로 드 부조 성.
푸르른 하늘 아래 드넓은 포도밭에 홀로 존재하는 웅장한 모습이 장관이다.

황금의 마을 본-로마네. 이 골목을 지나 오른쪽에 유명한 로마네 콩티를 포함한 부르고뉴 최고급 포도밭이 모여 있다.
와인 애호가에게는 꿈의 장소인 로마네 콩티 와이너리.(아래)

로마네 콩티 내에 있는 천사의 동상이 몽환적으로 보인다.

구경할 수 있다. 오늘날 클로 드 부조 성은 1934년부터 이 지역의 와인과 음식을 세계에 알리기 위해 시작된 '따스뜨방 기사들의 형제애La Confrérie des Chevaliers du Tastevin'라는 갈라디너 행사를 진행하고 있다.

한 병에 2만 유로를 호가하는 로마네 콩티

클로 드 부조와 남쪽으로 인접한 지역은 와인 애호가가 아니라도 누구나 열광하는 황금의 와인, 로마네 콩티가 있는 본-로마네라는 작은 와인마을이다. 마을 뒤편 골목을 지나면 서쪽 언덕배기에 이름만 들어도 황홀한 로마네-생-비방Romanée-saint-vivant, 리쉬브르Richebourg, 라 그랑드-뤼La Grande-Rue, 라타쉬La Tâche, 라 로마네La Romanée의 포도밭이 로마네 콩티 포도밭을 여왕 모시듯 둘러싸고 있다.
로마네 콩티 포도밭은 유기농법으로 인해 잡초가 무성하고, 마치 숯덩이처럼 검게 익은 포도송이가 늙은 포도나뭇가지에 달려 있는 것이 특이했다. 그러나 포도알 하나하나가 유리구슬처럼 탱글탱글하고 뭔가 꽉 차 있는 듯한 모습이어서 새삼 세상에서 가장 비싼 땅과 포도라는 실감이 들어 묘한 감동이 일었다. 몇 년 전 파리의 유명 백화점 와인 숍에 들렀을 때 본 로마네 콩티 2005 한 병의 소매가가 무려 2만 5,000유로였다. 이번 여행에서 확인한 로마네 콩티 2007 역시 소매가가 2만 유로를 넘었다. 이 정도면 예술품을 넘어 황금보다 더 비싼 액체가 아닐까? 인간에게는 왕후장상의 씨가 따로 없다지만, 로마네 콩티 같은 와인은 어쩌면 처음부터 선택받았는지도 모른다. 900년의 역사를 가지고 있는 이 포도밭은 최고의 와인을 생산하는 본 로마네 그랑 크뤼의 심장부에 위치해 있다. 동향으로 경사진 석회암 기저 위에 이회토와 바위부스러기로 이루어진 표토는 배수, 풍부한 햇빛 , 바람을 막아주는 미세기후대로 까다로운 피노 누아 재배에 최

클로 드 부조에서 익어가는 피노 누아(위)와 이웃한 로마네 콩티 포도밭에서 익어가는 피노 누아(아래)의 모습은 미묘한 차이를 보인다.

세상에서 가장 비싼 땅인 로마네 콩티의 포도밭. 1.8헥타르의 땅에서 1년에 겨우 5,000병의 와인을 생산한다.
로마네 콩티 포도밭의 가을(위)과 겨울(아래) 전경.

적의 테루아다.

와인 에이지Wine Age와 바인 에이지Vine Age

여기에 변함없는 도멘 드 라 로마네 콩티Domaine de la Romanée Conti, DRC 소유주의 자연주의철학이 더해졌다. 소량생산에 충분한 과숙기간을 부여하고, 와인의 에이징aging(숙성) 못지않게 포도나무의 에이징(나이 먹음)을 중요시하여 평균 수령이 50년 된 포도나무에서 잘 익은 포도알갱이를 일일이 손으로 수확한다. 또한 와인 제조 과정에서의 철저한 품질 관리와 사후 판매 관리까지가 어우러진 결과일 것이다. 와인을 좋아하는 대부분의 사람들도 포도나무의 나이에는 관심이 없고, 와인의 빈티지와 숙성기간만을 강조한다. 포도나무는 우연의 일치인지는 모르지만 그동안 인간의 생존기간과 유사하다. 포도나무의 일생에서 자신의 최고 와인을 만드는 때는 중년기간이다. 즉 수령이 70년이면 35년 전후에서 수확한 포도가 최고의 와인을 만들 수 있다는 것이다. 포도묘목을 심으면 보통 3년 후부터 포도를 수확할 수 있지만, 이 나이의 포도로 와인을 만든다면 '구상유취口尙乳臭', 그러니까 우리가 마실 수 없는 와인이 된다. 반대로 수령이 100년 된 포도로 만든다면 그 와인은 향기가 없어 밋밋하고 개성 또한 없는 와인이 될 것이다. 와인 역시 우리 인간처럼 중년이 되어야만 비로소 깊이 있는 삶이 축적되어 그 결과로 농염한 와인을 생산할 수 있다는 것은 참으로 흥미로운 일이다.

과거에는 70년 정도 살았던 포도나무가 지금은 100년 이상 생존하고 있는 경우가 많다. 100세 시대를 구가하는 오늘날의 인간이 의학 발달의 덕을 입고 있다면, 포도나무는 농학 발전의 덕을 입고 있는 셈이다.

로마네 콩티에 버금가는 DRC의 모노폴 라타쉬 포도원(위)과 DRC의 대표적인 그랑 크뤼 와인들. ▶
왼쪽부터 로마네 콩티, 라타쉬, 리쉬브르와 그랑 에세조. 레이블에 각병의 고유번호가 보인다.(아래)

LA TÂCHE

MONOPOLE
2012
SOCIÉTÉ CIVILE DU DOMAINE DE LA ROMANÉE-CONTI
PROPRIÉTAIRE A VOSNE-ROMANÉE (COTE-D'OR) FRANCE
ROMANÉE-CONTI
APPELLATION ROMANÉE-CONTI CONTROLÉE
ANNÉE 2012
MONOPOLE
2013
SOCIÉTÉ CIVILE DU DOMAINE DE LA ROMANÉE-CONTI
PROPRIÉTAIRE A VOSNE-ROMANÉE (COTE-D'OR) FRANCE
LA TÂCHE
APPELLATION LA TÂCHE CONTROLÉE
12.677 Bouteilles Récoltées
BOUTEILLE N° 09138
ANNÉE 2013
Mise en bouteille au domaine
SOCIÉTÉ CIVILE DU DOMAINE DE LA ROMANÉE-CONTI
PROPRIÉTAIRE A VOSNE-ROMANÉE (COTE-D'OR) FRANCE
RICHEBOURG
APPELLATION RICHEBOURG CONTROLÉE
6.809 Bouteilles Récoltées
BOUTEILLE N° 05039
ANNÉE 2013
GRANDS ÉCHÉZEAUX
APPELLATION GRANDS ÉCHÉZEAUX CONTROLÉE
9.396 Bouteilles Récoltées
BOUTEILLE N° 03833
ANNÉE 2006

따라서 최고 품질의 와인을 만드는 포도나무의 수령도 높아지고 있다. 로마네 콩티가 50년 전후 수령, 슈발 블랑이 40년 전후 수령의 포도나무에서 수확한 포도로만 와인을 생산하고 있다는 것은 우리에게 시사한바가 크다 하겠다. 따라서 좋은 와인을 평가하는 데는 와인의 에이지age뿐만 아니라 그 와인을 만드는 포도나무의 에이지도 중요하게 고려하여야 할 것이다.

DRC의 자연주의는 1996년부터 바이오다이나믹 농법을 도입하였으며, 땅이 단단해지는 것을 우려해 트랙터 대신 아직도 말이 끄는 쟁기로 포도밭을 일군다. 1.8헥타르에 불과한 포도밭에서는 평균 50년생 포도나무 세 그루당 겨우 와인 한 병을 생산(총 5,000~6,000병/년)한다고 한다. 그러나 DRC가 발표한 자료에 의하면 이보다 훨씬 적은 양을 생산하며, 흉년이었던 2013년에는 불과 300병만 생산하였다고 한다. 이렇게 탄생한 황금의 와인을 평가하는 것은 난센스일지도 모른다.

몇 년 전 와인 MBA 동창들과 함께 시음했던 로마네 콩티를 회상하면서 이 와인에 대한 설명을 영국 출신의 부르고뉴 와인 전문가인 클라이브 코테스Clive Coates 씨의 설명으로 대신하고자 한다. "이 와인은 이 세상에서 가장 귀하고 비싸며, 항상 최고 품질이며, 가장 순수하고 귀족적이고, 우리가 상상할 수 있는 피노 누아의 모든 것을 보여주는 가장 분명한 본보기다. 그것은 단순한 넥타nectar(과즙)가 아니라 모든 부르고뉴 와인을 평가하는 척도이다."

로마네 콩티 대 라타쉬 그리고 리쉬브르 와인

로마네 콩티 포도밭에서 남쪽으로 라 그랑드-뤼를 사이에 두고 라 타쉬가 위치해 있다. 로마네 콩티와 함께 라 타쉬는 DRC가 소유하고 있는 모노폴Monopole 와

쥬브레-샹베르탱에 있는 아름다운 '클리마의 홀'. 이곳에서 각종 와인 관련 행사가 열린다.(위)
황금의 와인을 생산하는 본 로마네 마을의 휴게소.(아래)

이너리이다. 대부분 클리마 형태로 소유하고 있는 부르고뉴에서 한 사람이 밭 전체를 소유하고 있는 것은 매우 드문 일이다. 무엇보다도 마을이 아닌 밭 이름이 독립된 하나의 그랑 크뤼라는 것도 놀라운 일이다. 라 타쉬 역시 DRC의 모든 철학이 함축되어있다. 불과 6.06헥타르에서 1년에 1만 2,000~2만 병을 생산한다. 면적 대비 생산량은 로마네 콩티에 비해 오히려 소량이다.

나는 지금까지 로마네 콩티와 라 타쉬를 동시에 비교·시음해보지는 못했다. 대신 이번 여행에서 DRC의 라타쉬와 리쉬브르 2013년 빈티지를 동시에 비교·시음하면서 로마네 콩티를 접하기 어려운 와인 애호가들에게는 라 타쉬가 충분히 대안이 될 수 있다고 생각했다. 리쉬브르와는 다소 차이가 있었지만. 우선 가격 측면에서 3분의 1에 마실 수 있고, 품질 면에서는 개인 취향에 따라 다르겠지만 나에게는 거의 동급으로 느껴졌다. 참고로 뤼쉬부르의 가격은 라 타쉬의 2분의 1 수준이다.

로마네 콩티가 비단과 같이 부드럽고 마른 재비꽃과 장미꽃의 매혹적 향기가 켜켜이 피어나는 신비의 와인이라면, 라 타쉬는 보다 힘이 있고 남성적인 느낌이 있었다. 특히 송로버섯과 흙냄새가 좀 더 강하게 느껴졌다. 이에 비해 뤼쉬부르는 좀 더 부드러운 맛이었지만 복합성과 섬세함이 다소 부족하였다.

특히 흥미로웠던 점은 로마네 콩티의 가격이 전문 와인 숍에서는 큰 차이가 없었지만, 레스토랑 사이에서는 격차가 컸는데, 미슐랭 가이드 스타급 레스토랑에서는 2만 2,000유로부터 1만 9000유로, 그리고 심지어 9,000유로까지 다양하게 형성되어 있었다. 공통적인 점은 재고가 없다는 것이다. 그것은 레스토랑이나 고객의 지위에 따라 차별화된 가격과 패키지로 일정량만을 할당하는 DRC의 마케팅 전략 때문이리라.

이밖에도 DRC는 로마네-생-비방Romanée-saint-vivant, 레 그랑 에세조Les Grands Echézeaux,

벨벳처럼 우아하면서도 부드러운 샹볼-뮈지니의 고즈넉한 와인마을. 앞에 있는 식당이 '르 밀레짐'이다.

샹볼-뮈지니의 프리미에 크뤼인 레자무뢰즈 포도밭. 오른쪽 멀리 클로 드 부조 성이 보인다.(위)
내가 시음했던 그랑 크뤼급 샹볼-뮈지니 프리미에 크뤼 '레자무뢰즈' 2011년 빈티지. 맛도 그랑 크뤼급이다.(아래)

에세조Echézeaux 등의 레드와인과 화이트와인인 몽라셰Montrachet 등 최고의 그랑 크뤼 와인을 생산하고 있다.

벨벳처럼 우아하고 부드러운 샹볼-뮈지니 레자무뢰즈

클로 드 부조 북쪽으로 연결된 코트 드 뉘의 샹볼-뮈지니Chambolle-Musigny는 벨벳처럼 우아하고 부드러우나 오랜 기간 그 향미를 뽐내는 그랑 크뤼 와인을 생산하는 지역으로 유명하다. 나는 이 마을에서 평소에 관심이 많았던 샹볼-뮈지니의 프리미에 크뤼인 레자무뢰즈Les Amoureuses의 포도밭을 방문했다. 멀리 클로 드 부조 성과 마을을 조망할 수 있는 경사진 언덕의 부조 마을과의 경계지역에 위치하고 있다. 황혼녘 이 마을의 고즈넉한 시골 풍경에 매료되어 미슐랭 가이드가 추천한 르 밀레짐Le Millésime 식당에서 저녁식사를 했다. 유럽 여행을 하다보면 우리와 다르게 유럽에는 대도시보다 작은 시골마을에 유명한 맛집이 많이 있다는 것은 이미 언급한바 있다.

와인은 오후에 방문했던 샹볼-뮈지니 프리미에 크뤼 레자무뢰즈Chambolle Musigny Premier Cru Les Amoureuses 2011을 주문하였다. 학창시절 잰시스 로빈슨의 운명을 바꾼 와인이다. 8년이 지났는데도 처음에는 다소 거칠었지만 시간이 지나면서 뮈지니의 벨벳처럼 섬세하고우아한 풍미가 오랫동안 피어오르는 샹볼-뮈지니 와인의 전형적인 스타일을 느낄 수 있었다. 특히 남성적인 강렬함과 여성적인 부드러움이 어우러져 풍기는 균형감이 매혹적이었다. 비록 프리미에급이지만 그랑크뤼급과 비교해도 결코 뒤지지 않을 걸작이었다. 좋은 와인은 우리에게 단순히 감각적인 향기뿐만 아니라 때로는새로운 세계를 발견하였다는 기쁨을 선물한다.

코트 드 본과 코트 드 뉘 사이에 있는 알록스 코르통 언덕의 풍경.
모자를 쓴 듯한 특이한 지형으로 그랑 크뤼 와인을 생산한다.

부르고뉴 와인 중심지 코트 드 본

부르고뉴의 와인 중심지인 코트 도르의 남쪽에 위치한 코트 드 본은 '황금 언덕'이라고 불리는 북쪽의 코트 드 뉘 지역보다는 전반적으로 한 등급 아래인 와인을 생산하고 있다. 물론 그랑 크뤼 와인을 생산하는 코트 드 본의 북쪽 인근에 위치한 코르통, 남쪽 근교의 몽라셰는 코트 드 뉘 지역을 능가하는 개성 있는 와인으로 유명하지만, 대부분 지역이 프리미에급이나 빌라쥬급 와인을 생산한다. 그러나 이 지역이 코트 드 뉘보다 더 중요한 점이 있는데, 그것은 이곳 본을 중심으로 부르고뉴의 와인산업을 이끄는 심장 역할을 하고 있다는 점이다. 이러한 데에는 본에 본사를 두고 활동하는 수많은 네고시앙의 역할과 한때 부르고뉴의 부와 영광을 상징하는 오텔-디외Hôtel-Dieu 자선병원의 와인 경매 행사의 공이 크다고 할 수 있다.

와인으로 노블레스 오블리주를 실천하는 오스피스 드 본

가을비가 촉촉이 내리는 아침, 성벽으로 둘러싸여 있는 고색창연한 중세풍 도시 코트 드 본의 중심지에 있는 역사적인 건축물 오텔-디외를 두 번째 찾았다. 이 건축물은 영국의 동맹국으로 중세에 프랑스 왕국과 자웅을 겨루었던 막강한 부르고뉴 공국의 재상 니콜라 롤랑Nicolas Rolin과 그의 세 번째 부인 기곤느 드 살랑Guigone de Salins이 재산을 기부하여 1443년에 설립한 사회복지시설로, 가난하고 병든 자들을 위해 세워진 일종의 자선병원 '오스피스 드 본Hospices de Beaune'이다.
부르고뉴 전통 양식인 기하학적인 모자이크 타일 지붕으로도 유명한 이 병원은

자선병원 오스피스 드 본의 내부 시설.

부르고뉴의 전통 양식인 기하학적인 모자이크 타일 지붕으로도 유명한 이 병원은 1988년까지 장장 555년 동안 운영되어왔다. 현재는 운영하지 않고 일반인에게 개방하고 있다.

1988년까지 장장 555년 동안 운영되어오다 현재는 일반인에게 유료로 개방하고 있다. 매년 11월 셋째 주 일요일, 이곳에서 열리는 와인 경매 행사는 오텔-디외를 부르고뉴의 관광명소로 자리매김하는 데 큰 역할을 했다. 오텔-디외의 와인 경매는 병원의 자생적인 운영을 위해 병원이 소유하고 있는 60헥타르의 포도원에서 생산한 와인 판매를 목적으로 한다. 1851년에 시작하여 2005년부터는 세계적인 경매전문회사 크리스티Christie's에 의해 150회 넘게 진행되고 있다. 현재는 오텔-디외 옆 부속건물에서 와인 경매가 이루어진다.

부르고뉴 와인의 기준이 되는 와인 경매

이 와인 경매가 중요한 이유는 이곳에서 결정된 가격이 그해의 부르고뉴 전 지역에서 생산된 와인 가격과 품질의 기준이 되기 때문이다. 빈티지가 좋지 않았던 1956년과 1968년에는 경매가 실시되지 않았다는 사실이 이 경매를 더욱 신뢰하게 한다. 또한 이 경매는 병으로 판매하지 않고 228리터(288병)의 배럴 단위로 판매하기 때문에 개인은 경매에 참석하기가 쉽지 않다.

경매가 있기 전 금요일부터 3일 동안 열리는 와인 축제인 레 트루아 글로리외즈Les Trois Glorieuses는 본의 또 다른 관광상품으로 유명하며, 이 무렵 세계의 와인 거상들과 와인 애호가들이 모여든다. 단순히 자선병원의 재정 문제를 해결하기 위해 시작한 판매 방법이 병원이 문 닫은 후에도 부르고뉴의 와인산업을 꽃피우게 할 줄은 아무도 상상하지 못했을 것이다. 관광객으로 북적이는 오텔-디외를 떠나면서 와인이 우리의 삶과 함께하는 한 노블레스 오블리주를 실천한 롤랭의 숭고한 박애정신은 계속될 것이라고 느꼈다. 실제로 1457년부터 지난해까지 모두 1헥타르 이상의 포도원이 오텔-디외에 기부되었다.

코트 드 본에 있는 부르고뉴의 와인산업의 중심지 본의 낭만적인 골목길. 대부분의 네고시앙 사무실이 이곳에 있다. ▶

minelli

항상 관광객으로 넘처흐르는 본의 겨울 풍경은 을씨년스럽다.

부르고뉴의 대표 네고시앙 메종 루이 자도

부르고뉴의 와인산업을 꽃피운 또 다른 축은 네고시앙Négociant 제도이다. 원래 네고시앙은 상거래에서 중개인을 말하지만, 와인산업에서는 특별한 의미를 가지고 있다. 프랑스의 와인산업은 크게 포도 재배자, 와인 생산자 그리고 판매자(네고시앙)로 그 역할이 오랫동안 나뉘어 있었다. 현재는 네고시앙의 역할이 점점 축소되어 포도 재배자가 직접 와인을 생산하고 판매하는 방식이 일반화되고 있다.

그러나 대단위 포도밭을 소유하고 있는 보르도의 유명한 샤토들과는 달리 부르고뉴에서는 소규모의 구획으로 나뉘어 있어 이를 일관된 AOC로 통합생산할 수 있는 네고시앙의 역할이 여전히 중요하다. 대형 네고시앙들은 직접 포도밭을 소유하고 다른 농가로부터 포도나 와인을 구매해 자신들의 양조장에서 와인을 배합하거나 제조하여 자신의 브랜드로 판매한다. 따라서 한 와인 메이커가 포도밭 전체를 소유하고 생산하는 모노폴Monopole 와인을 최고로 친다.

현재 부르고뉴 와인의 65퍼센트 이상을 네고시앙이 생산하는데, 이들 중 대표적인 대형 네고시앙의 하나인 메종 루이 자도Maison Louis Jadot를 찾았다. 본 시내에 위치한 예술적이고 현대적인 건축물로 지어진 와이너리에서는 수확한 포도를 선별하고 발효탱크를 준비하는 작업이 한창이었다. 1859년 벨기에의 루이 앙리 드니 자도Louis Henry Denis Jadot에 의해 설립되어 150년 동안 3대에 걸쳐 세계적인 와인 메이커로 성장했다. 현재 직접 소유하고 있는 105헥타르를 포함해 총 210헥타르의 포도원에서 가장 전형적인 부르고뉴 스타일의 와인을 생산하는 것으로 유명하다. "포도원은 우리 소유가 아니다. 우리는 단지 관리인일 뿐이다"라는 철학을 가지고 있는 루이 자도는 테루아의 중요성을 누구보다 강조했고, 인간의 역할을 최소화하면서 1996년부터 자체 제작한 오크통을 이용해 와인을 생산하고 있다.

메종 루이 자도의 와이너리 내부는 현대적인 디자인으로 유명하다.

마케팅 담당 피에릭 프레보 씨의 안내로 수많은 오크통이 잠들어 있는 셀러에서 무려 두 시간에 걸쳐 다양한 지역의 배럴 와인 테이스팅을 했다. 코르통-샤를마뉴Corton-Charlemagne 그랑 크뤼 화이트와인을 시음한 후 코트 드 본 지역에서 생산되는 레드와인 위주로 시음했는데, 아침 일찍 사진 촬영을 위해 찾았던 코트 드 본 남쪽 포마르Pommard와 볼네Volnay의 프리미에급 모노폴 와인인 클로 드 라 바르Clos de La Barre가 인상적이었다.

제비꽃 향이 강한 코트 드 본 와인

볼네는 고도가 높은 경사지로 표토층이 얇지만 초크와 석회질이 많고 하층토에 철분을 함유하고 있어 코트 드 뉘와 다른 전형적인 코트 드 본의 테루아다. 와인은 이러한 테루아를 닮아 코트 드 본 와인 중에서는 비교적 가볍고 우아하며 섬세하지만, 색깔이 진하고, 장미·제비꽃 향과 산딸기 같은 붉은 과일향과 스파이시한 풍미가 넘친다. 입안에서 전반적으로 타닌이 강하고 다소 무게감을 느낄 수 있어 보다 실키Silky한 텍스처Texture를 가지고 있는 코트 드 뉘 와인과는 확연히 구별된다. 같은 지역에서도 테루아의 차이가 이렇게 다른 스타일의 와인을 탄생시킬 수 있다는 점에서 오묘한 자연의 조화를 느낄 수 있었다.

코트 드 본의 테루아를 닮은 부르고뉴의 또 다른 스타

코트 드 본 지역의 대표적인 와인 산지인 볼네 마을의 아침 포도밭 풍경. 멀리 포도를 수확하는 인부들이 보인다.
포도밭 사이에 위치한 마을의 모습도 아기자기하고 아름답다.

메종 루이 자도의 와인셀러에서 배럴 테이스팅을 위해 와인을 뽑아내는 피에릭 프레보 씨.
코트 드 본의 최고 품질의 화이트와인 생산지인 아름다운 뫼르소 마을.(오른쪽)

일의 피노 누아 와인을 시음하는 동안 영화 〈사이드웨이〉에서 여주인공 마야가 남주인공 마일스에게 한 이야기가 와인의 잔향처럼 귓가에 맴돌았다.

"난 와인의 삶을 찬미하고 싶어요. 한 생명체가 포도밭에서 익어가는 모습, 비가 내리고 따스한 햇살, 와인이 만들어지고 숙성되는 오랜 세월 동안 죽어간 사람들, 또 와인의 맛은 변화무쌍하고 수확기에 따라 그 맛이 제각각이지요. 그리고 당신이 아끼는 슈발 블랑 1961처럼 제맛을 한껏 뽐내고 삶을 마감하죠. 최고의 맛을 선사한 후에……."

볼네 남쪽에 인접해 있는 아름다운 뫼르소 마을은 보르고뉴 화이트와인의 중심지다. 남쪽으로 퓔리니 몽라셰Puligny Montrachet와 샤샤뉴 몽라셰Chassagne Montrachet는 세계 최고 품질의 화이트와인 생산지다.

PRESSE
TABAC

코트 드 본의 생-로맹 와인마을은 석회암 바위로 둘러싸여 있다. 가볍고 산뜻한 화이트와인과 레드와인을 생산한다.

부르고뉴의 협동조합 와인 뉘통-보누아

코트 드 뉘와 코트 드 본 출신 115명의 농부들이 만나 만든 와인

루이 자도와 쌍벽을 이루는 또 다른 부르고뉴의 대표 와이너리 부샤르 페르 에 피스Bouchard Pere & Fils의 15세기에 지어진 성채 샤토 드 본Château de Beaune에서 시음을 마치고 뉘통-보누아Nuiton-Beaunoy를 찾았다. 네고시앙과는 다른 협동조합 형태로 운영되고 있는 이 와이너리는 본의 남쪽 외곽에 현대적인 와이너리 시설과 대형 와인 숍을 운영하고 있다. 1957년 10월에 설립된 이 협동조합 와이너리는 코트 드 뉘와 코트 드 본에서 포도원을 소유하고 있는 115명의 조합원으로 구성되어 있다. 그래서 와이너리의 이름도 뉘와 본의 합성어인 뉘통-보누아Nuiton-Beaunoy가 되었다고 한다. 현재 520헥타르의 포도밭에서 1년에 약 2만 5,000헥토리터(약 333만 3,000병)의 와인을 생산하고 있다. 수출 담당 책임자인 쟈비에 리톤Xavier Ritton 씨의 안내로 시음하기 전에 양조시설부터 구경하였다. 셀러에 들어가기 전에 신발 앞부분을 보호하는 안전장구를 착용해야 하는데, 다른 와이너리에서는 볼 수 없는 특별한 경험이었다. 방문기간이 수확이 끝나고 1차 발효가 진행 중이던 시기라 발효탱크에서 직접 뽑아낸 발효 중인 와인을 맛보았는데, 아직은 와인 맛보다는 걸쭉한 포도주스 맛에 가까웠다. 약 1~2주 후에 1차 발효가 끝나면 여과작업과 2차 젖산 발효 과정이 내년 2월까지 진행되고, 다시 여과와 숙성 그리고 마지막으로 병입하는 과정을 거쳐야 비로소 와인으로 탄생되는 오랜 여정에 들어간다. 셀러에서 분주히 일하고 있는 양조책임자 세바스챤 씨는 코트 도르(코트 드 본과 코트 드 뉘)의 각기 다른 테루아에서 조합원들이 생산한 포도를 그 테루아의 특징을 발현시키면서 와인의 높은 품질과 부르고뉴 와인의 스타일을 지키는 것이 자신의 임무라고 말하였다. 그래서인지 양조장에는 다양한

부르고뉴의 대표와이너리의 하나인 부샤르 페르 에 피스의 샤토 드 본. 15세기에 지어진 성채다.(위)
부르고뉴 협동조합 와인 메이커 뉘통-보누아 본사. 와인 숍도 함께 운영하고 있다.(아래)

뉘통–보누아에서 내가 시음했던 와인들.(위)
뉘통–보누아의 와인 메이커 세바스챤 씨(왼쪽)와 수출 담당 쟈비에리톤 씨.(아래)

크기의 발효탱크와 숙성용 오크통이 있었는데, 그것은 각기 다른 지역과 클리마에서 생산한 포도를 개별적으로 발효하고 숙성시켜야 하기 때문이리라. 셀러 구경을 마치고 1층 시음실에 준비된 와인과 수많은 와인 생산 리스트들을 보고 놀랐다.

지역 와인에서 그랑 크뤼까지 테루아의 특징을 잘 나타내는 다양한 와인 생산

뉘통-보누아는 코드 도르의 6개 AOC 지역에서 무려 50여 종의 와인을 생산하고 있었다. 이 중에서 11종류의 와인을 시음하였는데, 시음한 와인들 중에는 내가 한국에서 즐겨 마셨던 주브레-샹베르탱 프리미에 크뤼[Geverey-Chambertin 1er Cru]와 르 클로 뒤 샤피트르[Le Clos du Chapitre] 모노폴이 포함되어 있었다. 언제나처럼 똑같은 와인, 동일한 빈티지인데도 한국에서와는 비교할 수 없는 신선한 풍미에 와인은 역시 살아 숨 쉬는 생물이라는 것을 다시 한 번 느꼈다. 이날 시음 와인 중 압권은 아직 한국에 수입되지 않은 모레이-셍-드니[Morey-Saint-Denis]의 5개의 그랑 크뤼 중 하나인 클로 드 라로쉬[Clos de la Roche] 2016이었다. 짙은 루비색, 체리·감초·코코아와 에스프레소의 복합적인 아로마, 풀 보디의 농축된 질감, 아직 젊지만 부드러운 타닌과 균형 잡힌 구조감과 오랜 잔향에서 부르고뉴 그랑 크뤼의 또 다른 전형을 느낄 수 있었다. 전체적으로 피노 누아라는 게 믿어지지 않을 정도의 강건한 힘과 깊이감을 느낄 수 있었는데, 그것은 아마도 이 와인이 코트 드 뉘의 그랑 크뤼 중에서 비교적 북쪽에 위치한, 석회암이 풍부한 테루아 덕분이리라. 귀국 후 나는 뉘통-보누아 방문을 주선해준 수입사에 이 와인을 수입할 것을 추천하였다. 그 후 샘플로 도착한 이 와인을 수입사 대표와 함께 다시 한국에서 맛보는 행복한 시간을 가졌다. 그리고 지금은 얼마전 통관된 2012년 빈티지를 나의셀러에서 안정화시키고 있다.

부르고뉴의 새로운 보석 코트 샬로네즈와 마코네

작은 시골마을에 세계 1위 레스토랑이 있다

부르고뉴의 중심도시 코트 드 본에서 남쪽으로 불과 18킬로미터 떨어져 있는 작은 시골마을 샤니Chagny는 전 세계 미식가들에게 특별한 마을이다. 코트 샬로네즈Côte Chalonnaise 최북단에 위치한 이 와인마을이 유명한 이유는 무엇보다도 미슐랭 가이드 3스타 레스토랑인 세계적인 메종 라믈루아즈Maison Lameloise 레스토랑이 있기 때문이다. 3대에 걸쳐 90년 동안 이어온 이 레스토랑은 1931년에 이미 미슐랭 가이드 2스타에 랭크되었으며, 1979년에 최고 등급인 3스타를 획득했다. 2008년부터 수석셰프인 에릭 프라스Eric Pras 씨가 개발한 브르타뉴 가재, 농어 등살과 토마토, 개구리와 포르치니 버섯 그리고 솔로뉴 사슴고기를 포함한 총 일곱 가지 요리를 주문했다. 이 지역의 자랑 푸이이-퓌세Pouilly-Fuissé 화이트와인 그리고 2005 레드와인과 함께…….

음식을 기다리는 동안 와인 리스트를 보니 2013년 방문 때 5,500유로에 판매하던 로마네 콩티가 2019년에는 무려 1만 9,000유로였다. 그마저도 재고가 없다고 하였다. 세계 최고의 요리와 와인을 페어링할 수 있도록 고려한 로마네 콩티의 가격 정책 때문일 것이다. 와인은 외부 반출을 할 수 없으며, 반드시 그 자리에서 식사와 함께 마셔야 한다. 메종 라믈루아즈가 부담되거나 예약이 힘들경우 대안으로 인근에 피에르 엔 장Pierre & Jean이라는 레스토랑을 추천하고 싶다. 레믈루아즈가 운영하는 이식당역시 미쉘린 가이드 별하나이지만 가성비가 뛰어난 레스토랑이다. 목재로 지어진 17세기 와인창고의 옛모습을 살려 현대적으로 개

세계적인 레스토랑 메종 라믈루아즈 앞에 있는 샤니 마을의 아름다운 분수 광장.
수탉 조형물이 인상적이다.

나이 든 웨이터가 손님 앞에서 직접 디저트를 만들어 서빙한다.

조하였는데 분위기가 만점이다. 무엇보다 음식값도 50유로 선이며 와인가격도 합리적이다.

와인의 맛을 어떻게 표현할 것인가

연말 모임이나 비즈니스 디너에서 주문한 와인을 마시면서 그 와인의 맛을 어떻게 표현할 것인가는 많은 사람에게 스트레스가 되기도 한다. 와인의 맛을 적절히 표현하는 것이 와인 에티켓의 하나이기 때문이다. 와인은 눈으로 색깔을 보고, 코로 향기를 맡으며, 입으로 맛을 느끼는 3단계를 통해 표현할 수 있다.
같은 화이트와인이라도 샤르도네는 수정같이 맑고 약간의 볏짚색을 띠는 노란색이지만, 소비뇽 블랑은 금빛을 띠는 노란색이다. 향기는 일반적으로 U.C. 데이비스Davis 대학이 개발한 '아로마 휠Aroma Wheel'에 나온 과일, 식물, 견과류, 캐러멜, 나무, 흙, 화학물질, 알코올, 산화된 향, 미생물, 꽃, 향신료 등 열두 가지 아로마를 근간으로 자신이 경험한 향기를 표현하면 된다. 잔을 흔드는 것은 산소와의 접촉을 촉진시켜 향기를 우러나게 하는 효과가 있다.
마지막으로 와인을 입안에 머금고 굴리면서 혀와 입천장에 발달한 미각(단맛·신맛·쓴맛·짠맛)과 압각(매운맛·떫은맛)을 통해 와인의 단맛이나 산도, 타닌의 떫은맛을 평가하면 된다. 오래 숙성된 타닌은 부드럽고 감미로우며, 알코올이 많고 무게감이 있는 와인은 풀 보디, 달지 않은 와인은 드라이, 맛이 한쪽에 치우치지 않고 균형이 잡혀 있으면 웰 밸런스, 와인을 마시고 난 후 입안에 남아 있는 잔향은 지속성이라고 표현한다. 이와 같은 표현 방법은 꾸밈없는 사실적인 표현이고, 누구든지 자신만의 시적 언어로 표현할 수도 있다. 와인에는 정답이 없기 때문이다.

2013년 세계 1위 레스토랑으로 선정된 메종 라믈루아즈의 대표 요리 중 하나인 브르타뉴 가재와 버섯 요리.(위)
미슐랭 가이드 3스타 레스토랑인 메종 라믈루아즈의 수석셰프 에릭 프라스 씨(왼쪽)와
그의 주방에서 포즈를 취한 나.(아래)

노년의 웨이터가 마지막 디저트를 직접 테이블에서 만들어 서빙할 때까지 식사는 세 시간 가까이 소요되었다.

이 식당은 2013년 세계 10대 레스토랑 가운데 1위로 선정된바 있는데, 지금도 당시의 셰프인 에릭 프라스 씨가 수석셰프를 맞고 있었다. 식사가 끝난 후 그의 안내로 주방을 둘러보고 기념촬영도 하였는데, 때마침 연수 중인 한국인 여학생을 소개했다. 일본에서 일식 요리를 배우고 다시 이곳으로 왔다는 그녀의 미소 띤 얼굴에서 한국 젊은이들의 미래를 보는 듯해 기분 좋았다. 그러나 무엇보다도 시골의 작은 마을에 세계 1위의 레스토랑이 있다는 것이 나에게는 더욱 부러웠다.

알리고테 화이트와인으로 유명한 코트 샬로네즈

코트 드 본의 남쪽에 접해 있는 코트 샬로네즈와 남쪽 보졸레 지역 윗쪽에 위치한 마코네Mâconnais는 부르고뉴 와인의 잠재적인 보석이다.

부르고뉴 여행객들 대부분은 코트 도르의 명성과 보졸레의 유명세에 가려진 이 지역을 그냥 지나친다.

코트 샬로네즈는 코트 도르와는 달리 가축들이 한가롭게 풀을 뜯고 있는 목초지가 펼쳐지고, 과수원 너머 멀리 산등성이의 석회암 경사지에 포도원이 발달해 있는 전형적인 유럽의 농촌이다. 이 지역의 와인은 그동안 와인 애호가들의 주목을 크게 받지 못했다. 그러나 최근에는 이곳 테루아의 잠재성을 새롭게 발견한 주요 네고시앙들이 양조기술과 자본을 투입해 양질의 와인을 생산하면서 새로운 전성기를 맞고 있다.

화이트와인과 레드와인을 생산하고 있지만, 코트 도르 지역처럼 화려한 와인은 아직 없다. 그러나 좋은 테루아와 프리미에 크뤼 와인이 많아 언젠가는 부르고뉴의 또 다른 보석이 될 수 있을 거라는 생각이 들었다. 륄리Lully, 메르퀴레Mercurey,

코트 샬로네즈 지방의 유명한 부즈롱 지역 에서 익어가고 있는 알리고테 포도.(오른쪽) 최고급 화이트와인 부르고뉴 알리고테 2010과 푸이이-퓌세 2010.(아래)

지브리Givery, 몽타니Montagny 지역을 중심으로 샤르도네로 깔끔한 화이트와인과 피노 누아로 간결하면서 마시기 좋은 레드와인을 생산하고 있다. 코트 샬로네즈에서 특히 유명한 곳은 북단에 위치한 부즈롱Bouzeron 지역으로, 샤르도네가 아닌 100퍼센트 알리고테Aligoté 품종으로 개성 있는 화이트와인을 생산하고 있다. 알리고테는 샤르도네와 달리 황금빛을 띤 드라이하면서도 마시기 쉬운 화이트와인이다. 로마네 콩티의 공동 소유자인 오베르 드 빌렌Aubert de Villaine이 생산하는 부즈롱 알리고테Bouzeron Aligoté로 더욱 유명해졌다.

알리고테의 고향 부즈롱의 대표 와이너리 메종 샹지

부즈롱Bouzeron AOC는 비교적 늦은 1998년에 이 마을에서 생산된 알리고테 단일 품종으로 만든 화이트와인을 위해 특별히 제정된 등급이다. 물론 샤르도네를 15퍼센트까지 배합할 수 있지만, 대부분 알리고테 단일 품종을 사용한다. 추위에 강한 알리고테는 부르고뉴의 토착 품종으로 알려져 있는데, 샤니의 남쪽에 인접해 있는 부즈롱 마을은 옛날부터 이 포도를 재배하여왔다고 한다. 해발 270~350미터 높이의 동·서남쪽 양 방향의 완만한 경사지에 발달한 작은 계곡이었는데, 나에게는 연녹색으로 물든 포도밭을 끼고 달리는 환상적인 드라이브 코스였다. 55.56헥타르의 비교적 작은 면적의 이곳 테루아는 얇은 표토에 풍부한 이회암과 갈색 석회암으로 구성된 척박한 토양과 온화한 미세기후대로 알리고테의 고향으로 알려져 있다. 마을 입구에 있는, 오베르 드 빌렌과 마주하고 있는 부즈롱의 대표 와이너너리의 하나인 메종 샹지Maison Chanzy를 찾았다. 고즈넉한 작은 시골마을에 어울리는, 17세기에 수도원으로 세워진 이 와이너리는 얼마 전 와인산업에서는 드물게 IPO(기업 공개)를 위한 크라우드 펀딩Crowd funding을 모집

17세기에 수도원으로 건설된 메종 샹지의 아름다운 지하 셀러.(위) 와이너리 담당 압델 아구 씨가 부즈롱의 테루아에 대해 설명하고 있다.(아래 왼쪽) 내가 시음했던 부즈롱의 알리고테 와인.(아래 오른쪽)

이회암과 갈색 석회암으로 표토를 구성하고 있는 알리고테의 고향으로 알려진 부즈롱 계곡.(위)
로마네 콩티의 공동 소유자인 오베르 드 빌렌의 도멘 드 빌렌 부즈롱.(아래)

하여 유명세를 탔다. 부르고뉴 지역에 80헥타르의 포도원을 소유하고 있지만, 샤니에 있는 병입시설을 제외하고는 대부분 이곳에서 와인을 생산한다. 와이너리를 담당하고 있는 압델 아구로Abdel Agrour 씨의 안내로 17세기에 만들어진 아름다운 지하 셀러와 최근에 확장한 셀러를 방문했다. 특이한 점은 손으로 일일이 수확한 포도를 선별하여 포도를 송이째로 압착기에 넣어 주스를 만든다는 점이다. 유서 깊은 지하 셀러의 양조시설을 둘러본 후 셀러 도어에서 알리고테로 만든 화이트와인을 중심으로 시음하였다. 피노 그리나 샤르도네 와인과 유사하지만 산도가 다소 높고 약간 스파이시한 맛을 느낄 수 있었다. 전체적으로 가볍고 상큼하지만 풍부한 미네랄리티의 균형 잡힌 풍미는 부르고뉴 화이트와인의 스타일을 잃지 않고 있었다. 한 가지 아쉬운 점은 장기 숙성을 하지 말고 5년 안에 마셔야 한다는 점이다.

푸이이-퓌세로 유명한 마코네

샬로네즈 지역에서 D981번과 A6번 고속도로를 따라 남쪽으로 60킬로미터를 달리면 보졸레 지역 인근 손강가에 마코네 와인과 보졸레 와인의 중심지인 아름다운 마콩Macon 시가 나타난다. 마콩 시는 고대 로마 시대에 건설되었던 도시로, 해마다 열리는 국제 와인 박람회로 유명하다. 손강은 유럽에서 특이하게 바다로 흐르지 않는 지류로 북쪽 보주Vosges산맥에서 발원하여 리옹 시를 흐르는 론Rhône 강에 합류할 때까지 장장 480킬로미터를 천천히 흐르는 아름다운 강이다. 카이사르는 일찍이 『갈리아 전기』에서 물길의 방향을 알 수 없는 강이라고 기술했다. 샬로네즈를 지나 마콩 시의 서쪽으로 광활하게 펼쳐져 있는 곳이 마코네 AOC 지역이다. 샤르도네의 또 다른 성지 마코네는 가격 대비 품질 좋은 와인 생산 지역으로 알려져 있지만, 남서쪽 보졸레 인근에 위치한 최고의 화이트와인인 푸이

마코네 지방의 랜드마크인 석회암으로 된 거대한 분홍색의 로쉬 드 솔뤼트레.
사냥을 하며 생활한 원시인들의 유적이 발굴된 바위 아래로 푸이이-퓌세 포도원이 펼쳐진다.

거대한 분홍색 석회암 밑에 펼쳐진 포도원 풍경이 장대하다. 앞 건물은 호텔이다.(위)
부르고뉴 와인가도가 이곳 베르지송까지 계속된다.(아래)

이-퓌세[Pouilly-Fuissè]로 더욱 유명하다. 푸이이-퓌세는 연녹색을 띤 금빛의 드라이 화이트로 시간이 흐를수록 섬세하고 화려한 향기를 뿜어내는 명품 와인이다. 샤르도네가 석회암과 붉은빛을 띤 알칼리성 진흙이 풍부한 토양을 만나 샤블리 스타일과는 완전히 다른 와인을 탄생시켰다.

이곳은 와인뿐만 아니라 그냥 지나칠 수 없는 지질학적 랜드마크인 로쉬 드 솔뤼트레[Roche de Solutré]가 있다. 사냥을 하며 살았던 원시인들의 유적이 발견된 거대한 연분홍색 바위인 로쉬 드 솔뤼트레를 배경으로 펼쳐진 포도원을 보고 있으면 단순히 자연에 대한 경외감을 넘어 영적인 느낌마저 든다. 이곳에서 다시 북쪽으로 난 좁은 산길을 따라 베르지송 마을에 가면 자연의 또 다른 경이로운 산물인 로쉬 드 베르지송[Roche de Vergisson]이라는 바위를 볼 수 있다. 오른쪽에 있는 로쉬 드 솔뤼트레와 함께 마치 쌍둥이처럼 보인다. 마을에서 가장 높은 언덕배기에 서니 두 바위 사이의 계곡 능선을 따라 아스라이 펼쳐진 푸이이-퓌세 마을의 광활한 포도원이 장관을 이루고 있다. 문득 그 옛날 이곳에 살았던 선조들도 야생 포도로 와인을 만들지는 않았을까 하는 생각이 들었다.

푸이이-퓌세의 도멘 파미유 파케 와이너리

로쉬 드 솔뤼트레에 있는 선사 시대 유적지 박물관을 관람한 후 자동차로 약 5분 거리의 다바이예[Davayé] 와인마을에 있는 푸이이-퓌세의 도멘 파미유 파케[Domaine Famille Paquet]를 찾았다. 1980년대 파케[Paquet] 가문에 의해 설립된 이 와이너리는 2016년 3형제에게 도멘 데 발랑주[Domaine des Valanges], 도멘 카미유 파케[Domaine Camille Paquet], 그리고 파케 몽타냑[Paquet Montagnac]으로 각각 상속되었다가 2018년 다시 파미유 파케[Famille Paquet]라는 이름으로 합병하였다. 포도 수확이 막 끝난 이 작은 와인마을은 한낮인데도 사람의 발길을 찾아볼 수 없었다. 부드러운 구릉을 뒤덮고 있는 녹색을 띤 연한 황금빛 포도밭의 정경이 눈을 시리게 하고, 간간히 불어오는 바람이 가져다준 묘한 향기가 코끝을 스치면서 포도가 한참 지하 셀러에서 발효 중이라는 것을 느끼게 하였다. 셀러 도어 문 앞에서 몇 번을 소리쳐 부르자 와인 생산자이자 네고시앙인 아들 마티유 파케Mathieu Paquet 씨가 문을 열고 나와 반갑게 맞이하였다. 도멘의 외관은 비록 시골농가처럼 작고 아담하였지만 부르고뉴 최고의 와인을 만들겠다는 목표를 가지고 현재 확장 중이라고 하였다. "양조, 포도원, 브랜드 이름, 생산 제품을 하나로 통합한다1 winemaker=1 estate=1brand=1 packaging design=Famille Paquet"라는 모토를 가지고. 1차 발효 중인 바렐 와인을 시음한 후에 다시 작은 시음실에서 그가 생산한 다양한 와인들을 시음하였다. 현재 1년에 마콩-빌라쥬Macon-Villages 여섯 종류 12만 7,000병, 생-베랑Saint-Véran 네 종류 7만 7,000병, 푸이이-퓌세 두 종류 1만 5,400병을 생산하고 있다고 한다.

연녹색을 띤 금빛 화이트와인

시음 와인 중 인상 깊었던 와인은 마콩 지역의 대표 와인이라고 할 수 있는 푸이-퓌세 2017년이였다. 푸이이-퓌세 AOC는 퓌세Fuissé, 솔뤼트레-뿌이Solutré-Pouilly, 베르지송Vergisson, 셍트르Chaintré 등 4개 마을을 포함하고 있다. 연녹색을 띤 밝은 황금빛에 배, 사과, 바닐라, 자몽, 레몬 등의 신선한 과일 향과 함께 헤이즐넛, 볶은 아몬드의 부케를 느낄 수 있고, 미네랄과 함께 적당한 산미와 균형감이 입안에서 지속되었다. 전체적으로 같은 샤르도네인데도 샤블리에 비해 보다 무게감과 복합적이고 풍부한 과일 향을 느낄 수 있었는데, 그것은 이곳 테루아가 주로 석회암과 점토로 구성된 토양이기 때문이리라. 젊은 푸이이-퓌세는 신선하고 풍부한 과일 향을 즐길 수 있는데 반해, 5년 이상 숙성하면 무게감 있는 복

도멘 파미유 파케의 공동 소유자인 마티유 파케 씨가 그의 와인을 설명하고 있다.(위)
내가 시음했던 마코네 와인들. 맨 왼쪽이 푸이이-퓌세다.(아래)

도멘 파미유 파케에서 바라본, 포도 수확 철이 끝나 연한 황금빛 녹색으로 물든
포도밭 풍경이 한없이 평화롭다.

합적이고 부드러운 풍미를 느낄 수 있다고 한다. 적막하지만 아름다운 마을을 떠나려 할 때 그가 갑자기 와인 한 병을 차에 실어주면서 여행 중에 마시라고 하였다. 영락없는 우리의 아름다운 시골인심을 가슴에 안고 와인마을 다바이예를 떠날 때는 멀리 로쉬 드 솔뤼트레에 석양이 신비하게 물들고 있었다.

파리지앵의 추억 와인 보졸레

패션 와인 보졸레 누보

"보졸레 누보가 막 도착하였다Le beaujolais nouveau est arrivé!"
2000년대 중반까지만 해도 화려한 포스터 속 이 문장을 백화점, 레스토랑, 와인숍 어디서나 쉽게 볼 수 있었다. 매년 11월 셋째 목요일 0시. 그해의 보졸레 누보가 자정을 기해 전 세계에 동시에 출시되면 와인 애호가들은 한동안 열광하였다. 한국은 시차로 인해 지구상에서 가장 먼저 보졸레 누보를 맛볼 수 있는 행운의 나라였다.
마콩 시에서 남쪽으로 테제베TGV와 A6 고속도로가 관통하는 손 계곡을 따라 보졸레 누보로 유명한 보졸레 지방의 주요 와인 생산 지역을 탐방하였다. 보졸레는 동쪽의 손강을 끼고 서쪽으로 길게 뻗은 보졸레산맥의 구릉에 장장 55킬로미터에 걸쳐 있는 광활한 지역이다. 보졸레 지역에서 최고 품질의 와인을 생산하는 북쪽의 생타무르Saint-Amour에서 남쪽의 코트 드 브루이Côte de Brouilly까지 열 개

점토와 모래가 섞인 분홍색 토양에서 가지치기를 하지 않고 자유롭게 자란
가메 포도나무의 모습은 왠지 친밀감을 느끼게 한다.
오랜 풍화로 점토와 모래가 섞인 보졸레 특유의 분홍색 토양을 만든 편암.(사진 속)

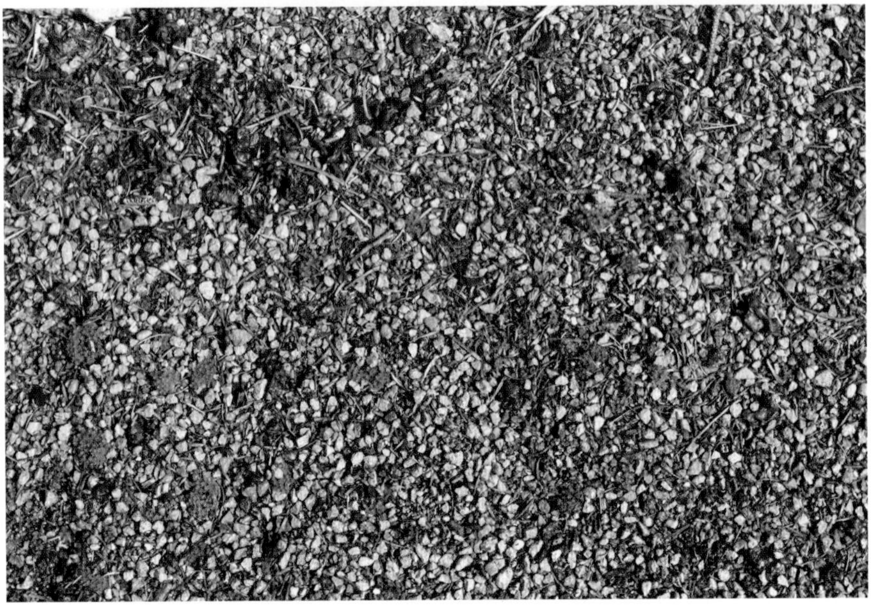

보졸레 와인은 가볍지만 풍부한 과일 향으로 유명하다. 잘 익은 가메 포도가 보졸레 와인이 될 준비를 하고 있다.(위)
보졸레의 전형적인 토양인 편암에서 생성된 작은 분홍색 표토가 단색화를 연출한다.(아래)

의 보졸레 크뤼 지역을 가지고 있다. 이곳을 방문하는 동안 단풍으로 물든 가을 포도원이 오래된 마을과 어우러져 연출하는 만추의 풍경만으로도 나는 크나큰 즐거움을 누렸다.

보졸레는 중세 부르고뉴 공국에 속했기에 그 와인도 공식적으로는 부르고뉴 와인에 속하지만, 와인의 스타일이나 토양의 관점에서 보면 완전히 독립된 와인 생산 지역이다. 포도 재배 면적이 2,200헥타르, 연 생산량이 130만 헥토리터로 부르고뉴 와인을 능가하는 보졸레 와인은 여러 가지 면에서 독립적이다.

누구나 쉽게 접할 수 있는 서민의 와인

우선 부르고뉴의 대표 품종인 피노 누아가 아니라 가메Gamay라는 포도 품종으로 와인을 만든다. 토양은 특이하게도 화강암 기저 위에서 오랜 세월 풍화된 편암에서 생성된 점토와 모래가 섞인 분홍색 표토다. 양조 방법도 부르고뉴와 달리 탄산가스 침용Carbonic maceration 방식을 통해 가메의 풍부한 과일 향과 색깔을 우러나게 하고, 타닌과 사과산을 최소화해 누구나 마시기 쉽게 만든다. 탄산가스 침용 방법은 포도알을 파쇄하지 않고 포도송이를 통째로 밀폐된 발효통에 넣어 탄산가스에 의해 포도 알갱이가 자연스럽게 발효를 일으키도록 하는 기술이다.

인간의 수명과 비슷한 가메는 가지치기를 하지 않고 한 그루씩 말뚝에 묶어 자유롭게 자라게 한다. 중세 부르고뉴 공국 시기에는 가메가 피노 누아에 비해 저급 와인이라는 이유로 보졸레 지역을 제외한 부르고뉴 지역에서의 재배를 금지하기도 했다. 그래서 지금도 보졸레 와인은 값싸고 누구나 쉽게 마실 수 있는 서민의 와인이란 콤플렉스가 있다. 제2차 세계대전 중에는 리옹으로 피난 온 파리지앵들이 고급 와인 대신 보졸레를 즐겨 마시면서 큰 인기를 끌었다.

그러나 전쟁이 끝난 후 보졸레 지역의 와인산업은 위기에 직면하게 되었다. 이

파스텔 분홍색의 집들과 끝없이 펼쳐진 가을 포도밭이 전형적인 보졸레의 전원 풍경을 연출한다.

조르주 뒤뵈프의 와이너리 안에 있는 와인 숍이 화려하다.(위)
100년의 역사를 가진 기차역을 매입하여 와인 박물관을 만든 조르주 뒤뵈프.(아래)

위기를 극복하기 위해 탄생한 마케팅 전략이 바로 보졸레 누보 와인 축제다. 보졸레 누보란 그해 생산된 가메로 만든 와인으로, 불과 한두 달 숙성시킨 햇와인을 말하며, 원래 이 지역의 농부들이 즐겨 마셨던 와인이다. 보졸레 누보는 보졸레, 보졸레 빌라쥬Beaujolais-Villages, 보졸레 크뤼Beaujolais Crus 중 가장 낮은 보졸레 등급에 속하지만 보졸레 와인을 세계에 알린 일등공신이다. 보졸레 와인은 지나치게 가볍고 오래 숙성시킬 수 없다는 치명적인 약점이 있는 반면, 신선하고 과일 향이 풍부하며 누구나 쉽게 마실 수 있다는 장점이 있다.

보졸레 누보의 선구자 조르주 뒤뵈프 와이너리

약점을 강점으로 탈바꿈시킨 이벤트

보졸레 누보의 성공에는 보졸레를 대표하는 전설적인 와인 메이커 조르주 뒤뵈프Georges Duboeuf의 공이 컸다. 일찍이 보졸레 와인의 약점을 간파한 그는 이 지역 와인 메이커들을 설득했다. 약점을 역이용하여 빨리 만들고 빨리 마실 수 있는 보졸레 누보를 축제화하는 새로운 마케팅 전략을 제안하였고, 결과는 대성공이었다.

상품의 약점을 강점으로 바꾼 역발상, 축제를 통한 문화 마케팅, 11월 셋째 목요일 0시(처음에는 11월 15일이었음)부터 마실 수 있다는 와인 출시의 이벤트화, 전 세계 시판일에 맞추기 위한 가장 빠른 운송 방법의 선택, 예술가가 그린 화려한 꽃무늬의 레이블 장식 등 온갖 마케팅 기법이 총동원되었다. 세계인을 열광케 한 보졸레 누보의 성공 스토리는 지금도 마케팅 전략의 대표적인 성공 사례로 소개되고 있다.

그러나 세계가 열광했던 보졸레 누보의 신드롬은 언제 그랬냐는 듯 지금은 철

지난 유행처럼 시들어가고 있다. 원인을 찾는다면 아마도 보졸레 누보가 일종의 유행 상품이라는 속성에 있을 것이다. 와인에 대한 상식과 소득이 높아지면서 저급 와인에서 고급 와인으로, 가벼운 와인에서 정통 와인으로 유행이 바뀌고 있기 때문이다.

정통 와인이 김장김치와 고전음악이라면 보졸레 누보는 겉절이나 대중음악에 비유할 수 있지 않을까? 그래서 와인의 전통과 역사를 중요시하는 보르도에서는 축제 기간에도 보졸레 누보를 찾기가 힘들다. 보르도에서 와인 MBA 시절 나에게는 보졸레 누보 출시일에 보졸레 누보를 파는 와인바를 찾지 못해 결국 아이리시 펍에서 축구경기를 시청하며 기네스 맥주를 마셨던 기억이 지금도 생생하다.

낭만적인 풍차가 있는 물랭-아-방Moulin-à-Vent 마을을 거쳐 조르주 뒤뵈프와 최근 빌라쥬급 보졸레 누보를 국내에 선보인 루이 자도의 샤토 데 쟈크Château des Jacques가 있는 로마네슈-토랭Romanèche-Thorins 마을을 방문했다. 조르주 뒤뵈프는 보졸레를 대표하는 와이너리답게 100년의 역사를 자랑하는 기차역사를 매입해 르 아모 뒤 뱅Le Hameau du Vin이라는 와인 박물관, 레스토랑, 와인셀러와 와인 숍을 운영하고 있다. 부티크 호텔 같은 인테리어를 보면서 그의 예술적인 마케팅철학을 느낄 수 있었다. 특히 네 시간 정도가 소요되는 와인 박물관 투어가 압권이었다. 각종 와인 제조 과정과 시설을 일목요연하게 볼 수 있고, 3D영상을 통해 직접 보졸레 전 지역을 비행하는 체험을 할 수도 있다. 투어 마지막에는 무대가 있는 드넓은 시음실에서 음악공연과 함께 방문객들이 춤을 추면서 즐길 수 있도록 하였다.

화려한 붉은 장미꽃 향기

이번 방문길에 유일하게 사전에 호텔 예약을 하지 않고 방문한 곳이 보졸레 지

조르주 뒤뵈프의 대형 시음실. 방문객들이 보졸레를 마시면서 음악과 함께 춤을 춘다.(위)
와인 테마 호텔인 레 마리톤느 파르크 에 비뇨블.(아래)

보졸레 지방의 랜드마크인 15세기에 세워진 물랭-아-방의 아름다운 포도원 전경.
'풍차'라는 뜻의 '물랭-아-방'에서 마을 이름이 유래한 이곳은 보졸레 지방' 최고 품질의 와인을 생산한다.

방이었다. 혼자 여행할 때는 가끔 이런 낭만이 필요하다. 최악의 경우에 차 안에서 하룻밤 정도는 지낼 수 있으니까. 비수기 때는 방분 당일에 인터넷을 통해 더욱 좋은 가격으로 호텔을 구할 수도 있다. 몇 년 전 겨울철에 룩셈부르크를 방문할 때도 최고급 호텔을 저렴한 가격으로 이용한 적이 있다. 이번에도 보졸레의 중심마을인 로마네슈-토랭 역 인근에 위치한 일종의 와인 테마 호텔인 레 마리톤느 파르크 에 비뇨블Les Maritonnes Parc & Vignoble을 당일에 예약할 수 있었다. 조르주 뒤뵈프에서 한 블록 건너에 있는데, 아름다운 포도밭을 바라보면서 테라스에서 와인과 음식을 즐길 수 있고, 실내 및 야외 수영장이 있는 스파시설에서는 여행의 피로를 풀 수도 있다. 특히 호텔에는 루즈 에 블랑Rouge & Blanc(레드와인과 화이트와인)이라는 레스토랑이 있는데, 음식이 좋고 풍부한 와인 리스트에 매우 합리적인 가격이어서 누구에게나 추천하고 싶은 호텔이다.

저녁에 루즈 에 블랑에서 이 지역의 쇠고기 안심 요리와 오늘 둘러봤던 물랭-아-방 마을에서 생산한 보졸레 크뤼인 조르주 뒤뵈프의 프레스티주 물랭-아-방Prestige Moulin-à-Vent 2009를 주문했다. 물랭-아-방 마을의 이름은 중세에 손강가에 많이 있던 풍차에서 유래했으며, 또한 보졸레에서도 최고 품질의 와인 생산지역으로 유명하다. 이곳은 보졸레를 소개할 때 항상 등장하는 와이너리인 샤토 물랭-아-방Château du Moulin-à-Vent 뒤편 언덕의 15세기에 세워진 풍차가 유명하다. 프랑스의 19세기 낭만파 시인·소설가와 정치가였던 유명한 알퐁스 드 라마르틴Alphonse de Lamartine이 이 성에서 살기도 하였다.

예상을 깬 섬세하면서도 화려한 붉은 장미꽃과 열매 향에 향신료를 품은 단단한 풍미와 농밀한 구조감을 음미하면서 그동안 경험하지 못했던 보졸레의 새로운 세계에 매혹되었다. 어쩌면 앞으로 보졸레 누보의 새로운 마케팅 전략의 해답은 아무도 흉내낼 수 없는 그들만의 전통과 개성을 가진 정통 보졸레 가메 와인과

풍차로 유명한 샤토 물랭–아–방(위)
루즈에 볼랑 레스토랑에서 마셨던 보졸레 크
뤼인 프레스티주 물랭–아–방 2009.(아래)

부르고뉴의 대표 네고시앙 메종 루이 자도가 운영하는 쟈크 보졸레 와이너리의 모습이 고색창연하다.(위)
쟈크 보졸레 와이너리에서 포도 선별작업을 하고 있다.(오른쪽)

가볍게 마실 수 있는 대중 와인인 누보를 접목시키는 것에 있지 않을까?
보졸레 누보의 영광을 되찾기 위해서는 인류의 역사와 함께 발전해온 고전 상품으로서의 와인과 끝없이 변화를 요구하는 패션 상품으로서의 와인에 대한 새로운 마케팅 전략이 필요하다고 생각했다.
한때 지구촌을 뜨겁게 달구었던 보졸레 누보 축제가 다시금 활성화되기를 기대하면서.

루아르 특유의 석회암 토양인 튀포를 굴착하여 만든 소뮈르-샹피니 지역에 있는 카브의 모습.

Loire Valley

프랑스의 정원, 루아르 계곡

루아르 계곡(Loire Valley)

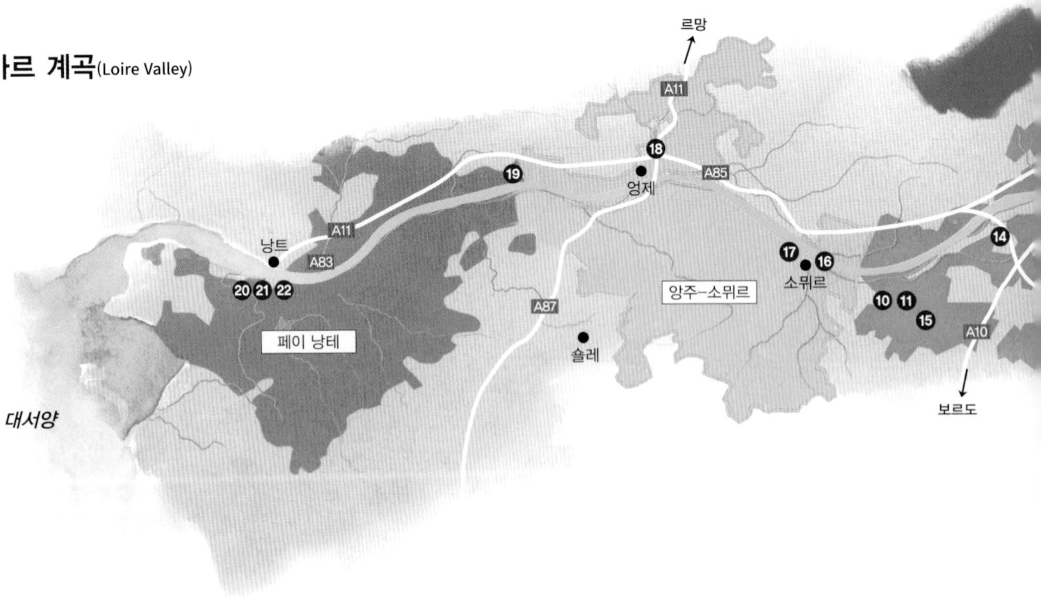

루아르 계곡을 방문한 이들은 와인보다는 먼저 프랑스에서 가장 긴 강인 루아르강을 따라 산재해 있는 수많은 옛 성들과 아름다운 전원 풍경에 감동하게 된다. 그리고 왜 많은 사람들이 이곳을 '프랑스의 정원'이라고 말하는가도 실감할 수 있다. 이 지역은 화려한 건축물과 정원 문화뿐만 아니라, 중세 프랑스의 부르봉 왕조가 정립되는 과정에서 벌어진 영주들 간의 권력투쟁과 종교 갈등, 온갖

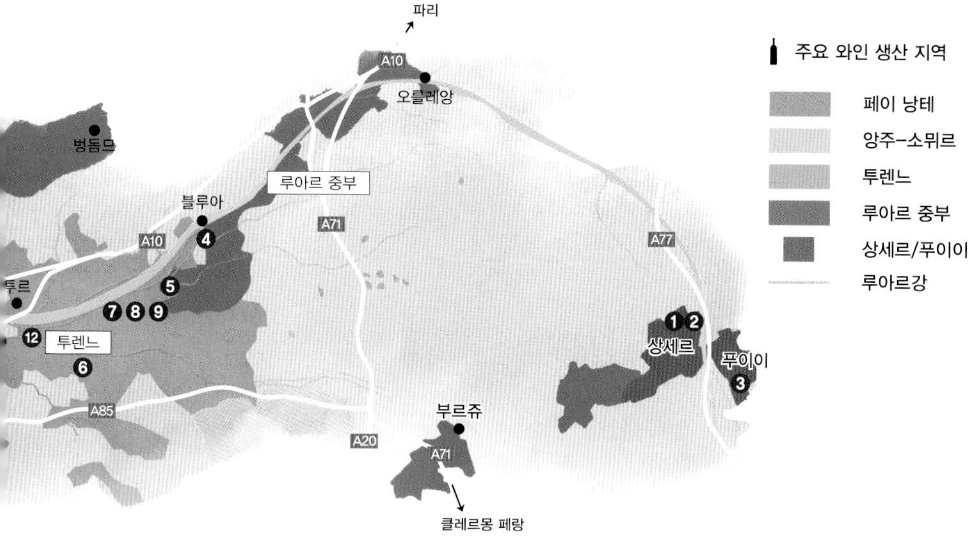

주요 방문지

1. 상세르
2. 앙리 부르주아
3. 샤토 디노젠
4. 블루아 성
5. 쇼몽 성
6. 쉬농소 성
7. 앙부아즈 성
8. 클로 뤼세 성
9. 레 캬브 뒤아르
10. 라 부르데지에르 성
11. 라 캬브 레스토랑
12. 빌랑드리 성
13. 아제드리도 성
14. 위세 성
15. 쉬농 성
16. 소뮈르 성
17. 랑글루아-샤토
18. 앙제 성
19. 도멘 오 무안
20. 낭트
21. 브르타뉴 공작 성
22. 르메누아 드 라볼레

음모와 피비린내 나는 역사의 현장으로도 유명하다. 특히 이탈리아의 천재 화가 레오나르도 다빈치가 마지막 생을 마감하며 살았던 집과 작품을 볼 수 있다는 것은 루아르 계곡이 주는 보너스이다. 루아르 계곡의 와인 역시 이 지역의 역사만큼이나 복잡하고 다양하며, 넓은 지역에서 생산되고 있다. 루아르 계곡의 와인은 화이트와인뿐만 아니라 레드와인까지도 풍부한 산도와 함께 상큼하면서도 마시기 쉬운 가벼운 스타일이라는 공통점을 가지고 있다. 이 지역의 와이너리 방문 루트는 동쪽 루아르강 상류인 상세르Sancerre 지역에서 출발하여 강을 따라 도처에 산재해 있는 르네상스풍의 아름다운 성들도 함께 방문하면서 서쪽 루아르강 어귀에 위치한 항구도시 낭트Nantes로 이동하는 것이 가장 이상적이다.

루아르 계곡의 AOC 제도

루아르 계곡의 AOC 와인 산지는 루아르강 양안을 따라 광범위하게 펼쳐져 있다. 동쪽에 위치한 상세르와 푸이이Pouilly를 포함한 루아르강 상류인 중부 지역의 열 곳, 루아르 계곡의 주도인 투르Tours를 중심으로 레드와인으로 유명한 부르괴이유Bourgueil와 부브레Vouvray로 대표되는 투렌느Touraine 지역의 네 곳, 루아르의 토착 품종인 슈냉 블랑Chenin Blanc으로 만든 개성 있는 화이트와인과 스파클링 와인으로 유명한 앙주-소뮈르Anjou-Saumur 지역의 여덟 곳, 그리고 대서양 연안의 낭트를 중심으로 뮈스카데Muscadet 와인 산지인 페이 낭테Pays nantais 등지의 여섯 곳이다. 따라서 한 번에 루아르 계곡 전체를 방문하는 것은 현실적으로 쉽지 않다. 나 역시 1980년대 중반부터 최근까지 역사적으로 의미 있는 주요 성들을 거점으로 와인 산지를 여러 차례 나누어 방문했다. 이 책에서는 이해의 편의를 위해 동쪽 루아르강 상류에 위치한 상세르와 푸이이에서부터 서쪽의 낭트 순으로 설명하고자 한다.

상세르의 대표 와이너리 앙리 부르주아

파리에서 A1번 고속도로를 타고 루아르 와인 계곡의 시작이라고 할 수 있는 오를레앙Orléans을 경유하여 상세르의 유명한 와인마을인 샤비뇰Chavignol에 있는 호

상세르의 앙리 부르주아에서 시음한 1988년 빈티지.(위)
앙리 부르주아 와이어리의 오너 장-마리 부르주아 씨.(아래)

상세르의 유명한 와인마을인 샤비뇰 마을의 포도밭 풍경이 평화롭다.

백악질의 석회암과 부싯돌이 섞여 있는 전형적인 상세르의 토양.

텔 라 코트 데 몽 담네La Cote Des Monts Damnés에 밤늦게 도착하였다. 상세르는 강을 사이에 둔 푸이이-퓌메Pouilly-Fumé 지역과 함께 소비뇽 블랑Sauvignon blanc을 원료로 한 순수하면서도 복합적인 풍미를 자랑하는 화이트와인으로 유명하다. 그것은 이 지역이 내륙에 위치한 탓에 대륙성 기후의 특징을 보이고, '부싯돌'이라고 불리는 규석이 포함된 토양이 있기 때문이다. 다음 날 아침 일찍 샤비뇰 마을에서 가장 높은 언덕에 올라가 새벽 안개에 젖어 있는 샤비뇰의 포도밭을 촬영하였다. 샤비뇰의 포도밭 계곡은 스펙터클한 장관을 연출하지는 않았지만, 적당한 규모의 계곡이 오히려 평화롭고 아름다운 풍광을 연출하였다.

오전에 이 마을의 대표적인 와인 메이커인 앙리 부르주아Henri Bourgeois 와이너리를 방문하였다. 10대에 걸쳐 와인을 생산해온 이 가문은 1952년에 본격적으로 와이너리를 개발하여 현재 72에이커의 포도밭을 소유하고 있는, 샤비뇰에서 가장 큰 규모의 와이너리이다. 앙리 부르주아의 아들이자 와이너리 대표인 장-마리 부르주아Jean-Marie Bourgeois 씨의 안내로 해발 300미터에 위치한 비탈진 포도밭과 쥐라기 때 이회토로 형성된 포도밭을 둘러보았다. 와인산업에 대한 헌신으로 레지옹 도뇌르Légion d'honneur 훈장을 수여받은 그는 여전히 열정적인 모습으로 그의 와인을 설명하고 상세르 와인의 잠재성을 강조했다.

오래된 지하 셀러에는 1930년대부터 보관된 와인들이 있었는데, 우리나라에서 열린 올림픽을 언급하며 1988년산 상세르 한 병을 주저 없이 꺼냈다. 셀러 도어로 돌아와 화이트에서 레드까지 다양한 와인을 시음하였는데, 역시 장-마리 부르주아 씨가 특별히 선택한 1988년산 화이트와인이 가장 인상적이었다. 지금까지 나는 상세르 와인을 오래 보관할 수 없고, 단지 어패류에 곁들여 마시기 좋은 신선하고 산도가 강한 와인으로만 인식하고 있었다. 그런데 30년이 지난 소비뇽 블랑이 어떤 맛일지 궁금하였다. 연한 금빛에 신선하면서도 섬세한 백색 과일,

감귤류, 열대과일의 아로마와 풍부한 미네랄의 풍미는 상세르 와인의 전형을 보여주었다. 한편으로 입안을 맴도는 부드러움과 균형감 그리고 약간 스파이시하면서도 물에 젖은 버섯 향이 뒤섞인 채 지속되는 잔향은 나에게 새로운 체험을 안겨주었다. 아마도 이것은 부싯돌과 백악질의 석회암으로 이루어진 토양과 오랜 숙성 기간 덕분에 새롭게 탄생한 풍미일 것이다.

디즈니랜드의 성을 닮은 푸이이-퓌메의 샤토 뒤 노제

상세르에서 동쪽으로 강을 건너면 강변의 나지막한 구릉과 평야에 발달해 있는 포도밭을 만나게 되는데, 이곳이 바로 푸이이-퓌메 와인 생산 지역이다. 상세르와 유사하지만 토양에 약간의 차이가 있다. 부싯돌과 점토 덕분에 와인의 맛도 상세르에 비해 향이 좀 강한 편이다.

푸이이-퓌메는 푸이이 마을에서 생산되는 소비뇽 퓌메Sauvignon Fumé로 만든 와인으로, 샤르도네로 만든 마콩 지역의 화이트와인 푸이이-퓌세와는 전혀 다르다. 푸이이-퓌메의 대표적인 와인 메이커 중 하나인 샤토 뒤 노제Château du Nozet를 방문하였다. 초가을이라 아직 녹색을 띠면서 연한 갈색으로 물들어가는 샤토 뒤 노제의 아름다운 포도원은 파스텔로 그린 한 폭의 풍경화였다. 특히 포도원 한가운데 자리 잡고 있는 라두세트De Ladoucette 성은 마치 동화 속 성을 재현한 디즈니랜드의 성처럼 아름다운 자태를 뽐내고 있다.

방문을 끝내고 샤토 뒤 노제에서 추천해준 식당에서 점심과 함께 와인을 시음하기로 하였다. 아름다운 루아르강 상류 강변에 위치한 식당의 야외 테이블에서 바라본 풍경은 너무나 평화로운 모습이었다. 가족들과 함께 어린이들이 물놀이를 하고, 젊은이들이 한가로이 뱃놀이를 하는 모습에 취하면서 나는 샤토 뒤 노

가을 색깔로 물든 샤토 뒤 노제의 포도밭 풍경.(위)
샤토 뒤 노제의 대표 와인 바롱 드 엘 2009.(아래)

디즈니랜드의 성을 닮은 샤토 뒤 노제의 라두세트 성.

제의 톱 브랜드인 바롱 드 엘Baron de L 2009 와인을 주문하였다. 옅은 골드그린 색에, 구스베리와 가벼운 감귤류의 순수한 과일 향과 함께 입안에 느껴지는 부드러우면서도 꽉 짜인 질감에 스파이시한 부싯돌의 풍미를 강하게 느낄 수 있었다. 병의 외관이나 레이블도 고급스러웠지만, 무엇보다도 상세르와 같은 소비뇽 블랑인데도 이렇게 다른 풍미를 발현할 수 있다는 것이 놀라웠다. 전적으로 테루아의 차이 때문일 것이다. 상세르와 함께 푸이이-퓌메는 루아르 중부 지역의 10개 AOC 중 하나이다.

르네상스풍의 화려한 성들이 모여 있는 투렌느 지역

권력투쟁의 현장 블루아 성

푸이이-상세르를 떠나 블루아Blois로 향했다. 이곳은 투렌느 AOC 지역과 중부의 슈베르니Cheverny AOC 와인 생산지의 경계에 위치해 있는 아름다운 중세풍 도시이다. 그러나 무엇보다도 중세 프랑스의 가톨릭과 개신교(위그노) 간의 종교전쟁과 부르봉 왕조의 성립 과정에서 발생한 피비린내 나는 권력투쟁의 현장인 블루아 성으로 더욱 유명하다.

루아르강가에 위치한 호텔에서 여장을 풀고 난 다음 날 아침, 1598년 앙리 4세가 왕실을 파리로 옮기기 전까지 왕궁이었던 블루아 성을 방문하였다. 프랑스 르네상스 건축의 걸작이라고 알려져 있는 프랑수아 1세 계단과 남편인 앙리 2세Henri II와의 사이에서 난 열 명의 자녀 중에서 두 명을 왕으로 만든 카트린 드 메디시스Catherine de Médicis 왕비의 비밀 캐비닛이 인상적이었다. 이탈리아의 소국 피렌체를 지배하던 메디치 가문에서 시집온 메디시스 왕비는 자신의 아들 앙리 3세에 대항해 왕권에 도전한 프랑수아 드 기즈François de Guise 공을 1588년 12월 23일 이

권력투쟁의 현장 블루아 성. 정면에 보이는 계단이 유명한 프랑수아 1세의 계단이다.

쉬르강 위에 자리한 아름다운 쉬농소 성은 세계에서 가장 아름답고 독특한 건축물로 유명하다.

곳에서 암살하고, 이로부터 불과 2주 뒤인 1589년 1월 5일 죽을 때까지 아들인 두 왕 대신 섭정을 하며 30년 동안 실질적으로 프랑스를 통치한 절대권력자였다. 그후 앙리 3세가 죽자 왕권은 영화 〈여왕 마고La Reine Margot〉의 주인공인 나바라 왕국의 앙리 4세에게 넘어가게 된다. 프랑스에 절대왕정을 확립한 부르봉 왕조가 탄생한 현장을 보니 새삼 권력의 무상함이 느껴졌다.
블루아 성 주변에는 루아르의 대표적인 성들이 집중되어 있어서 예전부터 가장 자주 방문했던 지역이다. 샹보르Chambord, 슈베르니Cheverny, 쇼몽Chaumont, 앙부아즈Amboise, 쉬농소Chenonceau 등이 모두 이곳에 있다. 특히 쉬르강 위에 있는 쉬농소 성은 세계에서 가장 아름답고 독특한 건축물로 유명하다. 성 안에 자리한 프랑수아 1세, 앙리 2세의 정부 디안느, 절대권력자 카트린 드 메디시스를 비롯하여 다섯 왕비의 침실, 루이Louis 14세의 응접실과 와인셀러까지, 언제 보아도 감동하게 된다. 쉬농Chinon 성은 와인으로는 견고하면서도 섬세한 맛을 자랑하는 최고의 화이트와인을 생산하는 부브레가 속해 있는 투렌느 AOC 동쪽 강 건너 남쪽 지역에 있다. 이곳 토착 품종인 슈냉 블랑으로 만든 이 화이트와인은 풍부한 산도 덕분에 장기 숙성이 가능하며, 시간이 흐를수록 좋아진다. 이 지역의 다양한 와인을 맛볼 수 있는 셀러 투어로 유명한 레 캬브 뒤아르Les Caves Duhard를 방문하기 위해 앙부아즈 성으로 향했다.

레오나르도 다빈치가 잠든 앙부아즈 성과 〈모나리자〉

루아르강 남쪽의 D751번 지방도로를 따라 가다가 아름다운 쇼몽 쉬르 루아르Chaumont-sur-Loire 성에 들렀다. 때마침 한국의 유명한 사진작가의 전시회가 열리고 있어 반가웠다. 1980년대만 해도 이곳 관광지의 안내 책자는 대부분 프랑스어·영어판이었는데, 지금은 일본어·중국어판에 이어 한국어판도 있어서 기분

로마 제국 시절부터 있었던 고성인 쉬농 성에서 바라본 포도밭 풍경.

프랑수아 1세가 레오나르도 다빈치를 초청하여 머무르게 했던 앙부아즈 성.

이 좋다.

먼저 레오나르도 다빈치의 말년의 발자취를 가장 잘 느낄 수 있고, 그의 유해 또한 묻혀 있는 앙부아즈 성을 방문하였다. 이곳은 16세기 이후 발루아 왕조와 부르봉 왕조의 왕들이 거주하던 성으로, 끝없는 권력투쟁과 정치적 음모의 현장이었던 만큼 견고한 요새로 이루어져 있다. 프랑수아 1세는 레오나르도 다빈치를 초청하여 이곳에 머무르게 하였고, 죽을 때까지 예술 작업과 연구 활동에 집중할 수 있도록 앙부아즈 성과 지하도로 연결되어 있는 아름다운 클로 뤼세Clos-Luce 성을 제공하였다. 천재 예술가 레오나르도 다빈치를 이해하려면 이탈리아보다는 오히려 이곳을 관광하는 것이 좋다. 클로 뤼세 성에는 그의 예술 세계뿐만 아니라 수많은 과학 발명품과 드로잉 등이 전시되어 있다. 그는 위대한 예술가이면서 동시에 천재적인 과학자였음을 잘 알 수 있다.

100여 년 전 프랑스의 루브르 박물관에 있던 레오나르도 다빈치의 대표작 〈모나리자Mona Lisa〉가 이탈리아인 빈첸초 페루자Vincenzo Peruggia에 의해 도난당했다. 당시 일부 이탈리아인들은 〈모나리자〉가 조국으로 돌아왔다고 환영했지만, 〈모나리자〉는 결코 불법으로 반출된 문화재가 아니기 때문에 이탈리아 정부는 이 작품을 프랑스로 반환하였다. 〈모나리자〉는 다빈치가 프랑스에 갈 때 함께 가져간 미완성 그림으로, 그림의 완성은 이곳 클로 뤼세 성에서 이루어졌다. 이후 이 그림을 그를 초청했던 프랑수아 1세가 거액을 지불하고 정식으로 구입했다.

다빈치가 사색하면서 끊임없이 상상의 나래를 펼쳤을 클로 뤼세 성 투어를 마치고 난 후, 프랑스가 문화 강국인 이유는 우연이 아니라 예술을 사랑하고 예술가를 대접하는 그들만의 오랜 역사와 전통이 있었기 때문임을 깨달을 수 있었다.

레오나르도 다빈치가 말년을 보냈던 클로 뤼세 성. 앙부아즈 성과 500미터 떨어져 있으며, 지하도로 연결되어 있다.(위)
앙부아즈 성에 있는 레오나르도 다빈치 상. 이 성에 그가 묻혀 있다.(아래)

동굴 와인셀러 레 캬브 뒤아르

장기 숙성이 가능한 슈냉 블랑으로 만든 부브레 화이트와인

앙부아즈 성벽 아래, 루아르강을 바라보는 위치에는 16세기에 만들어진 거대한 동굴로 된 와인셀러인 레 캬브 뒤아르Les Caves Duhard가 있다. 1874년부터 이 지역의 와인을 수집하여 숙성시키고 판매한 이곳은, 다양한 와인 프로그램으로 구성된 와인투어도 함께 운영하고 있다. 동굴 입구에서 다니엘 가테Daniel Gatay 씨가 기다리고 있었다. 동굴 투어를 마치고 부브레 와인을 대표하는 슈냉 블랑으로 만든 화이트와인들을 빈티지별로 시음하였다. 이 지역은 대서양 기후대와 대륙성 기후대의 중간에 위치하고 있어서 스틸 와인Still Wine(비발포성 와인), 스파클링 와인, 스위트 와인 등 다양한 와인의 생산이 가능하다. 특히 슈냉 블랑은 산도가 풍부하고 구조감이 좋아 화이트와인으로는 드물게 수십 년 장기 숙성이 가능하다. 흰 꽃, 사과, 배, 복숭아 등의 흰 과일, 매력적인 열대과일 향의 복합적인 풍미와 함께 적절한 산도, 미네랄이 주는 구조감과 긴 잔향을 느끼면서 나는 어느덧 루아르 화이트와인의 예찬론자가 되었다. 카베르네 프랑을 주 품종으로 만든 부르괴이유Bourgueil 레드와인 역시 루아르 지역에서만 맛볼 수 있는 개성 있는 와인이다. 겹겹히 쌓인 블랙체리 향, 풍부한 타닌과 산도에 짜임새 있는 구조감은 다른 지역에서는 접할 수 없는 루아르의 카베르네 프랑이 발현시키는 특별함이다. 이 품종이 보르도에서는 단지 카베르네 소비뇽의 충실한 보조 역할에 만족하고 있다는 점을 생각하면 더욱 놀라운 일이다(카베르네 프랑을 주 품종으로 하는 샤토 슈발블랑은 특별한 경우이지만).

시음을 끝내고 작별인사를 하려는데 다니엘 가테 씨는 테이블 위에 놓여있는 레오나르도 다빈치의 와인에 관한 글을 소개해주었다.

레 캬브 뒤아르에 보관되어 있는 1948년산 부브레의 슈냉 블랑 화이트와인.(위)
레 캬브 뒤아르를 운영하고 있는 다니엘 가테 씨.(아래)

"I believe that great happiness awaits those men who are born where good wines are to be found. 좋은 와인이 있는 곳에서 태어난 사람들에게는 큰 행복이 기다리고 있다."

— 레오나르도 다빈치 Leonardo da Vinci

이곳에서는 레오나르도 다빈치의 발자취는 물론이고 그와 관련된 글귀 하나까지도 관광상품이 된다. 와인 애호가인 그는 예술뿐만 아니라 와인산업에도 일조한 셈이다.

리얼리티 쇼 〈백만장자 조〉의 호화 별장에서의 하룻밤

레오나르도 다빈치가 정원의 아치문을 설계하였다고 알려진 고성 라 부르데지에르 Château de la Bourdaisière에서 하룻밤을 보내기 위해 앙부아즈를 서둘러 떠났다. 14세기부터 있었던 라 부르데지에르 성은 정치권력에 따라 파괴와 재건을 반복하다 19세기에 와서야 르네상스풍의 아름다운 고성으로 다시 태어났다. 지금은 호텔로 운영되는데, 나에게는 2003년에 선풍적인 인기를 누렸던 미국 폭스 사의 리얼리티 쇼 〈백만장자 조 Joe Millionaire〉 속 호화 별장의 실제 무대라 더욱 흥미로웠던 곳이다.

나는 화려한 목욕탕이 딸린 르네상스풍의 커다란 방에서 하룻밤 동안 중세 유럽 귀족의 호사를 누렸다. 마치 리얼리티 쇼의 주인공 '백만장자 조'처럼. 아침 일찍 일어나 다빈치가 설계한 아름다운 아치문을 통해 안개 자욱한 이탈리아식 정원을 거닐면서 잠시 중세의 시간으로 여행을 떠났다. 이 성은 프랑스 국가 문화재와 유럽 정원 유산 네트워크 European Garden Heritage Network에 등재되어 있다.

레오나르도 다빈치가 설계했다고 알려진 라 부르데지에르의 정원 입구. ▶
무른 석회암 토양인 튀포 암반을 굴착하여 만든 동굴 레스토랑 라 캬브의 입구.(아래)
라 캬브 레스토랑에서 마셨던 1996년산 샤토 팔메와 카베르네 프랑으로 만든 1982년산 부르괴이유 와인.(아래 사진 속)

유네스코에 세계문화유산으로 등록된 빌랑드리 성의 전경.

르네상스 건축 양식의 보석 아제르리도 성.

저녁에는 이곳에서 소개해준 토속 레스토랑에서 저녁을 하였는데, 전체가 거대한 동굴인 '라 캬브La Cave'라는 레스토랑이었다. 습도와 온도가 일정하게 유지되는 루아르 특유의 무른 석회암 토양인 튀포Tuffeau 암반을 굴착하여 만든 공간이어서 지하인데도 매우 쾌적하였다. 와이너리의 오너이기도 한 주인 모녀의 친절한 서비스와 이 지역 와인을 곁들인 즐거운 저녁이었다.
주목할 점이 있었으니, 이 레스토랑은 송로버섯을 농장에서 직접 시험재배하고 있다. 다음 날 아침 그녀의 안내로 와이너리와 농장을 직접 방문하는 기회를 가졌는데, 송로버섯은 아직 수확에 성공하지는 못하였다고 하였다. 그 가격이 금값에 맞먹는 송로버섯은 이제까지 자연산만 있었는데, 최근 뉴질랜드·호주와 미국에서 인공재배에 성공하였다. 우리나라에서도 일부 지방자치단체에서 인공재배 개발사업을 시작하였다고 한다.

레드샴페인으로 유명한 소뮈르의 랑글루아-샤토

앙주-소뮈르 와인 생산 지역은 토착 품종인 슈냉 블랑으로 만든 개성 있는 화이트와인과 다양한 스파클링 와인으로 유명하다. 특히 레드샴페인으로 유명한 소뮈르Saumur까지는 루아르의 주도 투르Tours에서 자동차로 한 시간이면 도착할 수 있다. 그러나 이 구간은 루아르 계곡에서 가장 아름다운 성들이 밀집해 있는 지역인지라 그냥 지나칠 수가 없었다.
아름다운 정원을 가지고 있는 빌랑드리Villandry 성, 르네상스 건축 양식의 보석 아제르리도Azay-le-Rideau 성, 위세D'usse 성을 하나하나 방문하면서 소뮈르에 도착하니 늦은 저녁이 되었다. 소뮈르 마을에서 여장을 풀고 루아르강변에서 바라본 소뮈르 성의 야경이 동화 속 풍경처럼 아름다웠다. 다음 날 아침 일찍 소뮈르 성을

소뮈르의 레드샴페인으로 유명한 랑글루아-샤토.(위)
사진 맨 왼쪽 병이 샤토에서 시음한 레드크레망인 카맹 드라이다.(아래)

포도밭으로 둘러싸여 있는 소뮈르 성. 그 뒤로 루아르강이 흐른다.

방문하였는데, 깎아지를 듯한 절벽을 배경으로 포도밭에 둘러싸여 있는 성채가 야경과는 달리 중세의 모습으로 다가왔다.

성 안에서는 낮에는 각종 전시가 진행되며, 밤에는 음악회가 열리고 있었다. 나는 이미 약속된 다음 일정 때문에 아쉬움을 달래면서 다음 목적지인 랑글루아-샤토Langlois-Château로 향했다.

소뮈르의 대표 와이너리 랑글루아-샤토는 샴페인 볼랑저Bollinger로 유명한 소시에테 자크 볼랑저Societe Jacques Bollinger의 소유이다. 그래서인지 다양한 루아르 와인을 생산하고 있지만, 이 와이너리의 압권은 단연 샴페인이다. 물론 원산지 명칭 때문에 이곳에서는 크레망Crémant이라고 부르지만, 제조 방법은 샴페인과 같다. 품질 역시 샴페인에 결코 뒤지지 않는다.

이곳 책임자 로랑 오니용Laurent Onillon 씨의 안내로 진흙질 석회토와 사암질 규조토로 이루어진 71헥타르 규모의 포도밭, 루아르 계곡 특유의 석회암인 튀포 암반을 굴착하여 만든 지하 셀러와 그곳에서 숙성되고 있는 스파클링 와인 등 다양한 양조시설을 구경하였다. 이곳에는 와인 전문 교육 시설도 있었는데, 한국 학생들도 많이 다녀갔다고 했다.

시음은 이 와이너리를 대표하는 크레망을 중심으로 이루어졌는데, 역시 인상적이었던 것은 프랑스에서도 이곳 소뮈르에서만 생산되고 있는 레드크레망인 카맹 드라이Carmin Dry였다. 오래전 오스레일리아에서도 레드샴페인을 시음한 적이 있지만, 100퍼센트 카베르네 프랑으로 만든 이 와인은 카베르네 프랑이 주는 볼륨감, 신선하면서 드라이한 풍미가 클래식하며 정제된 샴페인 맛과 완연히 구별되었다. 그것은 루아르의 특별한 테루아에서 자란 카베르네 프랑이 주는 또 다른 자연의 선물일 것이다.

앙제 성곽 위에 조성되어 있는 포도밭이 아름답다.(위)
과숙 기간에 비가 오지 않아 노랗게 타버린 슈냉 블랑 포도송이.(아래)

도멘 오 무안의 오너 테사 라로쉬 여사가 시음실에서 자신의 와인을 설명하고 있다.

앙주의 그랑 크뤼 도멘 오 무안

앙주Anjou는 현지에서 '피노 드 라루아르Pineau de la Loire'라고 부르는 슈냉 블랑으로 만든 귀부 와인(앙주 섹Anjou Sec)으로 유명하지만, 양질의 드라이 화이트와인도 생산하는 지역이다. 앙주는 12~13세기에 노르망디Normandie, 아키텐 공국, 잉글랜드England를 포함하여 앙주 제국을 건설한 헨리 2세의 앙주 가문의 근거지였다. 이 지역의 중심지는 앙제Anger 성으로 유명한 앙제인데, 웅장하고 견고한 성곽이 지금도 잘 보존되어 있어 옛 영화의 흔적을 엿볼 수 있다. 특이하게도 성곽 위에 조성된 포도밭이 인상적이었다.

앙제 성에 있는 교회와 박물관을 방문한 후 루아르강을 건너 사브니에르Savennières AOC 생산지인 라로쉬 오 무안la Roche-aux-Moines 마을에 있는 도멘 오 무안Domaine aux Moines을 방문하였다. 라로쉬 오 무안은 이웃 라 쿨레 드 세랑La Coulée de Serrant과 함께 자체 AOC를 부여받은 그랑 크뤼 마을이다. 특이하게 어머니와 파트너로 와이너리를 운영하고 있는 테사 라로쉬Tessa Laroche 여사의 안내로 먼저 포도밭을 둘러봤다. 그녀는 극심한 가뭄으로 포도가 채 영글기도 전에 노랗게 변해가는 자신의 포도밭을 보여주면서 한숨을 쉬었다. 우리에게 멋있어 보이는 와인 메이커도 포도 수확기면 비와 가뭄을 걱정해야 하는 농부와 다르지 않았다.

포도나무는 토양도 중요하지만 적당한 수분이 필요하다. 지역에 따라 다르지만 연평균 강우량이 500~750밀리미터 이상은 되어야 한다. 강우량에 못지않게 더욱 중요한 것은 비가 내리는 시기와 양이다. 수확기에 지나치게 많은 비가 내리면 포도는 당도, 산도, 타닌 성분의 양이 줄어들고 아로마가 미미해져 양질의 와인을 만들 수 없다. 반대로 가뭄이 심하면 당도는 올라가지만 산도가 줄고, 타닌뿐만 아니라 아로마가 제대로 형성되지 않아 역시 좋은 와인을 만들 수 없다. 따라서 서구에서의 와인 생산지는 대부분 겨울철에 강수량이 많고 여름철에 건조한 지중해성 기후대에 위치해 있다.

포도밭과 양조시설을 구경한 다음 시음실에서 세 종류의 와인을 시음하였다. 이 중 이 와이너리의 대표 와인이라 할 수 있는 사브니에르-로쉬 오 무안 Savennières-Roche aux Moines 2012년 빈티지를 통해 슈냉 블랑의 또 다른 스타일을 체험할 수 있었다. 슈냉 블랑 포도는 루아르를 대표하는 화이트와인 품종이지만, 강 상류에서 주로 재배되는 소비뇽 블랑과 강 하류에서 재배되는 뮈스카데와 달리 강 중류에서 재배되고 있다. 앞에서 언급한 부브레가 대표적인 슈냉 블랑 와인으로 알려져 있지만, 이곳 와인도 이에 버금가는 와인이다. 연한 꿀과 젖은 밀짚 향에 풍부한 산도와 함께 드라이하고 스파이시한 맛이 좀 더 강하게 느껴졌다. 어패류보다는 닭고기나 돼지고기 등 흰 살코기 요리에 잘 어울릴 수 있는 와인이다.

'쉬르 리' 양조기법으로 만든 뮈스카데 와인

루아르강 어귀에 위치한 역사적인 항구도시 낭트에 도착하여 호텔에 여장을 풀었다. 루아르 계곡의 마지막 여정을 기념하여 낭트 시 근교에 있는 미슐랭 가이드 1스타 레스토랑인 르 마누아 드 라 불레 Le Manoir de la Boulaie 에서 저녁과 함께 이곳의 뮈스카데 와인을 시음하기로 했다. 그런데 예기치 않게 예약시간보다 늦게 도착했다. 식당에 가기 전에 브르타뉴 공작 ducs de Bretagne 성과 폴 Paul 성당을 방문했는데, 주차했던 골목에 돌아오니 진입할 때는 없었던 원통형 철제기둥이 돌출해 있어 차를 빼낼 수 없었기 때문이었다. 유럽 대부분의 오래된 구시가지 골목은 외부 차량의 진입을 막기 위해 도로 한가운데에 상하로 움직이는 기둥을 매립하는데, 이는 주민들의 무선 리모컨으로만 작동된다. 그러니 자동차로 유럽

앙리 4세가 낭트 칙령을 발표한 브르타뉴 공작의 성. 낭트는 갈로-로만 시대부터 브르타뉴 지방의 중심지였다.

Happy Hour
Jusqu'à 21H
*Mojito
*Daïquiri 5€
*Ti Punch
Assiette Apéro
Selon dispo 6,5€

여행을 한다면 반드시 공용주차장 사용을 권한다. 유럽에서 불법주차 범칙금은 보통 100유로 선이며, 약 6개월 후에 틀림없이 고지서가 날아온다.

뮈스카데 와인은 와인 애호가들에게도 여전히 싸구려 취급을 받고 있다. 그러나 이곳에서 맛본 뮈스카데 와인은 도버해협에서 나온 해물 요리와 완벽한 궁합을 이루었다. 슈냉 블랑과 달리 산도가 낮지만 드라이하면서도 청사과와 같은 신신하고 상큼한 맛에 '쉬르 리Sur Lie'라는 숙성 과정에서 생성된 효모의 풍미와 함께 약간의 짠맛도 느낄 수 있다.

뮈스카데는 생산 지명이나 포도 품종이 아닌 단순한 와인 이름이다. 뮈스카데를 만든 포도는 믈롱 드 부르고뉴Melon de Bourgogne라는, 이 지역에서 재배되는 화이트와인 품종이다. '뮈스카데' 혹은 '믈롱'이라 부르기도 한다. 하지만 원산지가 부르고뉴인 피노 블랑Pinot Blanc 포도와 같은 품종이다. 뮈스카데와 이름이 유사하지만 보르도에서 재배되는 레드와인 품종인 뮈스카델이나 뮈스캬 혹은 머스캣Muscat 계열로 가볍고 상큼한 모스카토 다스티Moscato d'Asti 같은 스푸만테 와인을 만드는 이탈리아의 모스카도 포도와는 다른 품종이다.

믈롱 드 부르고뉴 포도는 산도와 풍미가 부족한데, 이를 보완하기 위하여 앞에서 언급한 '쉬르 리'라는 특별한 양조 과정을 거친다. 이 과정은 포도를 송이째 발효시킨 와인을 수개월 동안 여과하지 않고 효모나 침전물과 계속 접촉하게 하는 양조기법이다. 이렇게 하면 밋밋한 와인이 복합적인 향과 질감이 강화된다. 이와 유사한 양조기법으로 탄산 침용Carbonic Maceration이 있다. 보졸레 누보를 만든 가메나 그르나쉬Grenache와 카리냥Carignan 포도 등에 사용하는데, 쉬르 리(효모 접촉)와는 달리 타닌을 낮추고 과일 향은 강화하면서 부드럽고 마시기 좋은 와인을 만들때 사용한다.

◀ 낭트는 뮈스카데 와인의 중심지다. 거리에는 활기가 넘친다.

에르미타주 'M. 샤푸티에' 포도밭에서 바라본 에르미타주 마을. 오른쪽에 유유히 론강이 흐른다.

Rhône

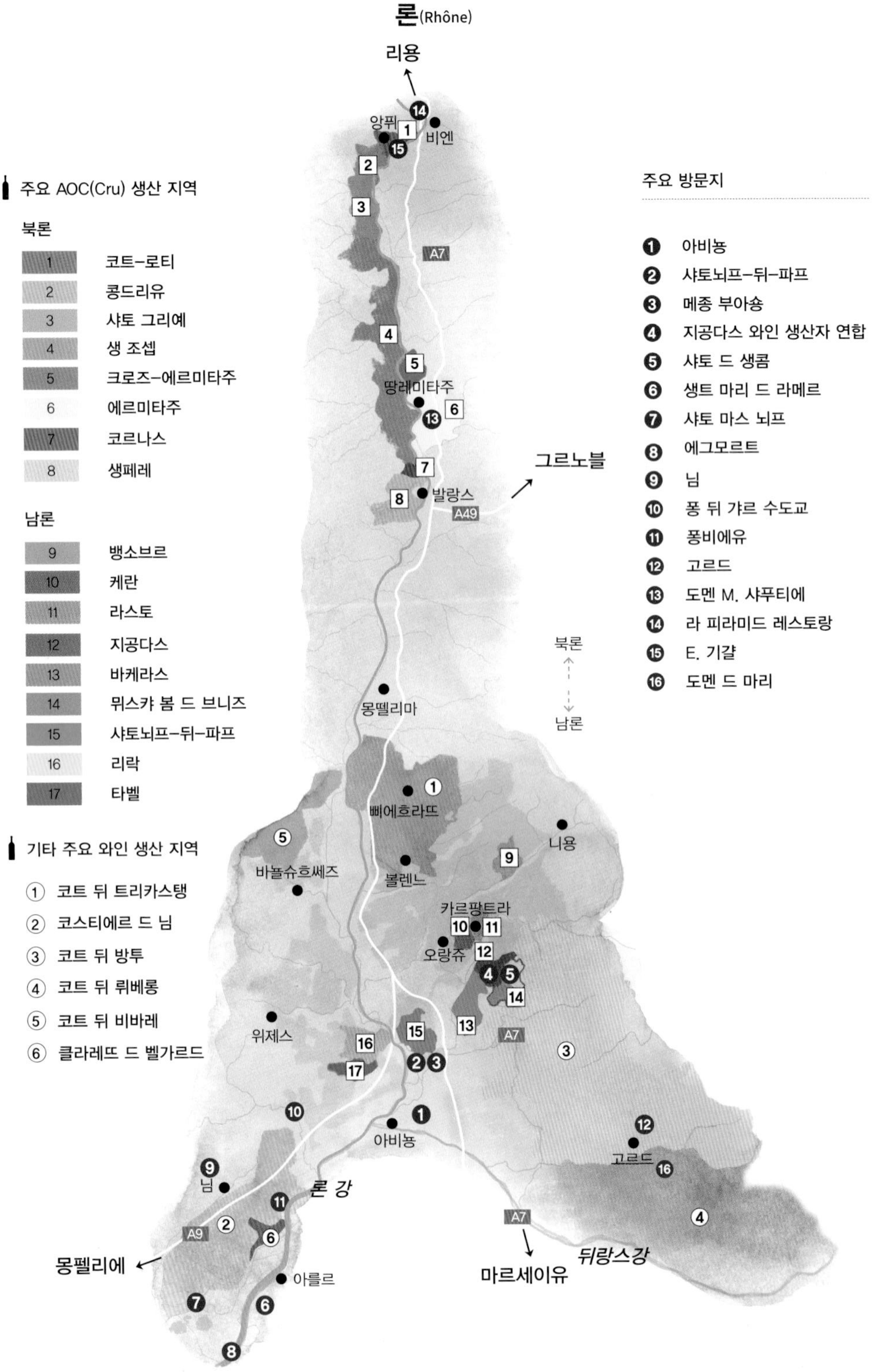
론(Rhône)
주요 AOC(Cru) 생산 지역
북론
1 코트-로티
2 콩드리유
3 샤토 그리예
4 생 조셉
5 크로즈-에르미타주
6 에르미타주
7 코르나스
8 생페레
남론
9 뱅소브르
10 케란
11 라스토
12 지공다스
13 바케라스
14 뮈스캬 봄 드 브니즈
15 샤토뇌프-뒤-파프
16 리락
17 타벨
기타 주요 와인 생산 지역
① 코트 뒤 트리카스탱
② 코스티에르 드 님
③ 코트 뒤 방투
④ 코트 뒤 뤼베롱
⑤ 코트 뒤 비바레
⑥ 클라레뜨 드 벨가르드
주요 방문지
❶ 아비뇽
❷ 샤토뇌프-뒤-파프
❸ 메종 부아숑
❹ 지공다스 와인 생산자 연합
❺ 샤토 드 생콤
❻ 생트 마리 드 라메르
❼ 샤토 마스 뇌프
❽ 에그모르트
❾ 님
❿ 퐁 뒤 갸르 수도교
⓫ 퐁비에유
⓬ 고르드
⓭ 도멘 M. 샤푸티에
⓮ 라 피라미드 레스토랑
⓯ E. 기걀
⓰ 도멘 드 마리
리용
앙퓌
비엔
A7
땅레미타주
그르노블
발랑스
A49
북론
남론
몽뗄리마
삐에흐라뜨
나용
바뇰슈흐쎄즈
볼렌느
카르팡트라
오랑쥬
위제스
아비뇽
고르드
님
론 강
A9
몽펠리에
아를르
마르세이유
뒤랑스강

프랑스에서 가장 긴 와인 산지 론

그르나쉬와 시라의 메카, 론 와인

론Rhône 계곡은 보르도, 부르고뉴와 함께 프랑스를 대표하는 와인 산지이다. 리용 남쪽 인근 로마 시대부터의 고도 비엔Vienne에서 시작해 론강을 따라 교황의 마을 아비뇽Avignon을 거쳐 삼각주를 형성하고 있는 마르세이유Marseille 서쪽 지중해 연안까지, 약 250킬로미터에 걸친 가장 긴 포도 생산 지역이다.

남북으로 길게 펼쳐져 있어 기후와 토양의 특성에 따라 북부 론과 남부 론으로 구분한다. 북부 론은 비엔과 발랑스Valence 사이 론강 협곡의 매우 가파른 언덕 위 좁은 테라스에서 재배되는 시라Syrah를 주 품종으로 최고 품질의 와인을 생산한다. 남부 론은 몽텔리마르Montélimar에서 시작해 남쪽으로 지공다스Gigondas, 아비뇽 그리고 님Nimes 지역까지이며, 다소 완만한 계곡의 언덕과 무더운 지중해성 기후에서 자라는 그르나쉬Grenache 품종을 중심으로 다양하고 개성 있는 와인들을 생산한다.

알프스에서 발원한 론계곡

론강은 스위스의 알프스Alpes산맥에서 발원하여 레만Léman호수에서 잠시 머무르다 쥐라Jura산맥과 리옹을 돌아 아비뇽을 거쳐 마르세이유 서쪽 지중해로 흘러들어가는, 장장 813킬로미터의 강이다. 론강 유역의 와인 문화는 로마가 이 지역을 정복하기 오래전, 소아시아(현재의 터키) 사람들이나 그리스 사람들이 지중해를 통해 진출했던 2,500년 전부터 시작되었으나 기원전 1세기경 카이사르의 갈리아 통치 시대에 본격적으로 발달했다.

7대의 교황이 머무른 아비뇽

지금도 론 지역을 여행하다 보면 비엔과 오랑주Orange에 잘 보존되어 있는 고대 로마의 신전과 극장 등 풍부한 로마 시대 유적에 매료된다. 또한 14세기 아비뇽 유수 시절, 교황이 머물렀던 아비뇽은 프로방스 지방의 주요 관광지 중 하나가 되어 사시사철 방문객으로 붐빈다.

론 지방 와이너리를 방문하는 길은 크게 두 가지이다. 우선 파리에서 TGV를 이용해 비엔에서 론 계곡을 따라 남쪽으로 이동해 아비뇽과 마르세이유까지 가거나, 비행기를 이용해 마르세이유까지 간 후 북쪽의 비엔으로 가는 방법이다. 나는 남부 론 지방을 먼저 돌아보기 위해 파리에서 비행기로 마르세이유에 도착한 다음, 북쪽으로 60킬로미터 떨어진 아비뇽에 여장을 풀었다.

아비뇽은 연극 애호가들이 매년 7월에 열리는 세계적인 연극 축제 '아비뇽 페스티벌'을, 미술 애호가들이 현대 큐비즘의 시작이라 할 수 있는 피카소의 작품 〈아비뇽의 여인들〉(실은 스페인의 바르셀로나Barcelona에 있는 아비뇽 거리의 성매매 여성들이지만)을, 와인 애호가들이 교황의 와인 샤토뇌프-뒤-파프Châteauneuf-du-Pape를 먼저 떠올리는 곳이다.

그러나 이 고색창연한 고도를 유명하게 만들어준 것은 우리나라 중고생들도 역사시간에 배우는 '아비뇽 유수'사건이다. 프랑스 왕 필리프 4세가 당시 세금을

샤토뇌프-뒤-파프 언덕에 있는 교황의 여름 별궁은 현재 벽체만 남아 있다.

아비뇽 유수 동안 7대의 교황이 머물렀던 웅장한 아비뇽 교황청과 생베네제 다리. 와인의 젖줄인 푸른 론강이 흐른다.

Café
Terrasse

내지 않던 교회에도 세금을 내게 했고, 이에 분노하여 필리프 4세를 파문하려던 교황 보니파키우스Bonifacius 8세를 필리프 4세가 1303년에 납치한다. 프랑스 왕의 강요로 교황청은 교황 클레망 5세의 결정에 따라 1309년부터 1377년까지 아비뇽에 머물러야 했던바, 이를 고대 유대인들이 신바빌로니아Neo-Babylonian 제국의 수도에 끌려간 바빌론 유수에 빗대어 '아비뇽 유수'라 부르는 것이다.

약 70년 동안 7대의 교황이 머무른 이곳의 교황청은 거대한 성벽으로 둘러싸인 요새 같은 건물이다. 이 요새 같은 교황의 궁전과 돌로 포장된 길을 산책하면서 유럽 역사에서 교회와 군주의 갈등과 그것이 남긴 문화유산이 어쩌면 삭막할 수 있었던 아비뇽을 지금처럼 윤택하게 한 원동력이 아닐까 생각했다.

저녁에 론 지방의 와인비즈니스를 대행하는 기구인 인터 론Inter Rhône의 초청으로 미슐랭 가이드 1스타 레스토랑인 유명한 크리스티앙 에티엔느Christian Etienne에서 저녁을 대접받았다. 레스토랑은 14세기에 세워진 교황 궁전 건물에 붙어 있었는데, 론 지역이 자랑하는 타벨 로제Tavel Rose와 디저트로 뱅뒤나튀렐Vins Doux Naturel을 마시고 오너 셰프인 에티엔과 기념 촬영을 하면서 즐거운 시간을 가졌다.

샤토뇌프-뒤-파프의 대표 와이너리 메종 부아숑

다음 날 아침, 호텔까지 친절하게 마중 나온 샤토뇌프-뒤-파프의 대표적인 와이너리 메종 부아숑Maison Bouachon의 직원 안내로 곧장 아비뇽 북쪽 언덕 위 교황의 여름 별궁이 있었던 샤토뇌프-뒤-파프의 포도밭으로 향했다. 샤토뇌프-뒤-파프는 이름이 말하듯이 교황의 와인이다. 한참 수확이 진행되고 있었지만, 잎

◀ 아비뇽 교황청 맨 꼭대기에 있는 카페 테라스의 입구. 이곳에서는 교황청이 직접 생산하는 와인을 마실 수 있다.(위)
아비뇽 교황청 건물에 있는 미슐랭 가이드 1스타 레스토랑 크리스티엔 엔티엔느의 내부 모습.(아래)

둥근 자갈로 뒤덮여 있는 샤토뇌프-뒤-파프의 포도밭.
포도나무는 남부 론의 대표 품종인 그르나슈이다.

메종 부아숑에서 시음한 와인들. 검정색 라벨이 붙은 와인이 샤토뇌프-뒤-파프 데디카시옹 2005이다.

은 여전히 짙푸르고, 포도원의 한낮 기온은 30도를 오르내리고 있었다.

이곳 포도밭은 매끄럽고 둥근 자갈인 걀레Galet가 어디를 가나 포도밭의 표면을 뒤덮고 있다. 자갈은 태양열을 쉽게 전달받아 이곳 와인을 강건하게 만든다. 거대한 벽체만 남은 폐허가 된 교황의 여름 별궁 터에 앉아 잠시 상념에 빠졌다. 비록 궁전의 주인공들은 사라졌지만, 그들은 자신의 이름을 와인으로 남겼다. 특히 샤토뇌프-뒤-파프의 대표 와인 메이커인 클로 드 파프Clos Des Papes의 와인들은 1991년, 2002년, 2007년 세 번에 걸쳐 세계의 유수한 와인들을 제치고《와인 스펙테이터》가 평가한 올해의 와인으로 선정된바 있다.

최근 2016년 빈티지는 100점 만점을 받아 세계를 놀라게 했다. 클로 드 파프의 오너 폴 뱅상 아브릴Paul Vincent Avril 씨가 수상 기념 인터뷰에서 인상적인 말을 했다. "와인은 포도와 흙을 섞어서 만든 것이다." 좋은 와인을 만들기 위해서는 그만큼 테루아가 중요하다는 점을 강조한 것이다.

와이너리로 돌아와 시음한 와인 중 부아숑이 준비한 톱 브랜드인 데디카시옹Dedication 2005는 샤토뇌프-뒤-파프의 모범생이라고 할 수 있다. 마른 과일, 후추, 가죽, 민트의 복합적인 향기와 함께 벨벳 같은 부드러움이 입안에 오래 지속되었다. 그날 선물로 받은 데디카시옹 2005 빈티지는 아직도 나의 셀러에서 좋은 날이 오기를 기다리고 있다.

프랑스에서 가장 오래된, 로마 시대의 와이너리 샤토 드 생콤

메종 부아숑에서 시음을 마친 후 다시 북동쪽으로 15분을 달려 샤토뇌프-뒤-파프와 쌍벽을 이루는, 남부 론 지방 최고의 와인을 생산하고 있는 지공다스로 향했다. 일반인에게는 샤토뇌프-뒤-파프의 명성이 더 알려져 있지만, 나는 지공다

지공다스 와인 생산자 연합이 운영하는 셀러 도어에서 시음용 와인을 서빙하는 모습.(위)
전통적인 스타일의 사이드디쉬.(아래)

스야말로 남부 론 계곡의 기후와 테루아를 가장 잘 표현한 와인이라 생각한다. 이곳 생산자 연합이 공동으로 운영하는 셀러 도어에 초청되어 점심과 함께 시음회를 가졌는데, 마치 오르되브르Hors-d'œuvre(전채)처럼 작은 유리잔에 음식을 담아 서빙하는 것이 인상적이었다.

점심과 시음을 마치고 이곳에서 1490년부터 14대에 걸쳐 와인을 생산하고 있는 와인 명가 샤토 드 생콤Château de Saint Cosme을 찾았다. 오너이면서 와인 메이커인 루이 바룰Louis Barroul 씨가 바쁜 수확철인데도 포도원을 직접 안내하며 양조 과정을 설명해주었다. 샤토 드 생콤이 보석처럼 아끼는 와이너리 뒤쪽 언덕 위에 있는 교회 주변은 현재 네덜란드 여왕의 선조인 오렌지 공이 한때 소유했던, 520년의 역사를 가지고 있는 포도밭이다. 이곳에서는 지공다스의 상징인 당텔 드 몽미라이유Dentelles de Montmirail 산꼭대기에 병풍처럼 펼쳐져 있는 거대한 석회암 절벽 아래에 전개된 지공다스의 뜨거운 분지를 한눈에 조망할 수 있다.

세계 100대 와인 중 2위에 선정된 명품

로마 시대부터 있었다는 어두운 동굴에서 잠시 로마인이라도 된 것처럼 샤토 드 생콤의 와인들을 시음했다. 그의 설명에 의하면 이곳이 현재까지 프랑스에서 발견된 가장 오래된 로마 시대의 와이너리라고 했다. 시음 와인 중 그르나쉬 60퍼센트, 시라 20퍼센트의 비율에 무르베드르Mourvèdre와 생소Cinsault 등을 배합해 만든 지공다스 2007이 이곳의 테루아를 가장 완벽하게 표현해내는 와인이었다. 이곳의 토양은 하얀 석회암 자갈과 적색 찰흙이 섞여 있어서 언제나 신선하고 파워풀하다. 야성적인 품종인 그르나쉬가 어떻게 풍부한 과일 향에 붉은 육질감, 딸기, 라즈베리, 제비꽃의 복합적이고 섬세한 풍미를 발현해낼 수 있는지 불가사의했다.

멀리 산꼭대기에 병풍처럼 석회암 절벽이 펼쳐져 있는 지공다스의 상징 당텔 드 몽미라이유산맥.
아래가 지공다스 분지이다.

지공다스를 대표하는 520년 역사의 와인 명가 샤토 드 생콤 와이너리의 오너 루이 바룰 씨가 로마 시대에 만들어진 지하 셀러에서 와인을 시음하고 있다.(위)
샤토 드 생콤 와이너리에서 막 수확한 그르나슈 포도를 파쇄기에 넣고 있다.(아래)

느리게 침용하기, 천연 효모를 이용한 배럴 발효와 섬세한 여과 과정, 새 오크통을 이용한 새로운 숙성 방법의 실험 등 가문의 오랜 전통을 유지하면서도 끝없이 진화를 추구하는 루이 바룰 씨를 《와인 스펙테이터》는 "진정한 지공다스 와인의 전도사"라고 격찬한바 있다. 그가 만든 지공다스 2010년 빈티지는 《와인스 펙테이터》가 매년 선정하는 '세계 100대 와인'에 2위에, 2015년 빈티지는 2017년 5위에 랭크되며 명실상부 세계적 명품 와인으로 자리매김하였다. 2016년 그가 한국을 방문하였을 때 즐거운 대화시간을 가졌었는데, 그가 얼마나 음악과 예술을 사랑하는지 그때 알게 되었다. 나는 '언제나 좋은 와인은 하나의 예술 작품'이라고 믿고 있다. 최근에 시음한 지공다스 클라시코 2018 역시 아직은 어리지만, 이 와인이 품어내는 풍미와 잠재력은 일상에서 누구나 즐길 수 있는 예술품이라고 생각했다. 예술을 유난히 사랑하는 와인 메이커가 빚어낸 작품이기 때문에 더욱 그렇게 다가왔을 것이다.

코트 뒤 론의 AOC 제도

론 계곡의 와인 산지는 크게 남북으로 나뉘지만, 각 산지는 테루아의 특징에 따라 다시 여러 지역으로 구분된다. 론 지방의 AOC 제도는 보르도나 부르고뉴처럼 그랑 크뤼 같은 별도의 공식적 등급체계가 없이 코트 뒤 론Côtes du Rhône AOC 하나로 단일화되어 있다. 그러나 실제로는 론 지역 전체에서 생산하는 와인의 80퍼센트 이상을 차지하는 코트 뒤 론, 그 상위 등급인 95개의 코트 뒤 론 빌라쥬Côtes-du-Rhône Villages와, 코트 뒤 론 빌라쥬에 마을 이름을 덧붙이는 20여 개의 AOC, 그리고 최고 등급이라고 할 수 있는 17개의 코트 뒤 론 크뤼Côtes-du-Rhône Crus로 이루어져 있다.

프랑스에서 제일 오래된 샤토 드 생콤의 지하 와인셀러로 사용 중인 로마 시대에 만들어진 양조장의 유적. 건너편 오크통 위에 시음용 와인이 보인다.

물론 코트 뒤 론 AOC는 하위급 와인이지만, 소량의 와인만 생산하는 일부 와인메이커에서 최고 품질의 명품급 와인을 발견할 수도 있다. 포도 품종은 레드와인의 경우 시라와 그르나쉬, 무르베드르, 카리냥Carignan과 생소Cinsaut, 화이트와인인 경우 그르나쉬 블랑Grenache Blane, 위니 블랑Ugni Blane, 클레레트Clairette, 베르멘티노Vermentino, 부르블랭Bourboulenc 등, 코트 뒤 론 AOC의 경우 무려 23개의 다양한 품종의 조합Assemblage을 허용하고 있다.

양조 과정에서 조합은 각기 다른 포도 품종이 가지고 있는 특성을 이용해 복합적인 풍미와 균형 있는 구조감을 발현시킨다. 그래서 흔히 론 와인을 '배합의 예술품'이라고 말한다. 마치 화가가 다양한 물감을 배합해서 자신만의 가장 아름답고 개성 있는 색깔을 창조해내듯 말이다.

남부 론 지방을 대표하는 크뤼는 단연 샤토뇌프-뒤-파프와 지공다스이다. 그러나 그 밖에도 로제와인으로 유명한 타벨, 뱅뒤나튀렐로 유명한 뮈스카 봄 드 브니즈Muscat Beaumes-de-Venise, 옛날에는 랑그독 와인 산지에 속했던 론강 삼각주에 있는 코스티에르 드 님Costières de Nîmes 지역에서 각각 다양하고 특색 있는 와인을 생산하고 있다. 지리적으로 보면 이 지역들은 대부분 프로방스 지방에 속한다. 그렇지만 와인 생산 지역으로 구분할 경우 북쪽 아비뇽과 남쪽 옛 로마 제국의 고도 아를르Arles를 경계로 동쪽이 프로방스 와인 산지, 서쪽이 론 와인 산지로 구분된다. 나는 코스티에르 드 님 지역에서 새로운 스타일의 남부 론 와인을 생산하고 있는 신생 와이너리를 찾았다.

우연히 발견한 명품 와인 샤토 마스 뇌프

몇 년 전 미식가들에게 잘 알려진 서울의 한 호텔 프렌치 레스토랑에서 외국 손

LE TAMARIS
FINA

생트 마리 드 라메르의 성당 지붕에서 바라본 전형적인 남프랑스 지중해 연안의 풍경.
반 고흐가 〈생트 마리 바다 위의 보트〉를 그렸던 항구이다.

샤토 마스 뇌프에서 시음했던 와인들. 왼쪽에서 두 번째와 세 번째가 대표 브랜드인 아르모니오이다.(위) 필자와 담소를 나누고 있는 샤토 마스 뇌프의 오너 뤼크 보데 씨. 뒤로 그의 포도원이 보인다.(아래)

님들과 비즈니스 디너를 가졌다. 그때 시중에서 쉽게 구할 수 없는 처음 본 와인에 호기심이 생겨 메인 요리를 위해 주문했다. 남부 론의 코스티에르 드 님 지역의 샤토 마스 뇌프Château Mas Neuf에서 생산한 아르모니오Armonio 2005 레드와인이었다.

그르나슈 40퍼센트에 전통적인 론 와인에서는 볼 수 없는 품종인 메를로와 카베르네 프랑을 30퍼센트씩 배합한, AOC 등급을 받지 않은 와인이었다. 그러나 짙은 자주색에 론의 와인들이 가지고 있는 풍미나 보르도 타입의 무게감을 가지면서도 신선한 산도와 비단결 같은 부드러움을 갖춘 그 와인의 향기를 한동안 잊을 수 없었다. 언젠가 이 와이너리를 꼭 방문하고 싶었는데, 한국 소믈리에 대회를 주관하는 소펙사SOPEXA가 인터 론을 통해 이곳에서 하룻밤 묵을 수 있도록 주선해주었다.

와이너리 방문길에 지중해의 해안 도시 생트 마리 드 라 메르Saintes-Maries-de-la-Mer를 경유하기로 하고 아를르를 출발하였다. 차창 밖으로 펼쳐진 남프랑스의 풍경은 고흐의 그림처럼 붉은색과 초록색, 푸른색과 오렌지색, 짙은 노란색과 보라색의 아름다운 대조를 이루는 원색적인 자연의 모습이었다. 왜 빛의 화가들이 이곳을 좋아했는지 알 것 같았다. 강 하류의 삼각주에 있는 생트 마리 드 라 메르는 반 고흐가 〈생트 마리 바다 위의 보트〉를 그린 장소로 유명하다. 이 도시의 대표적인 건축물의 하나인 생트 마리 드 라 메르 성당의 지붕 꼭대기에 올라 아름다운 지중해를 감상한 후, 해변에서 해물 요리에 시원한 로제와인 한 잔으로 잠시 여정의 피로를 풀었다.

생트 마리 드 라메르를 떠나 론 삼각주를 횡단하여 샤토 마스 뇌프에 도착하니 저녁 8시가 넘었다. 이곳의 오너인 뤼크 보데Luc Baudet 씨가 저녁을 대접한다며 길가에서 횃불을 들고서 기다리고 있었다. 다시 남쪽으로 30분을 달려 유명한 카마르그 습지의 중심에 있는 중세풍 성곽도시 에그모르트Aigues-Mortes 성 안의 전통 식당 라틀리에 드 니콜라l'Atelier de Nicolas로 안내되었다.

희미한 가로등 불빛이 비치는 중세에 만들어진 좁은 석조 골목을 따라 식당까지 걷는 동안 중세로 시간여행을 떠난 듯했다. 오너 셰프 니콜라가 직접 서빙하는 스튜디오 키친에서 기대했던 와인 아르모니오 2003과 아르모니오 2005 빈티지를 시음했는데, 서울에서 마셨던 그 향기와 맛이 더욱 신선하게 다가왔다. 자정까지 그의 와인뿐만 아니라 역사와 문화를 주제로 끝없는 대화를 나누다 보니 우리는 어느새 친구가 되어 있었다.

'론의 역설'이 된 샤토 마스 뇌프

이곳 토양은 샤토뇌프-뒤-파프와 비슷하지만 삼각주라서 자갈보다는 모래가 많다. 전형적인 프로방스 지방의 기후로 일조량이 풍부하고 온도가 높지만 늪지대와 지중해에서 불어오는 따뜻한 바람으로 생겨나는 아침 안개와 이슬로 인해 내륙보다 오히려 4~5도 낮다. 이러한 서늘한 기후와 토양은 이곳을 메를로나 카베르네 프랑의 재배에 적합하게 만들어주어 일반적인 론 와인과는 다른 특별한 와인을 탄생시켰다. 이것을 일부 와인 애호가들은 '론의 패러독스'라고 부른다. 특히 아르모니오는 뤼크 보데와 생테밀리옹의 와인 메이커 루이 밋

님에게 물을 공급하기 위해 2,000년 전 로마 시대에 건설된 유네스코에 등록된 세계문화유산인 퐁 뒤 갸르 수도교. 길이 275미터, 높이 50미터로 현존하는 가장 높은 로마의 수도교다.

자빌Lauis Mitjavile이 협력하여 만들었다. 어쩌면 새로운 슈퍼 론 와인의 탄생일지도 모른다.

중세에 이탈리아에서 출발한 산티아고 순례자들이 머물렀던 건물인 그의 와이너리 2층 방에서 잠을 청하니 또다른 감동이 밀려왔다. 다음 날 아침 일찍 안개가 짙게 깔려 있는 포도밭을 둘러본 후 그가 생산한 다양한 종류의 와인을 시음한 뒤 우리는 언젠가 다시 만날 것을 약속하면서 아쉬운 작별을 고했다.

그후 몇 년이 흐르고 어느 봄날, 나는 반가운 이메일 한 통을 받았다. 그가 자신의 와인을 론칭하기 위해 한국에 온 것이다. 이번에는 아르모니오 2009 빈티지를 시음하면서 우리는 또다시 만날 것을 기약했다.

옛날에는 랑그독 와인 산지에 속했던 론강 삼각주에 있는 코스티에르 드 님은 지금은 론 와인 산지로 분류된다. 이 지역의 중심도시인 님은 와인 이외에도 고대 로마 시대부터 이어져온 매력적인 도시이다. 특히 근교에 있는 로마 시대에 건설된 퐁 뒤 갸르Pont du Gard 수도교가 유명하다. 길이 275미터, 높이 50미터의 이 다리는 유네스코에 등록된 세계문화유산으로, 50킬로미터 떨어진 님에 물을 공급하기 위해서 만들어졌다고 한다. 2,000년이 지난 현재까지도 원형을 그대로 유지하고 있는 모습을 보고 있노라면 감탄사가 절로 나온다. 님과 퐁 뒤 갸르 수도교를 방문한 후 뤼베롱Luberon 와인 산지로 향했다.

신선하고 우아한 뤼베롱 와인

2006년 뤼베롱의 와인을 주제로 한 영화 〈어느 멋진 순간〉이 개봉되었다. 돈만 아는 런던 금융가의 펀드메니저 역을 맡은 러셀 크로가 결국은 프로방스의 자연과 여인 그리고 뤼베롱의 와인을 사랑하게 된다는 평범한 스토리이지만, 와

와인영화 〈어느 멋진 순간〉의 무대인 해발 635미터에 위치한 중세풍 마을 고르드. 뤼베롱 지방의 관광의 중심지이다.(위)
낭만적인 고르드 마을의 골목 풍경.(아래)

고르드 마을에서 바라본 뤼베롱의 대자연 풍경. 와인뿐만 아니라 라벤더와 올리브로도 유명하다.

인 애호가들에게는 잔잔한 감동을 주는 영화였다.

나는 국내에 잘 알려져 있지 않은 뤼베롱의 와이너리 방문길에 영화의 배경이었던 중세풍 마을 고르드Gordes를 찾았다. 솔직히 와인보다는 뤼베롱의 아름다운 자연과 주인공 맥스 스키너와 페니 샤넬이 사랑을 나누었던 낭만적인 고르드의 풍경이 와인의 잔향처럼 나의 기억 속에 오랫동안 남았기 때문이었다. 그러나 이곳을 방문하는 동안 오히려 신선하고 부드러우면서도 우아함을 잃지 않는 뤼베롱의 와인에 매료되어 식사시간에는 언제나 뤼베롱 와인을 마셨다.

특히 고르드와 보니외Bonnieux 마을 사이에 있는 도멘 드 마리Domaine de Marie의 레드와인이 좋았다. 시라, 그르나쉬, 카리냥, 생소를 배합하여 만든 이 와인은, 강하지는 않

내가 시음했던 뤼베롱의 도멘 드 마리 2015.

지만 블랙커런트, 블랙베리와 라스베리의 복합적인 신선한 과일 향과 약간의 매운 맛을 동반하면서, 부드럽고 우아한 질감이 느껴졌다. 이는 뤼베롱 와인만이 가지고 있는 스타일이라고 생각되었다.

뤼베롱 와인은 프로방스 지방에 속하지만 1988년 비교적 늦게 론 지역 AOC 등급을 획득하였다. 하지만 2,000년 이상의 오랜 역사를 가진 와인이다. 해발 200~450미터의 산악 지대에 위치한 포도밭은 모래, 석회암 자갈과 황토로 구성된 토양에 온난한 론강과 서늘한 프로방스 고원의 영향으로 일교차가 심한 천혜의 테루아를 가지고 있다.

나는 잠시 해발 635미터에 위치한 고르드 마을의 성벽 테라스에 걸터앉아 영화 〈어느 멋진 순간〉의 주인공인 러셀 크로가 되었다. 그리고 끝없이 펼쳐진 뤼베롱의 대자연을 바라보면서 와인은 언제나 자기가 태어난 고향을 가장 잘 표현한다고 다시 한 번 생각했다.

에르미타주의 대표 와이너리 도멘 M. 샤푸티에

시라를 주 품종으로 하는 북부 론 와인은 남부 론 와인에 비해 고급 와인으로 취급되며 실제로 가격 면에서도 차이가 난다. 북부 론 와인은 비엔에서 발랑스 Valence까지 론강을 따라 주로 서쪽 강변 기슭에 발달되어 있으며, 이 지역의 기후는 일조량이 풍부한 대륙성 기후지만 남쪽에 비해 선선하고 온난하다.

남부 론 와인의 대표가 샤토뇌프-뒤-파프와 지공다스라면, 북부 론 와인의 대표는 코트-로티Côte-Rôtie와 에르미타주Hermitage이다. 그러나 토양의 특성에 따라 비오니에Viognier 품종으로 와인을 만드는 샤토 그리예Château-Grillet와 콩드리유 Condrieu, 섬세한 레드와인 루산Roussanne과 마르산Marsanne 품종으로 개성 있는 화이트

에르미타주 지역의 대표 와이너리 도멘 M. 샤푸티에의 가을 포도밭 풍경.

M. CHAPOUTIER
2006
Chante-Alouette
HERMITAGE
M. CHAPOUTIER
2006
DE L'ORÉE
M. CHAPOUTIER
M. CHAPOUTIER
2006
Sizeranne
HERMITAGE
M. CHAPOUTIER
2006
LE PAVILLON
M. CHAPOUTIER
2001
"LE PAVILLON"
ERMITAGE
M. CHAPOUTIER

와인을 생산하고 있는 생조제프St. Joseph, 알코올 함량이 높고 강건한 레드와인을 생산하는 코르나스Cornas, 스파클링 와인으로 유명한 생페레St. Peray 등 총 여덟 개의 개성 있는 크뤼를 북부 론은 가지고 있다.

남부 론과 달리 북부 론의 포도 품종은 단순하다. 레드와인은 시라 단일 품종(일부 배합을 허용하고 있지만), 화이트와인은 비오니에와 루산, 마르산으로 만든다.

시라의 고향은 어디인가?

북부 론 와인을 대표하는 크뤼인 코트-로티와 에르미타주를 방문하기 위해 지공다스에서 A7번 고속도로를 따라 먼저 발랑스 북부에 있는 에르미타주의 대표적인 와이너리 M. 샤푸티에Chapoutier를 찾았다. 시음하기 전에 먼저 포도밭을 방문했는데, 포도밭은 북부 론의 여느 포도밭과는 달리 강 동쪽 경사지 정남향에 자리 잡고 있었다. 언덕 꼭대기에 있는 작은 예배당을 배경으로 푸른 론강을 사이에 두고 투르농Tournon-sur-Rhône과 탕-레르미타주Tain-l'Hermitage 마을을 한눈에 조망할 수 있는 아름다운 곳이다. 탕-레르미타주 마을은 로마 시대부터 각광받은 역사적인 와인 산지이다. 토양의 특질은 운모편암, 편마암과 자갈, 모래가 얇게 표토를 형성하고 있는 화강암이며, 최고 품질의 시라 생산지이다.

시라는 오스트레일리아에서는 1832년 처음 소개된 후 '시라즈Shiraz'라고 부르는데, 그것은 이 포도 품종이 고대 페르시아의 도시 시라즈(현재도 이란에 있음)에서 왔기 때문이라고 전해져왔다. 그러나 1998년 미국 U.C. 데이비스 대학의 과학자들이 DNA 검사를 통해 시라가 프랑스 남동부 지방의 뒤레자Dureza와 몽되즈 블랑쉬Mondeuse Blanche라는 두 포도 품종의 교배로 태어났음을 밝혀냈다.

저녁에 호텔에서 추천해준 탕-레르미타주 쪽 론강가의 작고 아담한 식당에서

◀ 에르미타주의 M. 샤푸티에 포도원에서 수확을 기다리는 시라 품종의 포도.(위) M. 샤푸티에에서 시음한 와인들.(아래)

탕-레르미타주와 론강을 사이에 두고 있는, 아침 안개에 쌓여 있는 고색창연한 투르농.

가을이 물들어가고 있는 에르미타주의 포도밭에서 이 지역의 전형적인 토양을 볼 수 있다.(위) 시라 재배에 최적의 테루아인 에르미타주의 전형적인 토양. 운모편암, 편마암, 모래, 자갈이 표토를 구성하는 화강암이다.(아래)

저녁식사를 했는데, 낮에 시음했던 샤푸티에의 톱 브랜드인 파비용 에르미타주Pavilion Hermitage 2001년 빈티지를 주문했다. 에르미타주 와인의 특징은 코트-로티에 비해 남성적이고 타닌이 강하며 진하다는 점이다. 그러나 붉은 과일, 향신료, 바닐라, 감초 향과 스파이시한 풍미는 시라의 전형적인 표준 와인으로 특징지워진다. 식사가 끝날 때쯤 몇몇 손님이 내게 와인을 권해왔다. 대부분 와인산업 종사자들인데, 그들에겐 와인을 즐기는 낯선 동양의 이방인이 신기한 모양이었다.

로마의 고도 비엔

다음 날 아침, 자욱한 안개에 뒤덮인 중세의 고도 툴롱과 탕-레르미타주의 몽환적인 풍경을 뒤로하고, 론의 최북단 코트-로티를 방문하기 위해 앙퓌Ampuis로 향했다. 인터 론에서 예약해준 B&B(민박집)에 도착하니 친절한 여주인이 반갑게 맞이해주었다. 포도밭 한가운데의 언덕배기에 위치한 민박집은 야외 수영장까지 갖추고 있었다.
잘 가꾸어진 정원의 의자에 앉아 깊고 푸른 론강을 바라보고 있노라니 마치 다른 세상의 별장에 와 있는 느낌이었다. 여장을 푼 후 비엔에 있는 라 피라미드La Pyramide 레스토랑에서 저녁을 먹었다. 비엔은 리용에서 남쪽으로 30킬로미터 떨어져 있는 고도로, 원래 갈리아족의 중심지였으나 기원전 47년 율리우스 카이사르에 의해 정복된 뒤 로마 제국의 전략적 요충지와 와인 산지로 발전했다.
로마 시대의 신전과 야외극장 등 지금도 잘 보존된 당시의 유적들이 관광객을 끌고 있다. 특히 20미터 높이의 오벨리스크Obelisk는 마차경주의 반환점으로 사용되었던바, 로마 제국의 위용을 잘 보여준다. 이 로마 시대 유적에서 이름을 따온 라 피라미드는 한때 미슐랭 가이드 3스타 레스토랑이었으며, 라 그랑드 퀴

진La Grande Cuisine(프랑스 고전요리)의 대표적인 식당이었다. 이 식당을 처음 시작한 페르낭 포엥Fernand Point은 프랑스 전설의 요리장인 폴 보퀴즈Paul Bocuse의 스승이기도 하다. 페르낭 푸엥과 폴 보큐스가 타계한 후 현재는 스타셰프 파트릭 앙리루Patrick Henriroux 씨가 미슐랭 2스타 레스토랑의 명성을 이어가고 있다.

론 세곡에서 수확한 과일·채소를 재료로 한 요리와 디저트 그리고 100퍼센트 프랑스산 식재료로 만든 네 종류의 메인 요리를 주문했다. 바삭한 토마토 껍질에 레몬-사프란 소스가 가미된 쇠고기로 만든 메인 요리에 맞춰 내일 방문할 와이너리 E. 기갈E. Guigal의 코트-로티 라물린Côte-Rôtie La Mouline 2003 빈티지를 주문했다. 몇 년이 흘렀는데도 보랏빛 루비색에 흰 꽃 향, 카시스, 블랙라즈베리, 토스토, 캐러멜과 제비꽃 향이 어우러진 화려한 질감이 오랫동안 입안에 감돌았다.

세계적 와인 명가, 도멘 E. 기갈

다음 날 아침 일찍 일어나 안개가 자욱한 새벽 포도원에서 농부들이 수작업으로 힘들게 포도를 수확하는 장면을 보았다. 이 장면을 보고 있자니 와인이 더욱 소중하게 느껴졌다.

D386번 지방도로를 따라 앙퓌에 있는 북부 론 와인의 세계적 명가 E. 기갈E. Guigal 본사에 도착해 독일 와인 수입업자들과 합류하여 방대한 지하 와이너리 시설을 둘러보았다. 1946년 E. 기갈을 설립한 에티엔 기갈Etienne Guigal이 갈로-로만 시대 전부터, 그러니까 2,400년 동안 와인을 생산해온 이 역사적인 포도밭에 둥지를 튼 것은 이 지역의 잠재성을 간파했기 때문이다.

◀ 북부 론의 앙퓌에서 묵었던 민박집. 야외 수영장 너머로 론강이 보인다.(위)
비엔에 있는 프랑스 고전 요리 식당 라 피라미드에서 서빙한 다양한 치즈들이 풍요롭게 느껴진다.(아래)

FATTON

사실 코트-로티는 E. 기갈의 혁신적인 노력이 없었다면 지금도 에르미타주의 명성에 가려 평범한 시골 와인으로 취급받았을 것이다. E. 기갈은 지금까지의 전통적인 방법을 탈피, 코트-로티 지역의 최고 크뤼에서 재배한 포도를 엄선해 자체 생산한 새 오크통에서 3~4년간 숙성하는 과감성을 보였다. 여기에 단일 포도원 이름을 명시하여 에르미타주에 비견되는 명품 와인을 탄생시켰다. 현재 마르셀 기갈이 가업을 이어받아 아들 필리프 기갈과 함께 비달 플뢰리Vidal Fleury, 장 루이 그리파Jean Louis Grippat 도멘과 발루이Vallouit 도멘을 매입하고, 1995년에는 론강가에 위치한 샤토 앙퓌Chateau Ampuis도 매입하여 세계적인 와인 메이커로 성장시켰다.

앞에서 설명하였듯이 론 와인은 보르도나 부르고뉴와 달리 AOC 이외 별도의 등급체계를 가지고 있지 않지만, 실제로 고급 와인들은 특별한 포도원이나 싱글 빈야드 이름을 명기하므로서 일반 AOC 등급 와인과 차별화하고 있다. E. 기갈 역시 코트-로티 포도원에서 라물린la Mouline, 라랑돈느la Landonne, 라투르크la Turque 등 소위 '라라라' 시리즈라는 이름의 최고급 명품 와인을 생산하고 있다. '라라라' 시리즈는 로버트 파커로부터 '100점 만점'을 가장 많이 받은 와인으로 유명하다. 나는 이 중에 시라를 주 품종으로 비오니에Viognier를 배합하여 소량생산하고 있는 라투르크 2010년산 와인을 시음하였다. 42개월간 새 프렌치 오크통에서 숙성한 이 와인은 시라에서 침용된 짙고 어두운 보라색에 딸기류의 붉은 과일 향과 허브, 감초, 후추, 마른 가죽과 젖은 흙냄새의 복합적인 뉘앙스를 통해 주 품종이 무엇이라는 것을 금방 알 수 있었다. 또한 풀 보디임에도 적절한 균형감과 함께 실크처럼 부드러운 텍스처는 가장 이상적인 론 와인의 전형을 보여주

◀ 경사가 심한 북부 론에서 포도 수확은 오직 수작업으로만 가능하다.(위)
손으로 수확한 포도는 경사 때문에 작은 트렉터로 운반해야 한다.(아래)

경사가 60도가 넘는 E. 기갈의 코트-로티 포도밭 전경.

BARGE

E. GUIGAL
2009
CÔTES DU RHÔNE
E. GUIGAL
E. GUIGAL
2015
CÔTE-RÔTIE
BRUNE ET BLONDE DE GUIGAL
E. GUIGAL

었다.

그날 시음에 참여했던 사람들 모두 향후 20년 이상 숙성이 가능하다고 하면서 하나같이 감동하였다. 그러나 이러한 고가의 명품 와인보다는 내가 특별히 E. 기걀 와이너리에 호감을 갖게 된 것은 E. 기걀이 생산한 가장 대중적인 레드와인인 '코트 뒤 론Côtes du Rhône' 때문이다. 이 와인이 무엇보다도 나를 즐겁게 하는 이유는 우리가 흔히 말하는 '가성비'가 좋기 때문이다. 나는 지금도 회사 직원들과의 회식이나 가족 모임이 있으면 주로 이 와인을 준비한다. 그리고 그 결과는 언제나 모든 사람이 만족한다는 점이다. 그것은 이 와인이 갖고 있는 스타일이 론와인의 전형일 뿐만 아니라 우리 음식과 입맛에도 맞기 때문이다.

시음을 마친 후 마을 인근에 E. 기걀이 소유하고 있는 유명한 코트-로티 라물린 포도밭을 찾았다. 포도나무가 없었더라면 풀 한 포기 자랄 수 없었을 60도 이상의 척박한 화강암의 테라스에 펼쳐진 포도밭은 마치 거대한 로마 제국 야외경기장의 관람석처럼 장관을 이루고 있었다. 단순히 자연에 도전한 인간 삶의 현장일 뿐만 아니라 2,400년 동안 이어온 위대한 문화유산이다.

◀ 샤토 E. 기걀의 대표 와인인 코트-로티와 코트 뒤 론. 가운데가 로버트 파커로부터 '100점 만점'을 받은 '라라라' 시리즈의 하나인 코트-로티 라투르크 2010.(위) 론강변 앙퓌에 있는 E. 기걀 와이너리 후원의 풍경이 아름답다.(아래)

아름다운 중세풍 마을과 드넓은 포도원이 어우러져 알자스의 전형적인 전원 풍경을 연출한다.

Alsace

알자스(Alsace)

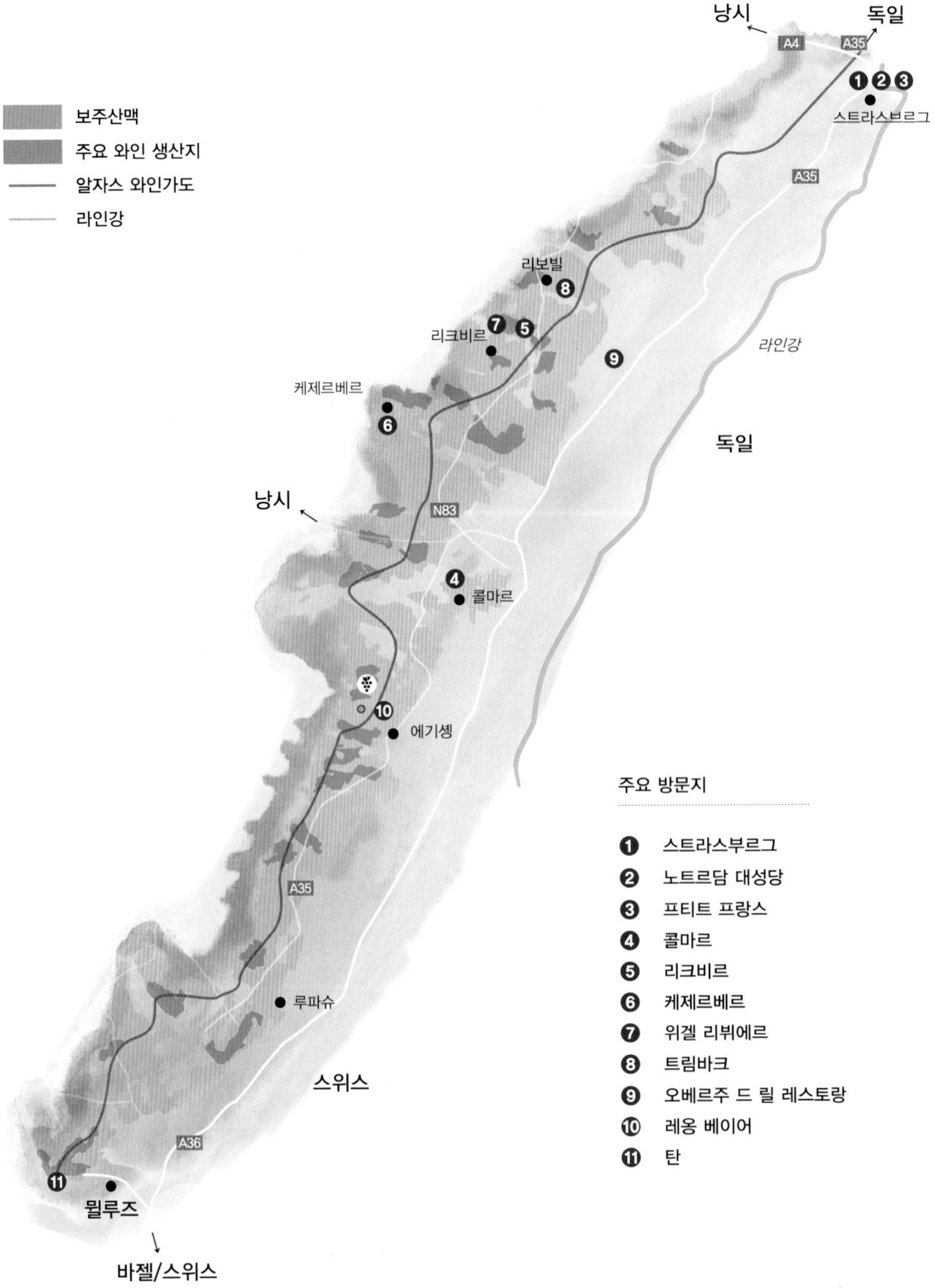

보주산맥
주요 와인 생산지
알자스 와인가도
라인강
낭시
독일
A4
A35
스트라스부르그
리보빌
리크비르
케제르베르
낭시
N83
콜마르
에기셈
A35
루파슈
스위스
A36
뮐루즈
바젤/스위스
라인강
독일
주요 방문지
❶ 스트라스부르그
❷ 노트르담 대성당
❸ 프티트 프랑스
❹ 콜마르
❺ 리크비르
❻ 케제르베르
❼ 위겔 리뷔에르
❽ 트림바크
❾ 오베르주 드 릴 레스토랑
❿ 레옹 베이어
⓫ 탄

굴곡진 역사를 극복한 알자스 와인

로마 제국의 역사 속을 달리는 와인가도

알퐁스 도데의 소설 『마지막 수업』의 배경인 알자스Alsace는 프랑스와 독일 사이에 위치하여 주인이 계속 바뀐 슬픈 역사를 가지고 있다. 카이사르의 『갈리아 전기』에 따르면 기원전 58년 카이사르는 최초로 라인강을 넘어온 게르만족을 축출했는데, 당시의 격전지가 알자스 지방이다. 이때 양쪽 군대가 이동했던 도로가 지금 내가 달리고 있는 낭만적인 알자스 와인가도La Route des Vin d'Alsace라고 생각하니 고대 역사의 현장에 있는 듯 묘한 흥분감이 밀려왔다.

그후 기원전 55년, 카이사르의 군대는 라인강과 모젤강이 합류하는 코블렌츠Coblenz까지 진격해 세계 최초로 라인강을 횡단하는 목재다리를 10일 만에 건설했다. 이 다리를 통해 그의 정예 군단은 게르만족을 라인강 건너 깊숙한 내륙까지 축출했다. 이때부터 제2차 세계대전까지 알자스의 주인은 국제분쟁의 결과에 따라 무려 열일곱 번이나 바뀌었다. 이러한 역사의 굴곡 속에서도 알자스인은 로마 시대부터 지금까지 여전히 변하지 않은 그들만의 문화와 정신을 굳건히 지켜오고 있다.

천혜의 자연 조건과 지정학적 위치가 만들어낸 알자스의 와인산업

알자스 지역은 지정학적으로는 독일이나 스위스에 더 가깝지만, 행정구역은 알자스-로렌Alsace-Lorraine이라는 프랑스의 영토이다. 알자스 방문은 파리에서 TGV로 스트라스부르그Strasbourg나 콜마르Colmar로 가거나, 스위스의 취리히에서 자동차로 바젤을 거쳐 알자스 와인가도를 따라 북쪽으로, 독일의 프랑크 프르트에서 독일 와인가도Weinstraße를 따라 남쪽 알자스로 가는 방법이 대표적이다.

나는 이번에도 프랑크푸르트 공항에서 출발하여 독일 와인가도에 있는 팔츠Pfalz 지방의 바드 뒤르크하임Bad Dürkheim에서 하루를 묵은 후 알자스 와인가도를 타고 남쪽에 있는 알자스의 주도인 스트라스부르그와 와인산업의 중심지인 콜마르로 향했다. 바드 뒤르크하임은 알자스의 와인가도와 연결된 독일의 와인가도 바인슈트라세의 중심마을이다.

바인 스트라세는 남쪽의 알자스와 인접해 있는 슈바이겐Schweigen까지 약 80킬로미터나 길게 뻗어 있다. 바드 뒤르크하임은 세계에서 가장 큰 오크통 레스토랑인 바드 뒤르크하임 파스Bad Dürkheimer Fass로 유명하다. 이곳에서 저녁과 팔츠의 드라이 타입 리스링 와인을 시음했는데, 음식이나 와인의 스타일이 알자스와 여러 가지로 유사하였다. 다음 날 스트라스부르그를 향해 독일의 와인가도를 달릴 때 차창 밖 풍경이나 건축 양식의 차이를 프랑스 국경을 통과한 후에도 느낄 수 없었다. 그것은 아마도 앞에서 설명한 역사적인 배경 때문이리라.

핑크색 사암으로 유명한 스트라스부르그

스트라스부르그는 신석기·청동기·철기 시대의 유물이 모두 발견될 정도로 역사가 오래된 도시다. 기원전 3세기에 갈리아 사람들이 시장을 만들면서 도시의

가장 큰 오크통 모양의 레스토랑 바드뒤르크하임 파스.(위)
북쪽의 독일 와인가도에서 남쪽의 스위스 국경까지 길게 뻗어 있는 아름다운 알자스의 와인가도.(아래)

etite France

스트라스부르그의 그랑드일의 프티트 프랑스의 동화 같은 정경.

역사가 본격적으로 시작되었으며, 로마 제국 첫 황제이자 카이사르의 양자인 옥타비아누스Octavianus의 아들 드루수스Drusus가 요새를 지으면서 로마 제국에 포함되었다. 이후 주로 독일과 프랑스의 관계에 따라 주인이 수없이 바뀌어왔다. 독일식 이름인 '슈트라스부르크'로도 잘 알려진 이유도 이 때문이다.

오랜 역사만큼 볼거리도 많다. 스트라스부르그에 머무르는 동안 나에게 가장 인상적이던 곳은 스트라스부르그 노트르담 대성당Cathedrale Notre Dame de Strasbourg과 시내중심에 있는 그랑딜Grande-ile 섬에 있는 프티트 프랑스Petite France였다. 대성당은 화려한 조각과 장미창으로도 유명하지만, 인근 보주산에서 가져온 붉은 사암으로 지은 핑크빛 외벽이 압권이었다. 프티트 프랑스는 라인강의 지류로 스트라스부르그 시를 관통하는 일Ill강 중심의 작은 섬과 수변의 오래된 알자스풍의 아름다운 목조건물들이 잘 보존되어 있는 곳이다. 파스텔톤으로 치장한 아기자기한 가옥들이 수면과 어우러진 모습은 영락없이 동화 속의 풍경이다. 두 장소 모두 유네스코에 등록된 세계문화유산이다. 알자스의 와인가도에는, 북쪽으로는 독일 국경과 접한 마를렝하임Marlenheim으로부터 남쪽으로는 스위스와의 국경 근처의 도시인 탄Thann에 이르기까지, 67개의 주요 와인 산지가 분포하고 있다. 그 길이는 무려 170킬로미터에 달한다.

서쪽으로는 보주Vosges산맥이, 동쪽으로는 독일을 사이에 두고 라인강 상류가 완만하게 흐르고 있으며, 남쪽은 스위스와 접경을 이루고 있다. 알자스의 광활한 포도밭은 보주산맥의 동쪽 언저리에서부터 라인강까지 비스듬히 형성된 고도 175~420미터 구릉지에 발달해 있다. 이러한 천혜의 지형으로 인해 고온 건조한 대륙성 기후와 자연스러운 배수 그리고 풍부한 일조량을 갖게 되었다. 또한 석회질, 사암, 점토질, 편암, 화강암 등 다양한 토양으로 구성되어 있어 복합적인 풍미를 가진 알자스만의 개성 있는 와인을 생산할 수 있다.

스트라스부르그의 노트르담 대성당. 보주산에서 채석한 붉은 사암의 벽면이 아름답다.
성당의 정면으로 장미창과 아치의 고딕식 조각 장식이 현란하다.(아래)

콜마르에 있는 프티트 베니스의 풍경. 아름다운 운하 위에서 사람들은 음식을 먹으며 이야기를 나눈다.

2019년 알자스의 와인 총 생산량은 약 1억 2,100만 병이다. 그중 70퍼센트가 AOC 와인이고, 4퍼센트가 알자스 그랑 크뤼 Alsace Grand Cru, 26퍼센트가 크레망 달자스Crémant d'Alsace라는 스파클링 와인이며, 90퍼센트가 화이트와인이다. 피노 누아로는 레드와인과 크레망 달자스 로제를 생산한다. 현재 알자스 그랑 크뤼로 지정된 와인은 총 51개이다.

유럽인들이 제일 선호하는 여행지 알자스

와인 외에도 아름다운 건축과 맛있는 음식은 알자스의 또 다른 자랑거리이다.
알자스 와인 여행은 와인의 중심도시라고 할 수 있는 콜마르에서 시작하는 것이 좋다. 콜마르는 9세기경에 건설된 이후 13세기에 신성로마제국의 자유도시국가가 되는 등 알자스의 파란만장한 역사와 함께해왔다. 스트라스부르그에서 남쪽으로 64킬로미터 떨어진 곳에 위치한 콜마르는, 라인강까지 운하로 연결되어 있어 한때 알자스 와인 수출의 중심지이기도 했다. 보주산맥의 영향으로 연중 평균 강수량이 550밀리미터에 불과할 정도로 프랑스에서 가장 건조한 도시이다.
호텔에 여장을 풀고 인근 와이너리를 방문하기 전에 콜마르의 구시가지와 운하 지역을 먼저 둘러보았다. 많은 전쟁을 겪으면서도 중세의 건축물들이 잘 보존되어 있다. 거리는 오랜 역사와 전통을 지닌 레스토랑, 아름다운 간판들, 한 집 건너 문을 열고 있는 와인 가게들로 활기가 넘쳐흐른다.
기하학적으로 이루어진 목조건물half-timbered house, 붉은빛이 감도는 옅은 핑크색의 보주산에서 채석한 사암으로 지은 중세 독일의 고딕풍과 르네상스 그리고 18세기 이후 프랑스의 고전주의 양식이 어우러진 오래된 건물들, 그 사이로 흐르는 '프티트 베니스Petite Venise'라는 운하를 보면서 나는 이곳이 세계에서 가장 낭만적인 도시라고 생각했다. 그리고 왜 알자스가 유럽 사람들이 그토록 가고 싶어 하

300년이 넘은 라메종 데 테트 호텔.(위)
알자스의 화이트와인 잔. 과일 향이 강한 와인에 걸맞은 모양을 하고 있다.(아래)

관광객으로 붐비는 대표적인 와인마을 리크비르의 포도 수확철 거리 풍경(9월).
15세기경 건축된 독특한 목조건물들을 보기 위해 많은 관광객들이 모여든다.

LE PARADIS
OURS COLLECTION
CERAMIQUE
OUVERT
SOUVENIRS D'ALSACE
LINGE DE TABLE
PELUCHES
CADEAUX
POTERIE
JOUETS

estaurant
HOTEL
HOTEL
BAR

관광객으로 붐볐던 와인마을 리크비르의 겨울철(1월) 한산한 거리 풍경.
같은 장소에서 촬영한 앞 페이지의 풍경과 너무나 대조적이다.

는, 선호도 1위의 여행지인지 이해할 수 있었다.

알자스 지방에서는 대부분 가족을 중심으로 가업을 승계해왔기 때문에 레스토랑이나 와인 숍, 심지어 유명 와이너리도 보르도처럼 규모가 큰 샤토가 아니라 세대를 이어온 중세의 작은 목조건물들에 자리 잡고 있다.

모서리가 닳아 울퉁불퉁한 돌로 포장된 골목길을 따라 중세의 아름다운 목조건물들과 어우러진 간판들을 하나하나 감상하며 천천히 걷는 것도 또 다른 즐거움이다. 그 건물들의 간판은 크지도 않고 규격이 통일되지도 않았지만, 하나같이 여행객을 사로잡는 예술적 디자인이다.

알자스의 와인가도를 따라 형성된 마을들은 모두 아름답지만, 콜마르에서 북쪽으로 30분 정도 달리면 중세의 모습이 제대로 보존되어 있는, 아름다운 와인마을인 케제르베르(Kaysersberg)와 리크비르(Riquewihr)가 나온다.

케제르베르는 와인 이외에도 중세의 건축물, 르네상스 건축 양식과 분수 그리고 13세기에 세워진 고성 등 아름다운 유적들이 많아 관광객이 항상 몰리는 곳이다. 그러나 무엇보다도 1952년 노벨 평화상을 수상한 알베르트 슈바이처 박사의 고향이어서 더욱 매력적으로 다가왔다.

리크비르는 알자스를 대표하는 위겔(Hugel) 와이너리의 본사가 있는 마을인데, 알자스의 51개 그랑 크뤼 지역 중 쇠넨부르크(Schoenenbourg)와 스포렌(Sporen)의 중심에 위치해 있다.

알자스의 또 다른 자랑거리는 먹을거리가 풍부하고, 세계적인 레스토랑이 많다는 것이다. 콜마르 구시가지에 있는 17세기에 세워진 라메종 델테토(La mansion del tetto) 식당도 좋았지만, 트림바흐 와이너리의 오너 트림바흐 씨의 소개로 갔던 오베르주 드 릴(Auberge de L'ill) 식당에서 1989년 '월드베스트 소믈리에'로 선정된 세르주 뒤브(Serge Dubs) 씨로부터 직접 와인 서빙을 받았던 저녁도 잊을 수 없다. 그가

15세기에 지은 오래된 건축물 안에 있는 콜마르의 와인 숍.

12

알자스의 포도밭 풍경은 겨울에도 서정적이다. 콜마르 북쪽 리보빌레 근교의 전경.

일뢰즌에 있는 미슐랭 가이드 3스타 레스토랑인 오베르주 드 릴 식당 전경.
가장 알자스적인 풍경이다.

방한하여 와인 전문가들 사이에 화제가 된 적이 있을 정도다. 뒤브 씨는 1976년부터 수석 소믈리에로 이 식당에서 일하고 있다.

오베르주 드 릴은 1968년부터 미슐랭 가이드 3스타 레스토랑이자 프랑스에서 가장 유명한 식당 중의 하나이다. 리보빌레에서 A35번 고속도로를 벗어나 불과 30분이면 도착할 수 있는 한적하고 평화로운 작은 마을 일뢰즌Illhaeusern에 있다. 목가적인 풍경 속 강가에 위치한 이 식당은 애벌린Haeberlin 가족이 100년 넘게 운영하고 있다. 음식값이 비싸다고들 하지만, 시설과 식자재 그리고 서비스를 생각하면 한국의 음식값에 비해 오히려 합리적인 가격이다. 특히 와인 애호가들에게 좋은 점은 국내에서는 찾기 어려운 세계의 모든 명품 와인을 와인 전문숍 이상으로 보유하고 있으며, 가격 때문에 망설여지는 꿈의 와인을 반값에 마실 수 있다는 점이다.

세계 와인 명가 협회의 멤버, 위겔 와이너리

콜마르에서 아침 일찍 D-10번 와인가도를 따라 위겔의 본사가 있는 리크비르 마을을 찾았다. 위겔 와이너리에 도착하여 미리 와 있던 독일인 방문객들과 함께 와인셀러를 구경하였다.

1672년에 건설된 고색창연한 목조건물의 지하 저장고

위겔 포도원. 멀리 경사진 포도밭 위를 달리는 관광용 트램이 보인다.

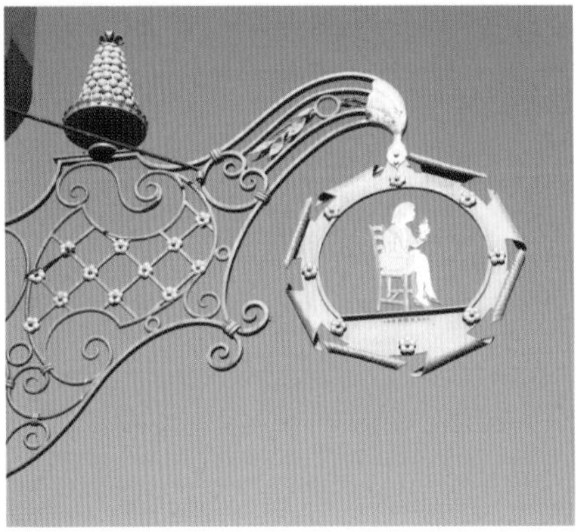

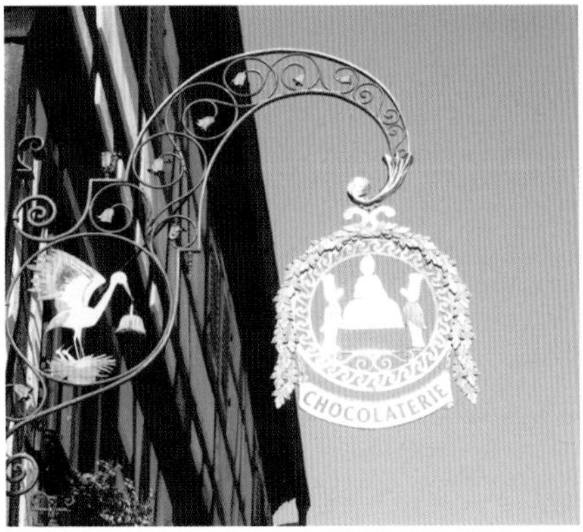

예술적 간판들의 향연이 펼쳐지는 알자스의 거리에서도 위겔 와이너리 간판은 단연 독보적이다.
맨 위쪽이 위겔 와이너리 간판이다.

에는 위겔이 자랑하는 100년이 넘은 오크통들이 있고, 아직도 그것들을 발효통으로 사용하고 있었다. 특히 1715년에 제작되어 '생트 카트린Ste. Catherine'으로 명명된 오크통은 현재 사용하고 있는 세계에서 가장 오래된 오크통으로 기네스북에 기록되어 있다.

위겔 와이너리는 1639년부터 12대에 걸쳐 100퍼센트 가족 중심의 무차입 경영과 고집스러운 품질 관리로 알자스의 와인산업 부흥에도 크게 공헌하였다. 1년에 약 11만 상자를 생산하며, 그중 80퍼센트를 수출하고 있다. 리크비르 지역의 65에이커의 최고 테루아에서 자신들의 묘목원에서만 가져온 포도나무로 리슬링Riesling, 게뷔르츠트라미너Gewürztraminer, 피노 그리, 피노 누아 품종만 경작하며, 일일이 손으로 수확한다. 포도나무는 70년령까지 있으며, 최고 품질을 얻기 위해 알자스 평균 수확량의 3분의 2 정도만 수확한다고 한다.

세컨드 와인은 생산하지 않고 있으며, 품질 평가에서 불합격한 와인은 벌크로 일반 양조장에 판매한다. 각 포도 품종의 신선한 개성을 유지하기 위해 커다란 오크통에서 발효 후 즉시 병입하여 평균 2년 이상 숙성시킨 후 출하한다. 이렇게 생산된 와인은 세계의 알자스 와인 애호가들을 감동시키고, 유럽의 미슐랭 가이드 3스타 레스토랑의 와인 리스트에도 단골이 된다. 위겔은 세계적 명품 와인을 생산하는 와인 명가 협회Primum Familiae Vini(PFV)의 멤버이기도 하다. 포도원을 둘러보고 난 후 그 유명한 위겔의 간판이 걸려 있는 셀러 도어에서 시음 시간을 가졌다. 시음 와인 중에는 상큼하고 드라이하면서도 스파이시한 게뷔르츠트라미너가 오랫동안 기억에 남았다. 알자스를 대표하는 이 와인의 '게뷔르츠Gewürz'는 독일어로 '매운 맛'이라는 뜻인데, 이 때문에 우리나라의 한식과 어울린다고들 이야기한다. 그러나 게뷔르츠트라미너의 스파이시한 맛은 일반적으로 우리가 생각하는 매운맛이 아니라, 일종의 후추 향이라고 할 수 있다. 이 포도 품종

위겔의 포도밭에 있는 리스링 포도나무를 배경으로 한 리슬링 와인.(위)
1715년부터 사용한 생트 카트린 오크통. 세밀한 문양과 장식에서 기품이 느껴진다.(아래)

은 알자스에서도 가장 귀하게 취급되며, 피노 누아처럼 재배하기도 까다로운 품종이다.

500년 역사에 빛나는 트림바크 와이너리

리크비르에 위겔 와이너리가 있다면 리보빌레Ribeauville 마을에 위치한 트림바크Trimbach도 알자스를 대표하는 세계적 와인을 생산하는 유명한 와이너리다. 리보빌은 위나비르Hunawihr 마을을 지나 바로 이웃에 있는 비교적 큰 마을이다. 세 개의 고성이 보이는 리보빌레에는 가이스베르크Geisberg, 커크베르크 드 리보빌레Kirchberg de Ribeauvillé 그리고 오스터베르크Osterberg 등 세 곳의 그랑 크뤼 지역이 있다. 트림바크 와이너리에 도착하니 나 때문에 휴가 중에 돌아온 오너 위베르 트림바크Hubert Trimbach 박사가 반갑게 맞아주었다. 트림바크 와이너리 역시 1626년에 설립된 이후 현재까지 트림바크 가문이 12대에 걸쳐 가족 중심의 경영체제를 유지하고 있으며, 위베르 트림바크와 베르나르 트림바크Bernard Trimbach 형제가 운영하고 있다.

트림바크가 세계적인 와인으로 명성을 얻게 된 것은 1898년 브뤼셀에서 개최된 국제 전시회에서 최고상을 수상하면서부터였다. 트림바크는 최대한 신선한 자연 상태의 아로마를 가진 와인을 만들기 위해 스테인리스 탱크에서 발효하고 병입 후 숙성시켜 '더 트림바크 스타일The Trimbach Style'이라는 와인을 탄생시켰다.

트림바크의 또 다른 자랑거리는 알자스에서 최고 품질의 리슬링 와인을 생산하는 위나비르에 있는 클로 생트 윈Clos Sainte Hune 포도밭을 소유하고 있다는 점이다. 이곳에서 생산한 와인을 시음하였는데 복합적인 풍미가 가히 환상적이었다. 와인을 생산한 지 7년 정도 지나야 최고조에 달한다고 하였다. 하지만 1.3헥타르의

트림바크 와이너리의 전경. 개성 넘치는 중세풍 건물들이 흥미롭다.

4302 VY 68

트림바크 와이너리에서 숙성 중인 토카이 피노 그리.(위)
와인 시음 후 트림바크의 오너 위베르 트림바크 박사와 함께.(아래)

테루아에서 로마네 콩티처럼 1년에 겨우 7,000병 정도만 생산한다는 사실이 아쉬웠다.

알자스 와인의 쇠락과 7대 포도 품종

500년 동안 알자스의 와인산업은 이곳의 역사만큼이나 파란만장하다. 알자스는 중세였던 12세기부터 16세기까지 양이나 질 면에서 보르도에 뒤지지 않는 유럽에서 가장 값비싼 고급 와인의 생산지였고, 이때가 알자스 와인산업의 황금기였다. 그것은 천혜의 자연 조건과 철저한 품질 관리로 저급 와인은 자체 소비하고, 장기 숙성을 통해 수출용 고급 와인을 별도로 생산하는 알자스인의 장인정신이 있었기 때문에 가능했다.

뿐만 아니라 당시 유럽 남부 지방의 대부분을 지배했던 아랍 세력 덕분에 북유럽의 와인 수요를 알자스가 독점적으로 전담하게 되는 정치적 행운이 뒤따랐기 때문이었다. 오늘날 우리가 중세의 건물들이 줄지어 있는 이 아름다운 알자스의 와인가도를 즐길 수 있는 것은 당시 와인 생산자들이 부를 축적하여 건설한 문화유산 덕분이라고 할 수 있다.

그러나 알자스 와인산업은 17세기부터 제1차 세계대전이 끝난 1918년까지 근 3세기 동안 이 지구상에서 영원히 사라질 뻔한 긴 암흑의 시간을 보내야만 했다. 1618년부터 1648년까지 30년 동안 이어진 비극적인 종교전쟁과 흑사병으로 인구가 10퍼센트만 남았고, 전쟁 중의 약탈과 주인 없는 땅을 찾아 스위스에서 넘어온 이민자들로 알자스는 폐허가 되었다. 종교전쟁 중에 설립된 트림바크 와이너리의 12대손인 트림바크 박사에 따르면 가장 아름다운 와인마을 중 하나인 리크비르의 경우 전쟁 전이던 1610년 인구가 2,245명이었는데, 1636년에는 74명이었다고 하니 그 당시 전쟁과 질병의 피해가 얼마나 극심하였는지 짐작할

알자스의 대표 품종의 하나인 리슬링.(위)
알자스 지방 최고 품질의 와인을 만드는 게뷔르츠트라미너 포도송이.(아래)

수 있다.

제1·2차 세계대전이 끝난 후부터 알자스인들은 미텔비르Mittelwihr 지역을 중심으로 과거의 영광을 되찾기 위한 알자스 와인의 르네상스 운동을 전개했다. 젊은 이들에게는 알자스 와인에 대한 열정과 자존심을 끊임없이 심어주고 철저하게 교육해 전문가를 양성했다. 그래서 오늘날 세계적인 알자스의 와이너리는 대부분 세대를 이어오는 가족 중심의 와이너리다. 이 기간 동안 알자스인들은 우선 알자스의 테루아에 맞는 포도 품종을 찾았다. 그것이 바로 오늘날 알자스 지방의 일곱 가지 대표 품종인 실바너Silvaner, 리슬링, 토카이 피노 그리Tokay Pinot Gris, 피노 블랑Pinot Blanc, 뮈스캬 달자스Muscat d'Alsace, 게뷔르츠트라미너 그리고 피노 누아이다.

끊임없는 연구와 시행착오를 거쳐 450년을 이어온 전통적인 양조기법과 새로운 기술을 접목해 50년 만에 과거의 영광을 재현시키는 데 성공했다. 그 결과 1962년에 정부로부터 알자스 AOC, 1975년에 알자스 그랑 크뤼 AOC, 1976년에 크레망 달자스 AOC 등급을 인정받았다. 1984년에는 가지에서 건조되어 당도가 농축된 포도를 수확해 만든 방당주 타르디브Vendange Tardive와 귀부병이 걸린 포도로 만든 셀렉시옹 드 그랭 노블Sélection de Grains Nobles이라는 최고급 스위트 와인을 탄생시켜 알자스 와인의 영광을 재현하였다.

알자스 와인의 부활과 도멘 레옹 베이어

레드와인이 건강에 좋다는 프렌치 패러독스의 영향으로 상대적으로 화이트와인의 소비가 감소한 듯 보였지만, 그런데도 왜 알자스 와인이 여전히 와인 애호가들에게 많은 사랑을 받고 있는지 생각해보았다. 나는 콜마르 근교 남쪽 와인가

BEAUVILLÉ

겨울철 안개에 뒤덮인 콜마르 북쪽 리보빌 근교의 몽환적인 풍경이 한 폭의 동양화를 연상케 한다.

도인 에기셈Eguisheim에 위치한 또 다른 알자스의 대표 와이너리인 도멘 레옹 베이에Domaine Léon Beyer를 방문하면서 그 답을 얻을 수 있었다.

일찍이 미식가 관련 단체에서 활동해온 레옹 베이어 가문의 와인철학은 '드라이 와인! 음식에 어울리는 와인! 테루아를 대표하는 와인!'을 만드는 것이었다. 그것은 동시에 알자스 와인이 추구하는 목표이다.

실제로 레옹 베이어에서 시음을 하며(방당주 타르디브와 셀렉시옹 드 그랭 노블은 제외) 알자스 와인의 진정한 스타일이 무엇인지 다시 한 번 실감할 수 있었다. 알자스 화이트와인의 특징은 과일 향이 강하게 느껴지고 아로마가 풍부하면서 전체적인 풍미가 매우 섬세하지만, 기본적으로 드라이한 맛을 가졌다는 점이다. 이것이 어떤 음식과도 잘 어울릴 수 있는 비결이다. 스위트 와인은 혀에 쉽게 침투하여 음식 고유의 맛을 느끼지 못하게 하기 때문에 음식과 함께 즐기기에는 적당하지 않다. 그래서 와인의 맛은 드라이해야 한다. 스위트한 독일의 모젤 리슬링Mosel Riesling보다 알자스 화이트와인이 우리 한식뿐만 아니라 생선류 및 아시아 요리와 좋은 페어링을 이룰 수 있을 것이다.

마지막으로 와인은 자기가 태어난 테루아의 성격을 반영하는 정체성을 가지고 있어야 한다. 자칫 이 지구상에서 사라져버릴 위기에 처했던, 500년에 달하는 알자스 와인의 영광의 부활은 바로 이 테루아에 맞는 일곱 개의 대표 포도 품종을 개발했기 때문에 가능했을 것이다.

지난 겨울 나는 알자스의 아름다운 모습을 카메라에 담기 위해 다시 한 번 이곳을 찾았다. 와인마을 위크비르에 넘쳐흐르던 그 많던 관광객은 오간 데 없고, 호텔과 상점 들은 문을 닫았다. 한낮인데도 마을에서는 인적을 찾을 수 없었지만 중세에 지어진 건물들은 여전히 화려했고, 겨울비와 안개에 뒤덮인 포도밭은 쓸쓸하긴 했지만 몽환적인 풍경을 연출했다. 아마도 "겨울이 오면 봄이 멀지 않으

도멘 레옹 베이에 와이너리에서 시음한 다양한 종류의 알자스 와인.

리라"라고 노래한 퍼시 비시 셸리P. B. Shelley의 시처럼, 알자스인들은 더 좋은 와인을 꿈꾸며 봄을 기다리고 있기 때문일 것이다.

피레네산맥이 지중해와 맞닿아 있는 편암석 테라스 위, 척박한 땅에 조성되어 있는 포도밭이 장관이다.
멀리 보이는 곳이 바니울스 항구다.

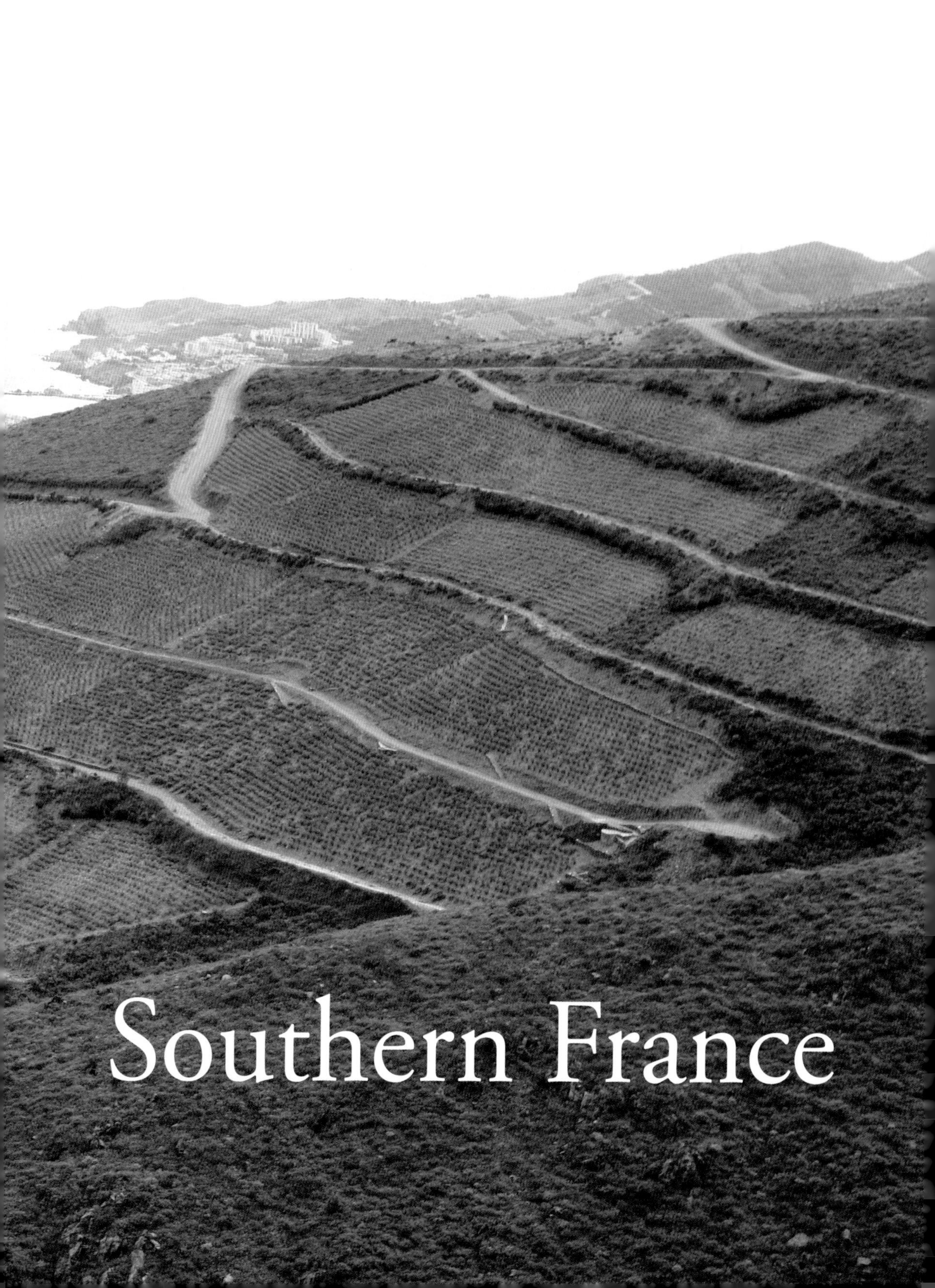

Southern France

남프랑스(Southern France)

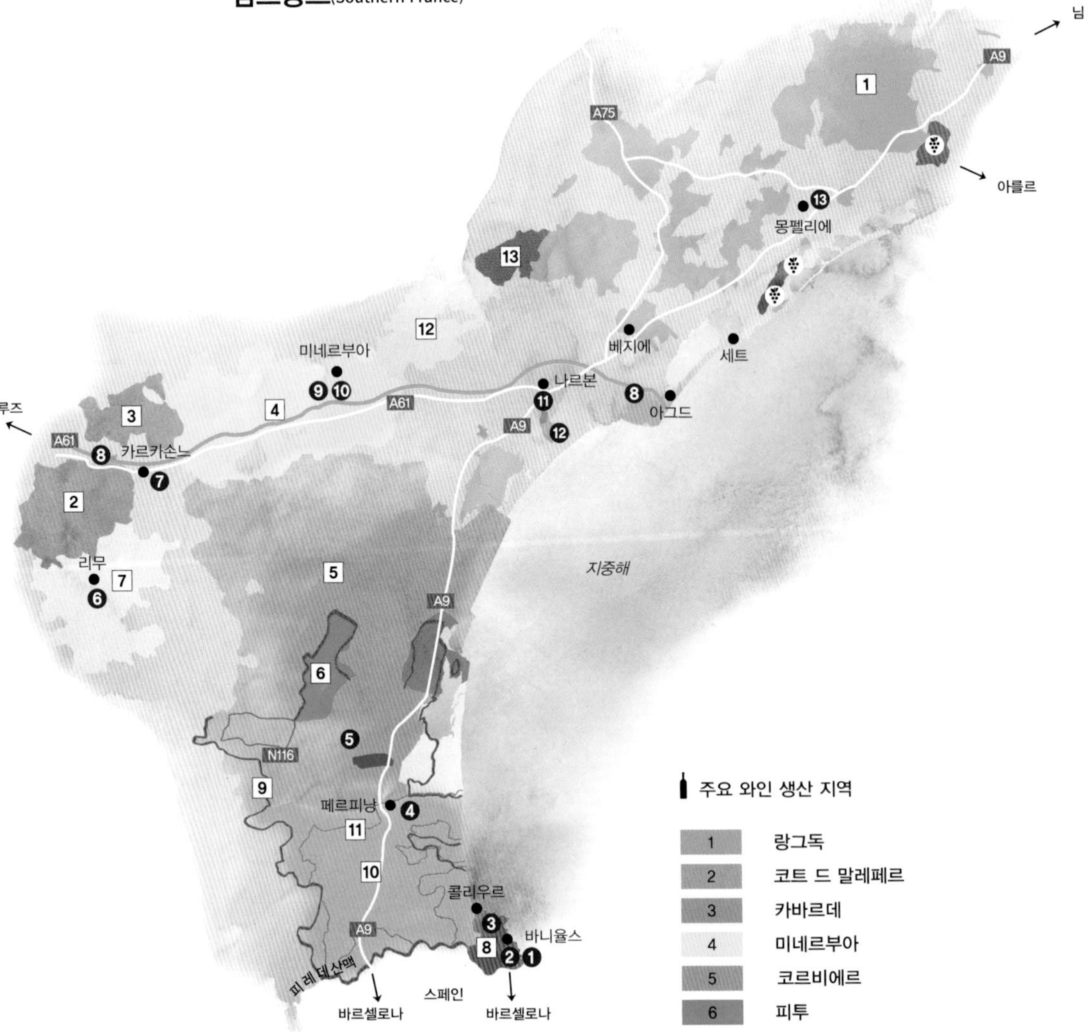

주요 방문지

1. 바니율스
2. 아베 루스
3. 콜리우르
4. 페르피냥
5. 도멘 카즈
6. 리무
7. 카르카손느 성
8. 미디 운하
9. 미네르브
10. 샤토 쿠프-로즈
11. 나르본
12. 제라드 베르트랑
13. 몽펠리에

주요 와인 생산 지역

1	랑그독
2	코트 드 말레페르
3	카바르데
4	미네르부아
5	코르비에르
6	피투
7	리무
8	바니율스/콜리우르
9	리브잘트/뮈스캬 드 리브잘트
10	코트 뒤 루시옹
11	코트 뒤 루시옹 빌라쥬
12	생-쉬냥
13	포제르
	기타 와인 생산 지역
	미디 운하

프랑스 최대의 와인 산지 남프랑스

AOC 통합으로 새롭게 태어난 남프랑스 와인

중동발 석유 파동이 있기 전, 한때 원유가가 생수 가격보다 싼 적이 있었다. 그렇다면 물보다 싼 와인도 있을까? 결론부터 말하자면 있다. 이렇게 싼 와인은 대부분 남프랑스산 와인이다. 지금도 프랑스 시골 슈퍼마켓이나 파리 근교의 대형 할인점에서는 2유로 전후의 와인을 판매하고 있다.

남프랑스는 흔히 프로방스를 포함한 남쪽 지방을 말하지만, 와인 생산 지역으로는 남부 론에서부터 스페인-프랑스 국경이 있는 피레네Pyrénées산맥까지, 지중해에 접한 세계에서 제일 넓은 와인 산지인 랑그독Languedoc과 루시용Roussillon 지방을 말한다. 이곳 역시 프로방스처럼 고온건조하면서 강수량이 적은 지중해의 기후, 풍부한 일조량과 다양한 토양으로 와인 생산에 좋은 환경이다.

프랑스 전체 와인의 30퍼센트 이상을 생산하는 남프랑스는 대부분 값싼 3등급 와인인 뱅드페이Vin de Pays의 산지로, 프랑스 전체 뱅드페이 생산량의 70퍼센트 이상을 담당하고 있다. 이 지방 와인 생산자들은 일찍이 질보다는 양을 추구하여, 남프랑스는 한때 프랑스 저질 와인 생산지의 대명사였다. 이러한 문제를 해결하기 위해서 프랑스 정부는 오랜 진통 끝에 2007년 5월에 랑그독과 루시용 지방을 하나

바니율스 항구의 저녁노을. 천연 감미 와인인 뱅뒤나튀렐로 유명한 곳이지만,
석양이 물든 마을의 경관까지 일급이다.

로 묶어 남프랑스 와인 생산 지역(랑그독 AOC)이라는 단일 AOC로 통합했다. 엄격한 품질등급제도를 통해 이 방대한 지역에서 프랑스 와인의 명성에 걸맞은 양질의 와인을 생산하도록 독려하기 위해서이다.

남프랑스는 현재 동쪽에서부터 가르Gard, 로제르Lozère, 에로Hérault, 오드Aude, 서쪽 스페인-프랑스 국경지대인 피레네조리앙탈Pyrénées-Orientales까지 다섯 개 주로 구분되어 있다.

나는 남프랑스 지방을 효과적으로 방문하기 위해 먼저 마르세이유에서 해안 도로를 따라 스페인-프랑스 국경이 있는 피레네조리앙탈 지역의 어촌마을 바니율스Banyuls의 와인 산지를 둘러본 후 내륙 지방의 와인 산지를 거쳐 다시 마르세이유로 돌아오는 일정을 잡았다.

지중해 해안선을 따라 13세기에 설립된 의과대학으로 유명한 와인산업의 중심도시 몽펠리에Montpellier, 17세기까지 스페인 영토였던 루시용의 중심도시 페르피냥Perpignan을 거쳐 스페인-프랑스 국경도시인 바니율스까지 하루종일 달렸지만 아름다운 풍광 때문인지 크게 피곤하지는 않았다. 차창 밖에서는 쪽빛 지중해가 넘실거리고, 끝없이 펼쳐진 포도밭 너머, 작렬하는 태양을 머금은 원색적인 옥시탕의 풍경들이 펼쳐진다. 수많은 예술가들이 이곳을 찾은 이유를 알 수 있을 것 같았다.

뱅뒤나튀렐의 메카, 바니율스

석양이 지중해를 물들이고 있을 때 목적지인 스페인-프랑스 국경도시 바니율스에 도착하였다. 기원전 4세기부터 갈리아인과 그리스인에게 점령당했던 이 조그마한 어촌은 한때 카르타고 제국의 영웅 한니발 바르카Hannibal Barca 장군이 그

최고 품질의 바니율스 뱅뒤나튀렐을 생산하는 아베 루스 와이너리 본사.

오랜 세월 동안 편암석이 풍화되어 자갈밭 토양이 되어가는 모습.(위)
피레네산맥이 지중해와 맞닿아 있는 불모의 편암석 자갈밭 테라스에 조성된 바니율스의 척박한 포도밭 모습.(아래)

의 코끼리 부대를 이끌고 지나갔던 곳으로 알려진 역사적인 곳이다. 중세에는 템플Templars 기사단에 의해 와인 생산으로 자유와 번영을 누렸으나 12세기부터 스페인의 아라곤 제국을 거쳐 다시 프로방스 왕국의 영토가 되었다가 1659년 프랑스에 합병되는 등 알자스 지방만큼이나 역사적으로 파란만장한 곳이다. 오늘날 바니율스는 최고 품질의 천연 감미 와인인 뱅뒤나튀렐과 지중해의 해양 스포츠 관광지로 유명하다.

미슐랭 가이드가 추천한 엘머스 레스토랑이 마침 내가 묵고 있던 호텔에 있어서 이곳에서 저녁을 먹었다. 유럽 여행을 할 때 식당에서 자주 겪는 어려움은 "어떻게 하면 제대로 음식을 주문할 것이냐?"와 음식을 기다리는 인내이다. 언어가 통하지 않아 옆 테이블의 도움을 받아 비프스테이크를 주문했는데, 뜻밖에 나온 요리는 쇠고기 육회였다. 참기름 대신 올리브기름으로 맛을 낸 육회를 맛보면서 이곳에도 우리나라처럼 육회가 있다는 사실을 알게 되는 좋은 경험을 했지만, 다 먹지는 못했다.

바니율스의 대표 와이너리 아베 루스

과일 향이 살아있는 뱅뒤나튀렐의 양조 방식

다음 날 아침 소펙사SOPEXA가 주선해준 이 지역을 대표하는, 14세기 아베 루스Abbe Rous 수도승에 의해 설립된 아베 루스 와이너리를 방문했다. 현재 이 와이너리는 이 지역 750군데의 포도 재배자와 함께 1,150헥타르에서 바니율스-콜리우르Collioure AOC 와인을 생산하고 있다.

콜리우르는 레드와인과 로제와인으로 유명하다. 뱅뒤나튀렐의 제조법은 1298년 몽펠리에 대학의 유명한 의사였던 아르노 드 빌라노바Arnau de Vilanova 박사가 뮈타주Mutage 법을 발견하면서 개발되었다. 포르투갈의 포트 와인과 유사하지만, 뮈타주 법은 발효 중인 와인에 알코올(5~10퍼센트)이나 아황산가스를 첨가하여 발효를 중단시킨다. 이는 발효가 끝나지 않은 당분을 잔류시켜 높은 알코올 함유량(15~25퍼센트)에도 살아있는 과일 향과 복합적인 풍미를 갖게 하는 스위트 와인 양조 방식이다.

시음 전에 먼저 포도밭을 방문했는데, 피레네산맥이 지중해에 맞닿은 해안 절벽, 불모의 편암석 자갈밭 테라스에서 100년 이상 살아가고 있는 포도나무들의 모습이 처절하게 느껴졌다.

이곳의 포도 품종은 그르나쉬가 대세지만 이곳 기후와 토양에 적합한 카리냥, 생소, 무르베드르, 시라, 픽풀Picpoul 등도 재배하고 있다. 포도밭 주위에 프랑스에서는 볼 수 없는 코르크 참나무Quercus suber 군락지가 있는 것을 보니 이곳이 한때 스페인 영토였다는 것이 실감이 났다. 코르크 마개의 원료인 코르크 참나무의 원산지는 북서아프리카와 스페인, 포르투갈이다. 이 나무의 수령은 150~250년인데, 심은 지 25년이 되면 첫 번째 채취가 이루어지고, 매 10~12년마다 추가로 채취할 수 있다. 코르크 참나무는 결국 인간에게 최소 열두 번의 코르크 원료를 선물한 후 생을 마감하는 셈이다.

코르크 참나무의 일생

최근에는 신세계 와인 생산국을 중심으로 플라스틱이나 스크루 마개 등의 대체품 사용이 늘고 있어 연간 340만 톤에 달했던 거래량이 점점 줄어들고 있다. 그러나 숙성할 필요 없이 바로 마실 수 있는 화이트와인이나 레드와인을 제외하면 와인 애호가들은 여전히 코르크 마개를 선호한다. 와인이 숨을 쉴 수 있다는 장점뿐만 아니라, 오래된 와인의 코르크 마개를 조심스럽게 여는 과정도 하나의

채취를 끝낸 참나무 코르크.(위) 세 번째 코르크가 채취된 흔적이 있는 코르크 참나무.(아래)

바니율스 아베 루스 와이너리의 포도밭에 있는 교회당.
교회 뒷편 나무들이 코르크 참나무이다.

PRODUCT OF FRANCE
BANYULS GRAND CRU
APPELLATION D'ORIGINE CONTRÔLÉE
1 9 9 5
MIS EN BOUTEILLE À LA PROPRIÉTÉ
Cuvée
CHRISTIAN
Reynal
VIN DOUX NATUREL

2
27 hl 00
23 hl
BANYULS
gd CRU 2008

문화이기 때문이다.

시음은 중세 템플 기사단이 사용했다던 별도의 셀러에서 이루어졌는데, 뱅뒤나튀렐뿐만 아니라 일반 와인을 포함해 총 열세 종류의 와인을 맛보았다. 이 중 대표 와인이라고 할 수 있는 바니율스 그랑 크뤼Banyuls Grand Cru 1998과 퀴브 조셉 나달 바니율스 그랑 크뤼Cuvée Joseph Nadal Banyuls Grand Cru는 드라이 타입이며, 100퍼센트 그르나쉬로 무려 8년간 오크통에서 숙성시킨 후 병입하여 지하 셀러에서 다시 숙성하는, 연 생산량 4,700병에 불과한 귀한 와인이다.

구릿빛을 띤 바니율스 그랑 크뤼

호박색, 에메랄드그린색, 엷은 구릿빛을 띤 이 와인에서는 스파이시한 밀랍 향 다음에 피어오르는 산화된 란치오rancio 아로마를 느낄 수 있었다. 입안에서는 브랜디 맛과 함께 견과류와 말린 감초의 풍미가 오랫동안 지속되었다. 안내를 맡았던 마케팅 이사인 루피아 씨가 포도원에서 한 이야기가 뱅뒤나튀렐의 향기처럼 오랫동안 가슴에 남았다.

"이곳 '테루아의 진정한 혼'을 보여주기 위해 포도나무는 편암 깊숙이 뿌리를 내리고 있습니다."

이 와인은 숙성시킨 육류뿐만 아니라 염소젖치즈, 블루치즈에 잘 어울리며, 심지어 다크초콜릿, 시가와 함께 즐길 수도 있다. 아쉬운 점은 이 와인을 전문 와인 숍이나 레스토랑에만 독점 공급하고 있기 때문에 프랑스 밖에서는 좀처럼 맛보기 힘들다는 점이다.

◀ 최고 품질의 천연 감미 와인 뱅뒤나튀렐의 1995년산 바니율스 그랑 크뤼.(위)
뱅뒤나튀렐이 숙성되고 있는 대형 오크통.(아래)

야수파가 탄생한 작은 항구 콜리우르

뱅뒤나튀렐 와인의 메카 바니율스에서 북동쪽으로 D114번 해안 도로를 따라가다 보면 지중해를 향해 펼쳐진 깎아지른 듯한 경사지에 포도밭이 펼쳐져 있는 모습을 보게 된다. 그곳을 지나면 이윽고 고성과 중세의 건물들이 있는 작은 항구 마을이 나온다. 이 항구가 현대 미술사에 새로운 지평을 연 야수파의 탄생지인 콜리우르이다. 이 작은 어촌은 루시용 지방에서 가장 인기 있는 여름철 관광지 중 하나이며, 레드와인과 로제와인으로 유명한 콜리우르 AOC 와인 산지의

내가 시음했던 바니율스-콜리우르 와인들. 왼쪽 두 번째가 뱅뒤나튀렐인 퀴브 조셉 나달 바니율스 그랑 크뤼 1998.

중심지이다.

때마침 도착한 시간이 늦은 오후였는데, 저녁노을에 붉게 물든 지중해와, 핑크색을 띤 고색창연한 성채와 건물들이 환상적인 풍경을 연출했다. 야수파가 이곳에서 태동할 수 있었던 이유를 알 것도 같았다. 1905년, 색의 마술사 앙리 마티스Henri Matisse와 앙드레 드랭André Derain이 이 멋진 풍경들을 야성적인 색깔로 표현하면서 야수파가 탄생하였다.

야수파의 그림은 20세기 초 인상주의에 반하여 눈으로 보는 색채보다는 마음으로 느끼는 색채를 추구하며, 밝고 강렬한 원색을 선호한 표현주의의 한 형태였

콜리우르 항구의 해질녘 풍경은 야수파가 태동하기 딱 알맞은 색과 형태의 향연이다.

다. 또한 이 컬러풀한 작은 성채 마을은 파블로 피카소Pablo Picasso, 라울 뒤피Raoul Dufy, 마르크 샤갈Marc Chagall, 알베르 마르케Albert Marquet, 조르주 브라크Georges Braque 같은 대가들이 방문하여 예술적 영감을 얻고 그들의 캔버스에 불후의 명작을 남김으로써 더욱 유명해졌다.

구시가지에 있는 아발 해변에서 야수파의 길을 따라 걸었다. 갈로-로만 시대의 요새 위에 지어진 거대한 마요르카Mallorca 왕국의 여름 별궁이었던 왕성을 지나 해변 끝 옛 등대를 개축해 만든 여성적인 천사의 교회까지. 이 교회는 아름다운 종탑으로 유명하다. 산책길 중간중간에 있는, 야수파 화가들이 그림을 그리던 곳에는 모작과 빈 프레임이 설치되어 있었다. 마티스가 〈열린 창〉에서 표현했던 낯익은 풍경들을 프레임을 통해 직접 바라볼 수 있어 더욱 감동적이었다.

지중해 해안 편암에서 자란 포도로 만든 콜리우르 와인

옛 포구였던 아몬트의 해안 카페에 앉아 정박해 있는, 카탈로니아의 전통에 따라 원색으로 칠한 보트들과 지중해의 석양을 감상하면서 콜리우르 와인을 즐겼다. 하지만 세계에서 가장 유명하다는 이곳 특산물인 콜리우르 앤초비를 맛보지 못한 것이 못내 아쉽다. 콜리우르의 레드와인은 드라이 타입인데, 프랑스 와인보다는 강건한 스페인 와인을 닮았다. 이 와인은 뱅뒤나튀렐로 유명한 바니율스와, 스페인과의 접경지대인 세베르Cerbère, 그리고 그 주변 항구인 포트-방드르Port-Vendres를 연결하는 지중해 해안가의 계단식 편암석으로 이루어진 포도원에서 자란 그르나쉬를 주 품종으로 시라와 무르베드르를 배합하여 만든다.

◀ 콜리우르 근교의 황량한 포도밭. 야성적인 자연이 느껴진다.(위)
콜리우르 AOC 와인 산지인 스페인 국경, 지중해 연안의 고도 콜리우르의 환상적인 풍경. 가운데 그림은 앙리 마티스와 함께 1905년 이곳에서 야수파를 태동시킨 앙드레 드랭 작품의 모작이다.(아래)

콜리우르 AOC 와인의 중심지인 콜리우르 포구에서 석양을 기다리고 있는 관광객들.
뒷편에 웅장한 옛 마요르카 왕국의 여름별궁이 보인다.

바이오다이나믹 농법에 대해 열정적으로 설명하고 있는 도멘 카즈의 사장 리오넬 라베일 씨.

루시용 지방의 대표 와이너리, 도멘 카즈

루시용 지방의 또 다른 대표적인 뱅뒤나튀렐 산지는 리브잘트Rivesaltes이다. 콜리우르에서 북쪽으로 페르피냥을 지나 약 60킬로미터 떨어져 있는 리브잘트는 특히 알렉산드리아 뮈스카에 뮈스캬 블랑을 배합하여 만든 뮈스캬 드 리브잘트Muscat de Rivesalte로 유명하다.

이 지역의 대표적인 와인 메이커인 도멘 카즈Domaine Cazes를 방문했다. 1895년에 설립한 가족 중심의 이 와이너리는 현재 루시용 지역에서 가장 질 좋은 뱅뒤나튀렐과 드라이 타입의 스틸 와인을 5대째 생산하고 있다. 특히 이 와이너리는 220헥타르의 포도밭에서 바이오다이나믹 농법으로 포도를 재배하고 있는데, 이는 프랑스에서 가장 큰 규모이다.

젊은 사장인 리오넬 라베일Lionel Lavale 씨의 초청으로 와이너리 안에 있는 레스토랑에서 점심을 먹었다. 훤칠한 키에 배우처럼 잘생긴 그는 와인과 바이오다이나믹 농법 그리고 루시용의 역사와 문화에 관해서 열정적으로 설명했다. 레스토랑에서 사용한 식자재도 모두 유기농 식품이라고 했다. 루시용 지방이 지금껏 스페인도 프랑스도 아닌 자신들만의 언어와 문화를 가지고 있다는 것에 대한 자부심이 대단했다. 그것을 증명해 보이듯, 그의 셔츠에는 루시용의 심볼인 빨간색과 노란색의 스트

도멘 카즈에서는 포도를 압착하지 않고 포도알 자체를 발효시키기 위해 고르기 작업을 한다.

라이프 문양이 붙어 있었다.

포도알 자체로 발효시키는 방식

식사를 마치고 와인셀러를 둘러본 후 예술적으로 리모델링한 2층 방에서 각각 두 종류의 레드와인과 스위트 와인을 시음했다. 최근 중국에 수출해 좋은 반응을 얻고 있다는 에고Ego 레드와인은 드라이 타입의 풀 보디로, 압축된 과일 향과 스파이시하면서도 부드러운 타닌의 복합적인 풍미가 좋았다. 연평균 일조량이 무려 325일에 달하고 석회암 점토의 토양으로 이루어진 이곳의 특징을 잘 보여주고 있다. 그러나 무엇보다도 포도를 압착하여 발효시키는 일반 양조법과 달리 포도알 자체를 발효시키는 독특한 양조법이 강건하면서도 풍부한 과일 향을 함께 표현한 개성 있는 와인의 요체라고 생각되었다.

마지막으로 시음한 뱅뒤나튀렐인 빈티지 에메 카즈Aimé Cazes 1978은 세계 100대 와인으로 여러 차례 선정된바 있는데, 그 관능적인 풍미를 지금도 잊을 수가 없다. 무려 22년 동안 오크통에서 숙성시킨 후 병입한 다음 다시 10년 더 숙성시켰다. 30년이 지난 이 와인에서는 캐러멜·초콜릿·커피·오렌지 껍질의 복합적인 부케와 시나몬·감초의 맛을 신선한 산도와 함께 느낄 수 있다. 그르나쉬 블랑Grenache blanc을 주 품종으로 그르나쉬 누아Grenache noir와 그르나쉬 그리Grenache Gris, 마카뵈Macabeu를 배합하여 만들었는데 원래의 포도의 향을 거의 느낄 수 없었다. 그 이유는 와인 제조 과정의 하나인 숙성의 중요성을 통해 설명을 대신하고자 한다.

흔히들 와인과 친구는 오래될수록 좋다고 한다. 그러나 정작 와인의 세계에서는 오래된 것이 항상 좋은 것은 아니다. 와인의 숙성 기간은 와인의 종류(레드, 화이트, 로제, 스위트 등), 생산지와 테루아, 포도 품종, 수확 연도인 빈티지, 와인을 구

22년 동안 오크통에서 숙성시킨 도멘 카즈의 대표 와인 에메 카즈 1978. 세계 100대 와인에 선정된바 있다.(위)
도멘 카즈에서는 풍부한 과일 향을 품은 강건한 와인을 만들기 위해 포도알 자체를 발효시키는 양조법을 사용하고 있다.(아래)

성하고 있는 알코올, 타닌, 산도, 당도에 따라 결정된다.

오래된 와인이 반드시 좋은 와인인가

프랑스 와인의 경우 빈티지나 품질 등급에 따라 다르지만, 부르고뉴 레드와인은 최소 3년에서 20년까지, 보르도 레드와인은 3년에서 50년까지, 론 지방 레드와인은 1년에서 20년까지 보관할 수 있다. 가장 오래 보관할 수 있는 와인은 스위트 와인인데, 보르도의 소테른 지역의 샤토 디켐과 쥐라의 뱅 존Vin Jaune은 100년까지, 남프랑스의 뱅뒤나튀렐은 50년까지 보관이 가능하다.

숙성 기간이 지난 와인은 오래된 김장 김치처럼 산화되거나 색깔과 구조감이 사라진 힘없는 액체로 변하고 만다. 따라서 일반 와인 애호가들은 와인 잡지나 전문가들이 시음을 통해 만들어놓은 빈티지 차트를 참고해 와인이 최고의 맛에 도달했을 때 마시는 것이 좋다. 와인을 구매할 때도 바로 마실 것인지 보관(숙성)할 것인지에 따라, 용도에 맞게 구입해야 한다.

보관할 때는 와인 냉장고나 별도의 보관시설을 갖추고 있어야 한다. 최적의 와인 보관 환경은 일정한 습도(70퍼센트 내외)와 온도(섭씨 12도 내외), 빛이 차단되고 안정된 곳이며, 냄새를 제거하기 위해 적절한 환기도 필요하다.

숙성하는 동안 레드와인의 색깔은 보랏빛을 띤 적색에서 벽돌색으로, 화이트와인은 옅은 녹색에서 황금빛 밀짚색으로, 스위트 와인은 황금색에서 호박색으로 변한다. 초기의 포도 품종에서 우러나는 아로마(1차 향)는 차차 바닐라 · 마른 가죽 · 버섯 · 견과류 등의 부케(2차 향)가 복합적으로 형성되면서 변한다. 햇와인의 거친 타닌, 강한 알코올과 신맛은 벨벳처럼 부드럽고 미묘한 풍미로 바뀐다. 내가 맛보았던 에메 카즈 1978은 바로 이런 숙성이라는 과정을 통해 탄생한 진정한 예술품이었다.

옥시탕 와인 미네르부아

카르카손느의 비극

남프랑스 와인산업에서 역사적으로 중요한 역할을 했던 미디 운하Canal du Midi와 유럽 최대 성채마을을 방문하기 위해 페르페냥에서 피레네산맥의 북쪽 고원을 관통하는 D118번 도로를 따라 카르카손느Carcassonne로 향했다. 카르카손느까지는 160킬로미터의 여정이었는데, 다음 일정 때문에 세계 최초로 스파클링 와인을 만든 리무Limoux를 그냥 지나친 것이 못내 아쉬웠다.

미디 운하는 현재 운영하고 있는 운하 중 유럽에서 가장 오래된 것으로, 17세기에 건설되었다. 시인 폴 발레리Paul Valéry의 고향이자 '랑그독의 베네치아'라고 불리는 지중해의 미항 세트Sète에서 카르카손느를 경유하여 툴루즈Toulouse까지 241킬로미터에 달하는 운하이다. 19세기에는 툴루즈에서 보르도까지 연결하는 193킬로미터 길이의 갸론느 운하Canal de Garonne가 건설되었고, 지중해와 대서양을 연결하는 장장 434킬로미터의 역사적인 되 메르 운하Canal des Deux Mers도 완성되었다.

미디 운하의 건설은 카타리파Catharism(12세기에 프랑스 남부에서 생겨난 기독교의 교파)와 옥시탕Occitan 문화(오크어 혹은 프로방스 방언을 사용한 랑그독의 토착 문화)의

카르카손느 성채도시 안에 있는 중세의 골목길 모습.

대서양과 지중해 사이의 전략적 요충지에 있는 카르카손느 성. 로마 시대에 만들어진 요새 위에 세워진 이 성 안에는 유럽 최대의 성채도시가 있다. 카르카손느 성은 유네스코에 등록된 세계문화유산이다.

본거지인 랑그독 지역의 경제 발전과 루이 14세의 왕권 강화를 위한 정치적 목적으로 추진되었다. 당시 이 지역에서 생산된 상품들을 운송하기 위해서는 반드시 스페인의 지브롤터Gibraltar 해협을 통과해야 했는데, 미디 운하 덕분에 대서양으로 직접 수송이 가능해진 것이다. 실제로 남프랑스에서 생산된 밀, 소금, 옷감과 함께 값싸고 질 좋은 미네르부아Minervois 와인 운송에 미디 운하가 큰 기여를 했다. 당시에는 보르도 와인이 먼저 판매되고 부족할 경우에 대체품으로 값싼 남프랑스 와인이 거래되었다. 이러한 전통 때문에 동부 랑그독 와인이 론 스타일인 데 비해 남프랑스의 와인은 지금도 보르도 스타일에 가깝다.

와인 운송에 이용된 미디 운하

카르카손느에 도착해 바라본 미디 운하의 첫인상은 예상보다는 작다는 것이었다. 그러나 평화롭고 아름다운 전원 풍경은 퍽 인상적이었다. 실제로 운하의 최대 깊이는 2미터, 폭은 16~20미터에 불과하다. 교통수단이 발달한 오늘날에는 화물 수송보다는 관광과 보트 운항이 주 수입원이라고 한다. 미디 운하 선착장에서 바라본 언덕 위로 우뚝 솟아 있는 카르카손느 성채의 웅장함은 보는 이를 압도하는 듯했다.

카르카손느는 오드강을 경계로 좌안인 생루이 지구La

17세기에 건설된 남프랑스 와인의 주요 수송로인 미디 운하. 현재 운영하고 있는 운하 중 유럽에서 가장 오래된 운하로, 유네스코에 등록된 세계문화유산이다.

Bastide Saint Louis와 우안인 중세풍 마을La Cité Médiévale로 나뉘는데, 일반적으로 '카르카손느 성' 하면 중세풍 마을 쪽을 말한다. 로마 시내에 건설된 요새 위에 세워진 카르카손느 성은 5세기에 이베리아 반도와 남프랑스를 지배한 서고트족에 의해 건설되었고, 대서양과 지중해 사이에 위치한 전략적 요충지였다. 특히 13세기에 일어난 비극적인 카타리파 대학살 사건의 중심에 있었다.

카타리파는 1209년부터 1229년까지 20년 동안 프랑스 남부에서 교세를 확장하고 있었는데, 카타리파를 이단으로 규정한 교황 인노첸시오 3세가 창설한 알비주아albigeois 십자군과의 전투에서 패하고 말았다. 그 결과 이 지역에서 무려 100만 명이 넘는 사람들이 단지 종파가 다르다는 이유만으로 죽어갔다. 이 카르카손느 성에서만 하룻밤에 6,000명이 넘는 카타리파 사람들이 화형에 처해졌고, 나머지는 옷이 벗겨진 채 성 밖으로 쫓겨났다. 이 전쟁으로 많은 성곽 시설 또한 파괴되었으나 19세기에 현재의 모습으로 복원되었다. 사시사철 관광객이 넘쳐나며 미디 운하와 함께 유네스코에 세계자연유산으로 등록되었다. 나는 52개의 탑과 이중 성벽으로 둘러싸인 성채에서 그림같이 펼쳐진 아름다운 밀밭과 포도밭을 보며 비극적인 사건을 잠시라도 망각하고 싶었다.

프랑스에서 가장 아름다운 마을 미네르브

카르카손느에서 동쪽에 있는, 옛 로마군의 원정길인 도미티아 가도를 달리는 베지에 카르카손느 고속도로와 D206번 지방도로를 타고 에그비브 마을로 빠져나와 급경사의 좁은 고원도로를 지나면 경이로운 작은 중세풍 마을이 눈앞에 펼쳐진다. 이곳이 남프랑스에서 가장 강건하고도 전형적인 랑그독 와인인 미네르부아 AOC 생산 지역의 중심 마을 미네르브Minerve이다. 고색창연하고 아름다운 중세풍 마을이지만, 이곳 역시 비극적인 역사를 가지고 있다.

샤토 쿠프-로즈 와이너리의 셀러 입구. 작은 규모지만 전통이 느껴진다.(위)
샤토 쿠프-로즈 와이너리의 오너 칼베즈 여사가 자신의 포도밭에서 포즈를 취하고 있다.(아래)

비극적인 역사를 간직하고 있는 중세에 건설된 요새마을 미네르브의 전경.

미네르브는 강으로 둘러싸인 천혜의 요새마을로 1210년 6월에 알비주아 십자군의 공격을 맞이했고, 7월 22일까지 카타리파였던 수비대 200명이 용감히 싸웠으나 마을의 주요 수원인 우물이 파괴되어 항복했다. 마을 주민 중 가톨릭으로의 개종을 끝까지 거부한 카타리파 140명이 화형에 처해졌다고 한다. 물론 이 사건과 관련하여 물 길러 다니던 마을 처녀가 십자군과 사랑에 빠져 우물의 비밀을 발설해 마을이 쉽게 함락되었다는 '낙랑 공주와 호동 왕자' 같은 이야기도 전해져온다.

나는 주차장에 차를 세우고 마을로 연결된 다리를 건너 미슐랭 가이드에 랭크된 레스토랑 샹토방Chantovent에서 점심을 먹었다. 테라스에 앉아 빛나는 태양과 상쾌한 공기, 핑크빛을 띤 중세풍 건물, 그림 같은 포도밭과 올리브밭 풍경을 바라보고 있으니, 이곳이 파라다이스처럼 느껴졌다. 이 마을은 프랑스에서 '가장 아름다운 마을Les Plus Beaux Villages de France' 중 하나로 선정되어 있다.

미네르부아 와인, 샤토 쿠프-로즈 와이너리

점심을 마치고 전형적인 미네르부아 와인을 만들고 있다는 샤토 쿠프-로즈Château Coupe-Rose를 찾았다. 와이너리에 도착하니 오너인 프랑수아 르 칼베즈Françoise le Calvez 여사가 직접 기다리고 있었다. 미네르부아 와인의 역사는 유럽 다른 지역 와인들과 마찬가지로 기원전 1세기 이곳을 정복한 로마군에 의해 본격적으로 시작되었다. 북쪽 몽타뉴 누아르 산자락 아래에 위치한 45헥타르의 작은 규모인 이 와이너리는 1614년부터 포도를 재배해왔으며, 이 땅을 물려받은 칼베즈 여사가 1987년에 설립했다.

이곳의 전통과 현대적인 양조기술을 접목하여 진정한 옥시탕 문화가 녹아 있는

샤토 쿠프-로즈 와이너리의 포도송이에 있는 메뚜기. 유기농 포도임을 알려주는 정령인 듯하다.(위)
샤토 쿠프-로즈 와이너리에서 시음한 와인들. 왼쪽에서 두 번째가 대표 와인인 미네르부아 오리앙스 2006이다.(아래)

남프랑스 와인산업의 중심지이며 젊은이의 도시인 몽펠리에의 코메디 광장. 뒤에 보이는 아름다운 건축물이 오페라코메디이다.(위) 샤토 쿠프-로즈가 있는 오래된 와인마을의 골목길 풍경에서 랑그독의 옥시탕 문화를 엿볼 수 있다.(아래)

명품 와인을 만들겠다는 일념으로 시작했다고 한다. '쿠프-로즈'라는 명칭은 가족이 소유하고 있던 타일 공장에서 사용한 원료인 연한 핑크색을 띤 흙, 쿠프-로즈에서 유래했다고 한다.

자연과 인간이 빚어낸 연금술

포도원은 해발 250~450미터의 고도에 위치해 온도 편차가 커 포도를 천천히 익게 하므로 와인에 필수적인 산도와 아로마가 풍부하다. 토양은 단단한 편암, 석회암 지반 위에 진흙으로 이루어져 있다. 주 품종은 시라, 그르나쉬와 카리냥이다.

시음이 끝날 때쯤 "와인에서 진정한 옥시탕 문화가 무엇입니까?"라고 묻자, 칼베즈 여사는 "미네르부아의 테루아에 맞는 품종 재배, 환경과 생태계를 보존하기 위한 유기농법, 인간의 간섭을 최소화한 양조 방식을 통해 미네르부아의 전통을 잇는 와인을 다음 세대에 넘기는 것입니다. 그런 의미에서 샤토 쿠프-로즈의 와인은 자연과 인간이 오랜 대화를 통해 빚어낸 복합적인 연금술의 산물이지요"라고 답했다.

대표 와인이라고 할 수 있는 미네르부아 오리엔앙스Minervois Orienans 2006을 포함하여 레드와인 네 종을 시음했는데, 지금까지 맛보았던 보르도 스타일에 가깝지만, 한편으로 확연히 구별되는 맛이 공통적이었다. 거칠면서도 더 야성적인 자연의 맛이라고나 할까? 그것이 옥시탕 문화의 특징인 모양이다. 그런데 내게는 경이로운 미네르브 마을 풍경과 오버랩되어 지금도 그 감동이 생생히 떠오른다.

노트르담 드 라 갸르드 대성당에서 바라본 마르세이유 항구. 바다 한가운데 성채가 철가면과 몽테크리스토 백작이 갇힌 곳으로 소설 속에 등장하는 샤토 디프 섬이다.

Provence
Corsica

프로방스(Provence)와 코르시카(Crosica)

프로방스 주요 와인 생산 지역

- 1 코트 드 프로방스
- 2 코토 바루아
- 3 레보-드-프로방스
- 4 카시스
- 5 방돌
- 6 코토 덱-상-프로방스
- 7 벨레
- 8 팔레트
- 9 코트 드 프로방스 생트-빅투아르

코르시카 주요 와인 생산 지역

- 1 아작시오
- 2 코토 뒤 캅 코르스
- 3 뱅 드 코르스
- 4 파트리모니오
- 5 칼비
- 6 피가리

주요 방문지

1. 아를르
2. 생레미
3. 빛의 채석장
4. 레보 성
5. 생트-빅투아르산
6. 엑상 프로방스
7. 마르세이유
8. 카시스/방돌
9. 도멘 오트
10. 에즈
11. 앙티브/피카소 미술관
12. 니스
13. 샤갈 미술관
14. 생폴드방스
15. 모나코
16. 망통
17. 장 콕토 미술관
18. 산레모

코르시카 방문지

1. 아작시오
2. 도멘 콩트 페랄디
3. 코르트
4. 바스티아
5. 파트리모니오
6. 칼비

태양의 와인 프로방스

예술적 영감이 샘솟는 프로방스

영화 속 와인은 우리에게 특별한 감명을 준다. 그것은 와인을 사랑하는 주인공들과 음식 문화뿐만 아니라 영화의 배경이 되는 아름다운 포도원이 우리의 눈을 즐겁게 하기 때문이다. 대표적인 와인 영화라 할 수 있는 〈사이드웨이Sideways〉 〈구름 속의 산책A Walk in the Clouds〉과 〈와인 미라클Bottle Shock〉은 모두 미국 캘리포니아의 대표적인 와인 산지 나파 밸리Napa Valley와 샌타바버라Santa Barbara 지역을 배경으로 한 영화다.

〈부르고뉴에서의 1년A year in Burgundy〉과 〈포도밭의 후계자You Will Be My Son〉는 프랑스 부르고뉴 지방과 보르도 지방이 배경이지만, 워낙 스토리가 탄탄해 배경이 되는 포도원보다는 극의 흐름에 집중하게 된다. 그러나 최근 개봉한 〈부르고뉴, 와인에서 찾은 인생Back to Burgundy〉에서는 와인 메이커의 일상을 통해 와인과 와이너리에 대한 사랑과 철학 그리고 가족애를 볼 수 있다. 2017년에 제작된 이탈리아의 코미디 영화 〈더 라스트 프로세코The Last Prosecco〉는 소중한 와인을 지키면서 자연을 보호하는 내용이 담겨 있다.

『아웃 오브 아프리카Out of Africa』의 작가 카렌 블릭센Karen Blixen의 작품을 원작으로

가장 프로방스적인 색깔을 연출한 레보 고성의 기념품 가게.(위)
반 고흐가 〈도개교〉를 그렸던 아를르 근교의 장소에 그의 모작(왼편)이 있다.(아래)

한 영화 〈바베트의 만찬Babette's Feas〉은 춥고 음산한 덴마크의 바닷가가 배경이지만, 음식과 와인을 통해 "예술가는 결코 가난하지 않다"는 특별한 메시지를 남긴 명작이다.

프로방스Provence를 배경으로 한 영화도 많다. 이곳 출신의 극작가 마르셀 파뇰Marcel Pagnol의 영화 〈마르셀의 여름La gloire de mon père〉이나 〈마르셀의 추억Le Château de ma mère〉은 뜨거운 가족애와 함께 프로방스의 자연을 잘 보여주고 있다. 영화 〈마농의 샘Jean de Florette〉이나 에세이 『프로방스에서의 1년A Year in Provence』 역시 보는 것만으로도 이곳의 자연을 만끽할 수 있지만, 프로방스 와인 영화로는 〈어느 멋진 순간A good year〉이 대표적이다.

구름 한 점 없는 푸른 하늘, 작열하는 태양, 노란 황금빛이 일렁이는 해바라기의 물결, 보랏빛 라벤더의 향기가 가득한 대지, 에메랄드 빛깔의 지중해와 하얀 석회암 산들이 연출해내는 풍요로운 자연환경과 프로방스인의 여유로운 일상……. 수많은 예술가들이 새로운 영감과 정신적 치유를 위해 찾은 곳이 프로방스다.

로제와인으로 유명한 프로방스

'프로방스'라는 이름은 원래 로마인이 이 지역을 '로마의 속주Provincia Romana'라고 부르던 것에서 유래했다. 하지만 이미 기원전 7세기에 이탈리아 북부의 리구리아인과 그리스인이 지중해를 통해 정착했기에 프랑스에서는 가장 오래된 문화와 역사를 가지고 있는 지역이다.

이전까지 프로방스 와인은 가격이 저렴하고 맛없는 와인으로 알려져왔으나, 최근에는 프랑스 정부INAO의 노력으로 과일 향과 산도가 조화를 이루고 있는 좋은 와인으로 발전하고 있다. 프로방스를 대표하는 와인은 아름다운 자연과 함께 단연 핑크색의 로제와인이다. 생산량도 프로방스 전체 와인의 50퍼센트 이상을 차지하고 있다. 나는 세계 곳곳의 와이너리를 방문할 때마다 현지에서만 느낄 수 있는 와인의 신선함이 가져다준 특별한 풍미에 언제나 감동하고 있다. 이곳 프로방스에서도 국내에서는 맛볼 수 없었던 신선한 로제와인의 풍미가 지중해의 해물요리와 어우러져 환상적인 궁합을 이루었다. 주요 AOC 생산 지역으로는 가장 넓은 코트 드 프로방스Côtes de Provence, 코토 덱-상-프로방스Coteaux d'Aix-en-Provence와 코토 바루아Coteaux Varois, 중세의 고성과 빛의 채석장으로 유명한 레 보-드-프로방스Les Baux-de-Provence, 지중해 연안에 위치한 화이트와인의 고장 카시스Cassis와 무르베르드Mourvedre로 만든 레드와인으로 유명한 방돌Bandol, 북쪽 내륙에 위치한 피에르베르Pierrevert, 니스 북쪽의 벨레Bellet, 그리고 가장 오래된 역사를 지니고 있는 팔레트Palette 등이다.

반 고흐의 명작들이 탄생한 아를르와 생레미

아를르는 고대부터 그리스인이 세운 문화유산이 풍부한 고도이다. 특히 카이사르의 『내란기Commentarii de Bello Civili』에 의하면, 그는 이곳을 정적 폼페이우스의 속주였던 마르세이유를 함락시킨 후 남프랑스를 통치하는 로마의 거점도시로 발전시켰다. 지금도 구도시 곳곳에 당시 건설된 원형극장 등 로마 유적들이 산재해 있다. 그러나 역시 아를르는 반 고흐를 빼놓을 수 없다. 〈밤의 카페 테라스〉 〈해바라기〉 〈황혼의 밀밭〉 〈옐로 하우스〉 등 수많은 걸작이 그가 1888년부터 아를르에서 지내는 동안 탄생했다. 〈밤의 카페 테라스〉를 그렸던 카페 라뉘를 아

아를르에 있는 유명한 카페 라뉘. 반 고흐가 이곳에서 〈밤의 카페 테라스〉를 그렸다.(위) ▶
고흐가 죽기 1년 전까지 머물렀던 생 폴 드 모졸 정신병원의 중정. 고흐는 이곳에서도 많은 걸작을 남겼다.(아래)

CAFÉ VAN GOGH

L'ATELIER
DES
BAUX - ARTS
Église

레보 고성의 망루에서 바라본 성곽과 마을의 전경이 장관이다.(위) 레보 고성 아래에 있는 낭만적인 고성 마을.(아래)

를르에 머무는 동안 여러 차례 낮과 밤에 걸쳐 찾았지만, 그의 자유로운 영혼을 표현했던 색깔들은 보이지 않았다. 평화로운 교외 풍경을 묘사했던 〈아를르의 도개교〉 현장도 나에게는 왠지 쓸쓸한 풍경으로 다가왔다. 그것은 아를르 시대 그의 고독한 삶이 너무 강력하게 우리의 가슴속에 각인되어 있기 때문이리라.

아를르에서 하루를 묵고 북쪽으로 30킬로미터 떨어져 있는 레보-드-프로방스로 향했다. 이곳은 와인으로도 유명하지만, 고흐가 죽기 1년 전까지 절망과 정신적인 방황 속에서도 가장 활발하게 작품 활동을 했던 생레미에 있는 생 폴 드 모

레보 고성의 석회암 벽 구멍을 통해 본 레보-드-프로방스 지역의 포도밭과 올리브밭 풍경.
자연이 만들어낸 액자와 포도밭의 풍경은 인간이 만들 수 없는 걸작이다.

졸Saint-Paul de Mausole 정신병원이 있는 곳이다. 생 폴 드 모졸 경내와 고대 로마의 유적지인 글라눔Glanum 사이에는 지금도 올리브밭이 있는데, 당시 고흐가 그림을 그렸다고 생각되는 곳에 모작들이 여럿 있다.

프랑스에서 가장 아름다운 보 마을

고흐가 머물던 병실과 중정을 둘러보고 생레미에서 석회암 바위산 고개를 넘어가니 지금까지 볼 수 없었던 전혀 다른 모습의 포도밭이 거대한 석회암 산 아래에 펼쳐졌다. 이곳에서는 그르나쉬, 무르베드르, 시라와 생소를 주 품종으로 힘찬 레드와인, 드라이한 로제와인과 화이트와인으로 유명하다. 특히 이곳의 모든 포도밭은 북쪽 프로방스 고원지대에서 불어온 건조한 미스트랄Mistral 바람 덕택으로 100퍼센트 바이오다이나믹 농법으로 재배하고 있다.

희뿌연 석회암의 척박한 자갈 위에서 생존할 수 있는 농작물이 올리브를 제외하고 또 있을까? 이곳 와인 생산지의 최정상에 있는 난공불락의 레보 성Château des Baux과 '빛의 채석장Carrières de Lumières'은 놓쳐서는 안 되는 관광지다. 레보 성 아래의 11세기에 세워진 고색창연한 보 마을Cite des Baux은 프랑스에서 가장 아름다운 마을로 선정된 곳이기도 하다. 또한 빛의 채석장은 최근 문을 연 제주도의 '빛의 벙커'의 원조다. 폐쇄되었던 채석장

생레미 드 프로방스와 레보-드-프로방스로 사이의 거대한 석회암 산을 배경으로 펼쳐진 포도밭 풍경.

폴 세잔느이 즐겨 그렸던 생트-빅투아르산.
작렬하는 태양 아래 하얀 석회암 산과 녹색빛 포도밭이 눈부시게 펼쳐져 있다.

엑상 프로방스의 미라보 거리에 있는 아름다운 '로통드' 분수.(위) 폴 세잔느의 아틀리에 뒤쪽 언덕에서 바라본 생트-빅투아르산.(왼쪽) 세잔느는 이곳에서 빛에 따라 변하는 생트-빅투아르산의 연작을 그렸다.

의 자연석회암 스크린에 70개가 넘는 빔 프로젝트가 연출한 현란한 빛과 배경 음악의 향연은 비디오 아트Video Art의 결정판이다. 내가 방문한 기간에는 고흐의 그림이 주제여서 더욱 감명 깊었다.

세잔느가 사랑한 생트-빅투아르산 와이너리

폴 세잔느Paul Cézanne가 유난히 사랑했던 생트-빅투아르산Mont Sainte-Victoire 아래에 있는 프로방스 드 빅투아르 포도밭을 방문하기 위해 엑상프로방스에서 하루를

마르세이유의 명물 부이야베스. 지중해에서 나는 각종 어패류를 넣어 만든 해물 수프로 로제와인과 잘 어울린다.

머물렀다. 먼저 세잔느의 화실을 방문한 후에 세잔느의 모작들이 있는 언덕에서 빛에 따라 시시각각으로 변하는 생트-빅투아르산을 보면서 잠시 자연의 신비감에 젖었다.

다음 날 아침 일찍 생트-빅투아르산의 북쪽 기슭을 돌아 산의 가장 멋진 모습을 볼 수 있는 남쪽 포도밭으로 향했다. 18킬로미터에 걸쳐 장대하게 펼쳐진 하얀 빛깔의 거대한 석회암 산인 생트-빅투아르산을 배경으로 거친 자갈밭 포도원의 모습이 숨 막힐 듯한 장관을 연출했다. 마치 지구가 아닌 다른 행성에 있는 것 같았다.

이곳에서는 테루아만큼 개성 있는 와인을 생산하는데, 레드와인과 화이트와인뿐만 아니라 특히 로제와인이 유명하다. 매년 와인 평론가들로부터 프로방스 로제와

지중해의 뮤셈 박물관에서 바라본 '빌라 메디테라라 니' 전시장과 유명한 마조르 대성당.(뒷편) 마르세이유는 과거와 현재가 공존하는 곳이다.

마르세이유에서 가장 높은 언덕에 있는 신비잔틴 양식의 노트르담 드 라 갸르드 대성당. 마르세이유의 수호신이다.
라 갸르드 대성당을 두 번째 방문하였을 때 야외에 있는 예수의 동상 위에 한낮인데도 기적 같은 무지개가 피어올랐다.(오른쪽)

인 중 가장 높은 평가를 받고 있다. 상큼하고 드라이한 맛이 특징인 이 와인은 채소 샐러드와 해물 요리에 잘 어울린다.

프랑스 제2의 도시 마르세이유

프로방스나 코트다쥐르Côte d'Azur를 여행하려는 사람들은 대부분 파리에서 비행기를 이용하여 프랑스 제2의 도시 마르세이유를 거점으로 여행을 시작한다. 마르세이유는 고대 그리스인들이 건설한, 지중해에서 가장 오래된 프랑스의 항구 도시이다. 기원전 49년 로마에 의해 점령된 이후 오늘날까지도 중요한 전략적 요충지이다. 특히 지정학적으로 아프리카와 중동에 근접해 있어 그 지역들의 다양한 문화를 간접적으로 체험할 수 있는 곳이다. 거리 어디에 가나 마치 인종 전시장 같이 다양한 민족과 피부색깔을 접할 수 있다. 오랜 역사만큼 볼거리가 많은 문화예술의 도시이기도 하다. 마르세이유를 한눈에 조망할 수 있는 높은 언덕에 있는, 19세기에 지어진 노트르담 드 라 갸르드Notre-Dame-de-la-Garde 대성당은 마르세이유의 상징이며 수호신이다. 항구에서 2킬로미터 떨어진 바다 위에 떠 있는 샤토 디프Château d'If는 실제로 정치범을 수용하는 감옥이었다. 알렉상드르 뒤마Alexandre Dumas의 소설 『몽테크리스토 백작Le Comte de Monte-Cristo』과 『철가면L'homme au masque de fer』의 무대인 이곳을 방문했던 것도 즐거웠다. 이밖에도 요새 같은 생 빅토르 수

도원Abbaye Saint-Victor이나 신비잔틴 양식의 마조르 대성당 Major Cathedral도 꼭 방문할 만한 곳이다.

그러나 이번 여행에서 내가 방문했던 곳 중 가장 인상적이었던 곳은 문화도시 현대화 프로젝트로 완공된 현대적인 건축물들이었다. 특히 생장 요새Fort Saint-Jean에서 바다 위의 70미터짜리 다리로 연결된 '마르세이유 국립 지중해 문명박물관MUCEM'이 압권이었다. 알제리 출신의 프랑스 건축가이며 우리나라의 선유교를 설계한 루디 리치오티Rudy Ricciotti의 작품이다.

그물 모양의 외관을 가진 이 건축물 내부에서 그물망의 구조물을 통해 환상적인 지중해의 풍경을 감상할 수 있다. 건너편에는 이탈리아의 건축가 스테파노 보에리 Stefano Boeri가 설계한 걸작품이자 지중해 역사 전시관인 '빌라 메디테라라 니Villa Mediterra Nee'가 있다. 현대적인 전시관 너머의 아름다운 마조르 대성당과 구시가지를 한눈에 볼 수 있어 현대와 과거가 공존하는 마르세이유의 새로운 변화를 느낄 수 있다.

나는 오랜만에 마르세이유를 방문할 때마다 들렀던 구항구 주변 뒷골목에 줄지어 있는 레스토랑들 중 한 곳에서 마르세이유의 명물 부이야베스Bouillabaisse와 시원한 프로방스 로제와인을 주문하였다. 부이야베스는 각종 지중해산 해물로 만든 걸쭉한 수프지만, 우리 동양인의 입맛에도 맞는 음식이다.

프로방스 최고 품질의 와인을 생산하는 도멘 오트의 클로 미레이으 와이너리.
이 와이너리는 암포라 모양의 와인병으로 유명하다.

프로방스 와인의 롤스로이스, 도멘 오트

마르세이유 동쪽 인근 해안에 위치한 카시스와 방돌은 프로방스에서 가장 질 좋은 와인을 생산하는 지역이다. 그중 프로방스 와인의 롤스로이스라고 알려진 도멘 오트Domaines Ott를 방문하기 위해 마르세이유에서 해변길을 따라 동쪽으로 향했다. 프랑스에서 가장 높은 절벽 아래, 석회석 토양의 포도원이 있는 카시스와 최고의 무르베드르 산지인 아름다운 항구 방돌을 거쳐 지중해 연안에 있는 라롱드 레모르La Londe les Maures에 있는 도멘 오트의 클로 미레이으Clos Mireille 와이너리에 도착했다. 알자스 출신인 설립자 마르셀 오트는 지중해에 대한 열망을 품고 1896년 이곳에 와이너리를 설립하고, 최고 가격과 최고 품질의 전형적인 프로방스 와인을 생산하는 와인 명가로 성장시켰다. 특히 그의 와인은 고대 그리스의 와인 항아리인 암포라를 연상시키는 병 모양으로 유명하다.

해안가 포도밭과 현대적인 건물의 와이너리를 둘러본 후 클로 미레이으 2007 화이트와인, 코트 드 프로방스 방돌Cotes de Provence Bandol 2008 로제와인 그리고 방돌Bandol 2004 레드와인을 시음했다. 내 관심 대상은 로제와인이었는데, 적절한 산도와 타닌의 균형 잡힌 구조감이 우선 인상적이다. 장미꽃·블랙커런트 향과 드라이한 질감 속에서도 신선한 과일 향을 느낄 수 있다.

가장 프로방스적인 로제와인

많은 와인 애호가들이 아직도 로제와인을 가벼운 바캉스와인으로 취급하는 경향이 있다. 그러나 로제와인이야말로 레드와인과 화이트와인의 약점을 보완하는 훌륭한 가교 역할을 한다고 강조해 말하고 싶다.

'태양의 와인'이라 불리는 프로방스의 최상급 로제와인은 생소, 무르베드르, 그

도멘 오트 와이너리의 스테인리스로 만든 최신 발효 탱크. 탱크 자체에 자동 온도 조절 장치가 설치되어 있다.(위)
도멘 오트는 고대 암포라 형태의 독특한 와인병으로 유명하다.(아래)

코트다쥐르의 절경 마시프 드 레스트렐산맥. 지중해변에 펼쳐진 붉은 바위산이 숨 막히는 풍경을 연출한다.

석양 무렵의 세계적인 휴양지 니스 해변가 풍경. 문화와 예술의 도시이기도 하다.

르나쉬나 카리냥 같은 전형적인 지중해의 적포도 품종으로 만든다. 껍질이 검은 적포도라도 과육은 하얗기 때문에 주스 압착 과정에서 껍질을 재빨리 제거하면 화이트와인을 만들 수 있다. 레드와인이 발효 과정에서 일정 기간(보통 1~2주) 동안의 껍질의 침용을 통해 색깔과 충분한 타닌을 우려내는 데 반해, 로제와인은 단지 몇 시간 동안의 침용에 따라 다양한 핑크색과 타닌의 함유량이 결정된다.

따라서 로제와인은 화이트와인에는 없는 적절한 타닌과 구조감이 있으며, 레드와인의 지나친 무게감에 비해 가볍고 신선한 산도와 과일 향을 가진다는 장점이 있다. 무엇보다 부이야베스 등 지중해의 해물 요리와 샐러드, 스튜, 양다리까지 프로방스의 전형적인 요리와 함

니스 북쪽 벨레에 있는 포도원. 가파른 언덕에 소규모로 산재해 있다.

해발 427미터에 위치한 요새마을 에즈. 코트다쥐르의 아름다운 해안과 쪽빛 지중해가 그림 같다.

께 즐기면 매혹적인 핑크빛 로제와인은 더욱 빛을 발한다.
지금도 프로방스는 누구나 꿈꾸는 힐링의 땅이다. 수많은 예술가들이 여전히 그곳에서 자유로운 영혼을 추구하고, 새로운 예술적 영감을 얻고자 한다. 물론 그곳에는 언제나 프로방스의 로제와인이 함께하고 있다.

코트다쥐르의 자연과 예술을 찾아

프랑스 남동부 해안의 코트다쥐르 지방은 와인보다는 세계적인 휴양도시로 유명하다. 해양 스포츠로 유명한 생-라파엘Saint-Raphael 항구 북쪽에 광범위하게 산재해 있는 코트 드 프로방스-프레쥐스Côtes-de-provence Fréjus 지역을 제외하고는 이탈리아-프랑스 국경까지 특별히 주목할 만한 와인 산지는 없다.
니스Nice 북쪽 근교의 가파른 언덕에 소규모 와이너리들이 발달해 있는 벨레Bellet 지역을 방문하였지만 이곳 역시 큰 감동을 주지는 못했다. 그것은 아마도 칸느Cannes, 니스, 모나코Monaco와 망통Menton 등 세계적인 관광지가 주는 강렬한 이미지 때문일지도 모른다. 그래서 나는 와이너리 방문 계획을 잠시 멈추고 생-라파엘, 니스와 모나코에 머물면서 코트다쥐르Côte d'Azur의 아름다운 풍광과 이곳에서 지냈던 불세출의 예술가들의 발자취를 따라 잠시 힐링의 시간을 갖기로 하였다.
먼저 니스에 있는 국립 샤갈 미술관에서 『구약성서』의 「창세기」와 「아가」를 주제로 한 유화와 스테인드글라스 작품들을 감상한 후 니스 동쪽 근교의, 한때 그리말디Grimaldi 공국의 방어용 성채였던 피카소 미술관에서 그의 여러 걸작들을 감상하였다.
미술관이 있는 앙티브Antibes는 지중해 일대에 세워진 고대 그리스의 식민지 도시 국가들 중 하나로 지금도 아름다운 풍광을 자랑한다. 1946년 피카소가 이곳에

피카소 미술관이 있는 12세기의 요새마을 앙티브.

마르크 샤갈 미술관 정원에 있는 오래된 올리브나무도 예술작품으로 보인다.

생폴드방스의 마을 입구에 있는 황금비둘기 카페.

현대미술관과 함께 있는 현대적인 건축물의 니스 도서관.(오른쪽)
이탈리아-프랑스 국경지역에 있는 레몬의 도시 망통에 있는 장 콕토 미술관.(왼쪽 위)
소설 『몽테크리스토 백작』과 『철가면』의 무대인 샤토 디프에서 바라본 코발트색 바다.(왼쪽 아래)

우리나라의 송이버섯과 비슷한 포르치니버섯. 이탈리의 대표적인 식재료다.(위)
칸소네의 메카 산레모의 거리 풍경.(아래)

서 활발하게 작품 활동을 하였다. 이번에 방문한 곳 중에서 나에게 가장 인상적인 곳은 니스 북서쪽의 자동차로 30분 거리에 있는 생폴드방스Saint-Paul-de-Vence라는 마을이었다. 중세 시대 언덕 위에 방어용으로 지어진 이 성곽마을은 미로처럼 얽혀 있는 좁은 석조골목에 아름다운 가게들이 빽빽이 들어서 있고 관광객이 넘쳐흐른다. 마을 자체가 하나의 박물관이다. 그러나 무엇보다도 이 마을이 좋았던 이유는 우리가 꿈꾸는 수많은 예술가들의 영혼과 삶의 흔적을 잠시나마 느낄 수 있어서였다. 우선 30년 동안 이곳에서 작품 활동을 하고 생을 마감했던 마르크 샤갈의 집과 무덤이 있고, 파블로 피카소, 호안 미로Joan Miró, 아메데오 모딜리아니Amedeo Modigliani 등도 이곳에서 그들의 예술혼을 불태웠다.

특히 노래 〈고엽Les Feuilles Mortes〉으로 유명한 프랑스의 배우이자 가수인 이브 몽탕Yves Montand이 오스카 여우주연상 수상자인 유명한 프랑스 배우 시몬느 시뇨레Simone Signoret와 이곳에서 만나 결혼하고 평생을 함께하였다. 당시 이러한 예술가들이 즐겨 찾고 교류를 나누었던 카페 '라 콜롱브 도르La Colombe d'Or(황금비둘기)'가 지금도 마을 어귀에서 성업 중이다. 카페 정원 입구에서는 우리나라의 올림픽공원에 있는 조각가 세자르 발다치니César Baldaccini의 조각 작품인 엄지손가락이 나를 환영하고 있었다.

망통에서 산레모로

몬테카를로Monte-Carlo에서 험준한 해안도로를 따라 꾸불꾸불한 고갯길을 넘어가면 레몬 축제로 유명한 국경도시 망통이 나온다. 이곳에는 장 콕토Jean Cocteau 미술관이 두 곳이나 있다. 장 콕토는 우리에게 시인으로 잘 알려져 있지만 소설가, 극작가, 영화감독이며 화가로도 유명하다. 한때 모나코 공국의 소유였던 항구-요새 건물을 복구하여 작업실로 사용했었는데, 그의 사후에 그곳을 미술관으로 개관하였다. 그곳에서는 〈지중해의 연인들〉의 연작을 보면서 그의 천재성을 엿볼 수 있었다. 망통의 또 다른 미술관은 장 콕토의 작품을 수집하는 수집가가 세운 '세베린 운더만 콜렉션Séverin Wunderman Collection'이다. 2011년에 개관한 이 미술관은 외관이 아름다운데, 앞에서 언급한바 있는 프랑스 건축가 루디 리치오티의 작품이다. 장 콕토의 작품을 감상하고 망통의 해안도로를 따라가니 이탈리아-프랑스 국경까지 1,000미터라는 이정표가 보였다.

그리고 35킬로미터를 더 달리면 산레모San Remo가 나온다. 학창시절 꿈꾸었던 산레모 가요 페스티벌을 생각하며 나는 망설임 없이 국경 터널을 통과하여 한 시간 만에 산레모에 도착했다. 산레모 가요 페스티벌이 열린 아리스톤Ariston 극장의 무대와 분장실을 구경하고, 역대 수상자들의 손바닥이 찍혀 있는 구시가지 골목도 구경하였다. 이렇게 작은 항구가 가요제 하나로 세계의 주목을 받고 있다는 것이 부러웠다. 현지인이 추천한 바닷가 레스토랑에서 한참 수확철인 포르치니 버섯과 갓 잡아온 생선으로 만든 요리에 알바Alba의 게뷔르츠트라미너Gewürztraminer 화이트와인을 곁들이며 색다른 여행의 즐거움을 만끽했다. 우리는 가끔 계획에서 일탈하는 자유 속에서 더 큰 행복을 찾는지도 모르겠다.

자연과 함께 살아 숨 쉬는 코르시카 와인

나폴레옹의 고향을 찾아서

내가 개인적으로 존경하는 사람은 어린 시절 위인전을 통해 본 나폴레옹 보나파

나폴레옹이 세례를 받은 아름다운 아작시오 대성당. 바로크 스타일로 아작시오를 대표하는 건축물이다.

내가 이용한 에어 코르시카의 쌍발 프로펠러 여객기가 니스를 출발해 코르시카의 나폴레옹 보나파르트 공항에 막 도착하였다.(위)
메종 보나파르트에 있는 나폴레옹 보나파르트의 초상화(왼쪽)와 내가 마신 뱅드프랑스급의 코르시카 와인.(아래)

르트였다. 성인이 되어 한때 문학에 심취한 이후로는 어니스트 헤밍웨이다. 두 사람은 와인과 관련하여 많은 어록을 남겼고, 실제로 와인 애호가로 알려져 있다. 공교롭게도 나폴레옹은 코르시카에서 태어났고, 헤밍웨이는 그의 자전적 소설 『파리는 언제나 축제A Moveable Feast』에서 "코르시카 와인은 물을 섞어도 여전히 코르시카 와인이다"라는 재미있는 언급을 한바 있다.

예전에는 남프랑스나 이탈리아를 여행할 때마다 가깝게 있는 미지의 땅 코르시카를 동경하고, 언젠가 코르시카의 와인과 나폴레옹의 고향을 찾아가고 싶은 마음으로 가슴 두근거렸다. 그 꿈이 온통 금작화가 섬 전체를 덮고 있는 6월에 현실이 되었다. 코르시카로 가는 길은 이탈리아의 토스카나Toscana나 프랑스의 코트다쥐르에서 페리선이나 비행기를 이용하는 것이 편리하다. 프랑스에서는 175킬로미터, 이탈리아에서는 80킬로미터 정도 떨어져 있을 정도로 가깝다. 나는 니스에서 에어 코르시카의 쌍발 프로펠러 비행기로 코르시카의 옛 수도이며 나폴레옹의 고향인 아작시오Ajaccio의 나폴레옹 보나파르트 공항으로 향하였다.

탑승 전 니스 공항에서 오랜만에 본 프로펠러 비행기가 신기하였고, 어쩐지 미지의 세계로 탐험을 가는 기분이었는데 실제로 하늘에서 본 코르시카 섬 전체가 험준한 산악지대였다. 불과 45분 만에 도착한 코르시카의 첫인상은 프랑스 남부와는 달리 모든 게 시골스러웠다. 서울에서 사전 예약을 하였는데도 공항에서 렌트카를 구하기 위해 한 시간 이상 뙤약볕에서 기다려야 했다. 코르시카에 대한 충분한 정보가 없어 먼저 아작시오 관광안내소에 들렀는데, 오랜 역사를 가지고 있는 구시가지는 도로가 너무 좁고 주차할 곳이 없었기에 부득이 불법주차까지 해가면서 지도와 자료를 겨우 구했다. 지중해에서 네 번째로 큰 섬인 코르시카는 우리나라 제주도 면적의 4.7배인 8,680제곱킬로미터이나 인구는 절반 수준인 33만 명에 불과하다. "이곳은 섬이라기보다 일종의 축소판 대륙이다"라

아작시오에서 가장 큰 규모의 와인 숍 메종 페레로.(위)
코르시카의 옛 수도이며 나폴레옹의 고향인 아작시오의 해변.(아래)

는 생각이 들었다. 지리적으로도 그렇지만 역사적인 측면에서도 고대 그리스의 도시국가 포카이아Phocaea로 시작하여 카르타고, 로마, 이탈리아의 피사 공화국과 제노바 공화국, 그리고 프랑스까지의 오랜 식민지 역사 때문에 다양한 민족과 문화가 공존하는 섬이다.

먼저 아작시오의 구시가지에 있는 나폴레옹의 기념관인 메종 보나파르드Maison Bonaparte(나폴레옹생가 박물관)을 찾았다. 1769년 8월 15일 이곳에서 태어난 저택에는 주로 가족들의 초상화와 가구들이 전시되어 있었다. 저택의 규모나 전시물을 보면서 매우 부유한 집이라고 생각했는데, 그럴 만도 한 것이 당시 보나파르트 가문은 와인을 생산하는 코르시카의 귀족이었다고 한다. 생가 근처에는 아작시오를 대표하는 바로크 스타일의 아름다운 대성당이 있는데, 나폴레옹은 이곳에서 세례를 받았다고 한다. 성당 옆 골목에는 많은 식당들이 성업 중이었는데, 그중 한 곳에 들러 점심을 하면서 난생 처음으로 코르시카의 화이트와인을 주문하여 마셨다. 비록 뱅드프랑스Vin de France급이었지만, 그 풍미가 지금까지 맛본 와인들과는 확연히 달랐다.

알제리의 독립이 부흥시킨 코르시카 와인

코르시카 와인의 역사는 기원전 7세기 포카이아의 식민지 시절에서 시작한다. 그때부터 포도가 재배되었다고 하니 프랑스의 본토보다 더 오랜 와인의 역사를 가지고 있는 셈이다. 본격적인 와인 생산은 중세 피사 공화국과 제노바 공화국의 식민지 시절이었고, 품질도 좋았다고 한다. 19세기 후반 코르시카 역시 다른 유럽 국가처럼 필록세라의 영향으로 와인산업이 황폐화되었지만, 프랑스의 식민지였던 알제리가 1962년에 독립하면서 그곳에서 활동하던 많은 와인 메이커들이 대거 코르시카로 이주하면서 부흥의 전기를 맞게 된다. 그러나 질보다

도멘 콩트 페랄디 와이너리의 포도밭. 모든 것을 자연에 맡긴 듯한 야생의 풍경이 인상적이다.

는 양을 추구함으로써 코르시카 와인은 남프랑스 와인과 함께 저질 와인으로 평가받았다. 1980년대 이후 EU와 프랑스 정부의 품질 개선 정책으로 포도 재배 면적 감축, 현대적인 와인 제조 기술과 장비의 도입을 통해 현재는 총 아홉 개 AOC 등급체계를 획득하였다. 코르시카 섬 전체에 광범위하게 산재해 있는 아홉 개의 AOC 지역 중 이번 여행 코스에서는 서부 해안의 중심에 위치한 아작시오, 섬의 북쪽 끝에 있는 코토 뒤 캅 코르스Coteaux du Cap Corse와 뮈스캬 뒤 캅 코르스Muscat du Cap Corse, 동부 해안의 남북으로 길게 뻗어 있는 뱅 드 코르스Vins de Corse, 바스티아Bastia 항구 서쪽의 웅장한 석회암 토양으로 이루어진 파트리모니오Patrimonio, 그리고 북서부에 있는 미항 칼비Calvi 지역을 방문하기로 하였다. 남부 지역에 산재해 있는 피가리Figari, 포르토 베키오Porto-Vecchio, 사르텐Sartene 등은 아쉽지만 일정상 다음 기회로 미루었다.

9개 AOC 중 뮈스캬 뒤 캅 코르스는 루시옹 지방의 디저트와인 뱅뒤나튀렐 스타일의 와인이다. 먼저 코르시카 와인 전부를 취급하는, 아작시오 시내에 있는 가장 큰 규모의 와인 숍인 메종 페레로Maison Ferrero에 들러 이번에 방문하지 못한 남부 피가리 지역의 대표적인 와인 클로 캬나넬리Clos Canarelli를 시음하고 와인도 구입하였다. 코르시카인 답지 않게 친절한 여주인은 한국인은 처음이라고 하면서 와인을 설명한 뒤, 산악지대의 도로가 좁고 험준하니 운전에 주의할 것을 당부했다. 그러면서 자기가 만들어 파는 빵도 덤으로 얹어주었다.

아작시오의 신생 와이너리 도멘 콩트 페랄디

아작시오 항구에서 이 지역의 대표 와이너리 중의 하나인 도멘 콩트 페랄디Domaine Comte Peraldi까지는 동쪽 내륙으로 불과 7킬로미터에 불과하다. 하지만 순식

도멘 콩트 페랄디 와이너리(위)와 포즈를 취하고 있는 오너 샤를로트 르모니에 여사.(아래)

간에 해발 300미터에 이르는 꼬불꼬불한 산악길을 달려야 했다. 와이너리에 도착하니 아버지 기 드 푸아Guy de Poix 사후에 공동 운영 중인 네 남매 중 맏이인 샤를로트 르모니에Charlotte Lemonnier 여사가 기다리고 있었다. 17세기부터 포도를 재배해왔던 이 와이너리는 1965년 루이 드 포Louis de Poix가 매입한 후 본격적으로 개발되어 1971년에 아작시오 AOC 등급을 획득하였다.

와이너리 이름은 전 소유주였던 페랄디 백작을 기념하여 작명하였다고 한다. 셀러 도어에서 총 여섯 종의 와인을 시음하였는데, 콩트 페랄디의 아이콘 제품인 100퍼센트 시아카렐로Sciacarello로 만든 퀴브 드 카디날 레드 Cuvée du Cardinal Red가 가장 인상적이었다. 약간의 황토색이 도는 루비 컬러에 붉은 베리와 이곳의 야생 관목인 마른 머틀myrtle(도금양), 스파이시하면서도 시나몬과 바닐라의 복합적인 향기가 데리케이트하고 우아하게 피어올랐다. 입안에서는 미네랄과 함께 신선함이 느껴지면서도 부드러운 타닌과 균형 잡힌 질감도 느껴졌다. 이전에는 경험해보지 못했던 복합적이고 농축된 야생의 풍미가 입안을 강하게 자극하였다.

어떤 사람은 시아카렐로를 '코르시카의 피노 누아'라고 하였지만, 나는 그것이 코르시카의 자연이 뿜어내는 독특한 향기라는 것을 코르시카를 떠날 때쯤 비로소 알게 되었다. 보통 2-3년 안에 마셔야 하는 코르시카의 일반적인 와인과는 달리, 이 와인은 15년 이상 숙성이 가능하다고 한다.

나는 이 와인을 매그넘으로 구입하여 오랫동안 나의 셀러에 보관하기로 하였다. 이 와인은 화강암 토양의 언덕에서 자란 만생종인 시아카렐로를 일일이 손으로 수확하여 테이블에서 잘 익은 포도 알갱이만을 일일이 골라 콘크리트통에서 발효시킨다. 약 10일 동안의 침용 과정을 끝내면 오크통에서 12개월간 숙성시키고, 또 6개월간 전통 방식에 따라 에어콕이 달린 유리통(불활성 용기Inert vessels)에서 안정화시킨 후 병입하여 출하한다고 하였다.

내가 시음했던 도멘 콩트 페랄디의 와인들.(위)
바스티아 언덕에 피어 있는 야생화들. 코르시카는 어디를 가나 야생화의 천국이다.(아래)

토착 품종인 베르멘티노Vermentino 100퍼센트로 만든 화이트와인 퀴브 클레망스Cuvée Clémence 역시 이곳에서만 맛볼 수 있는 특별한 풍미를 가지고 있었다. 밝은 레몬색, 흰 과일·사사나무·아카시아와 라임 향의 신선함에 아몬드·벌꿀·버터 맛이 혼합된 듯한 강렬한 풍미가 입안에서 오랫동안 지속되었다. 이렇게 개성 있는 와인의 풍미는 1차적으로 포도의 품종에서 나오는 축복이다.

코르시카를 대표하는 토착 품종인 시아카렐로의 원산지는 아직도 정확히 알려져 있지 않다. 하지만 이탈리아의 리구리아Regione 만에서 재배하던 폴레라 네르바Pollera nerva 품종이 코르시카, 특히 아작시오의 테루아에 맞아 토착화된 것이라고 한다. 이밖에도 코르시카에는 산지오베제Sangiovese를 이식한 것이라고 알려진 니엘루치오Nielluccciu와, 화이트와인용으로 이탈리아의 사르데냐Sardinia 섬에서 재배되고 있는 베르멘티노Vermentinu 등의 훌륭한 토착 품종을 가지고 있다.

숨을 멈추게 하는 자연과 야생화의 천국

아작시오에서 섬의 북동쪽인 코토 뒤 캅 코르스와 뱅 드 코르스 AOC 지역 사이에 있는 항구도시 바스티아에 가려면 기차나 자동차로 네 시간 동안 좁고 구불구불하고 험준한 T20번 산악도로를 달려야 한다. 그러나 차창 밖에 펼쳐진 숨 막힐 듯한 코르시카의 아름다운 자연을 마음껏 감상할 수 있는 최고의 드라이브 코스이기도 하다. 우선 코르시카에서는 어디서나 때 묻지 않은 원시의 자연을 만날 수 있다. 온 산을 뒤덮고 있는 노란 금작화뿐만 아니라 시스투스Cistus, 도금양과 백합 등 형형색색의 온갖 야생화와 지중해의 관목에서 뿜어져 나오는 그윽한 향기를 차 안에서도 느낄 수 있는 환상의 길이다.

나는 두 시간을 달려 한때 '코르시카 공화국Repubblica Corsa'의 수도였던 해발 500미

코르시카 독립의 상징인 코르트 마을.

아그리아트 사막에 핀 금작화가 사막같이 않
은 이국적인 풍경을 연출한다.(위)
남부 피카리 지역의 대표 와인 '클로 카나렐
리'(왼쪽)와 아작시오의 신생 와이너리 도멘
콩트 페랄디의 와인

터에 위치한 산악마을 코르트Corte에 들렀다. 코르시카 역사에서 단 14년(1755~1769) 동안 처음이자 마지막으로 독립의 영광을 누렸던 코르시카인들이 가장 존경한 인물은 누구일까? 그 인물은 코르시카가 낳은 세기의 영웅 나폴레옹이 아니라 위대한 독립투사 파스칼 파울리Pasquale Paoli라는 것을 현지에 와서 비로소 알게 되었다. 코르시카를 200년 이상 지배해왔던 제노바 공화국이 코르시카인들의 끈질긴 독립투쟁에 지친 나머지 1768년 프랑스의 루이 15세에게 200만 리라에 팔았고, 그 이후 몇 번의 전쟁으로 주인이 바뀌긴 하였으나 결국 프랑스의 영토가 되었다. 참으로 기구한 운명의 섬이며, 지금도 여전히 독립을 포기하지 않고 있다는 것은 현지를 여행하는 사람들은 누구나 쉽게 알 수 있다.
아직도 코르시카인들은 그들의 언어(일종의 이탈리아 방언)를 고집하고 있으며, 그들의 문화를 소중히 간직하고 있다. 내가 지금 달리고 있는 아작시오-바스티아 간의 왕복 2차선 산악도로도 1827년에 준공되었고, 철도는 1894년에 착공되었다고 한다. 코르시카 박물관을 거쳐 마을 뒤쪽의 언덕에 오르니 저 멀리 해발 2,706미터 높이의 거봉 친토Cinto산이 아직도 눈에 덮여 있었다. 코르시카에는 친토산 외에도 해발 2,000미터 이상인 산이 수십 개나 더 있으니, 이 섬의 자연과 지형이 얼마나 거친지 쉽게 짐작할 수 있으리라.

장엄한 석회암 포도밭 파트리모니오

코르트에서 북서쪽으로 산재해 있는 뱅 드 코르스 AOC에 속하는 폰테 레시아Ponte Leccia 지역을 지나 늦은 저녁에 바스티아에 도착하였다. 코르시카에서 두 번째로 큰 도시인 바스티아는 제노바풍의 컬러풀한 아름다운 항구도시다. 부두 남쪽 언덕에는 15~16세기에 제노바인들이 건설한 성채Citadelle가 있다. 그 안에 있

코르시카의 대표적인 와인 산지 파트리모니오 계곡. 붉은 화강암으로 이루어진 토양이 경이로운 풍경을 연출한다.

는 구베르뇌르 호텔Hôtel des Gouverneurs에 예약하였는데, 차량이 출입 할 수 없어 200미터 떨어진 공용주차장에 차를 세우고 걸어서 호텔로 가야 했다. 이 중세에 지어진 건물들에 대한 대대적인 복원 사업이 1980년대에 이루어졌는데, 복잡한 옛 석조골목길을 따라 친절한 현지인의 안내로 어렵게 찾아갔다. 그러나 호텔 방 안에 안내되어 창 밖에 펼쳐진 석양에 물든 바스티아의 아름다운 풍경을 바라보는 순간 모든 여독이 풀리면서 불편하지만 호텔을 잘 선택했다는 생각이 들었다. 나는 전망 좋은 호텔 테라스에 자리 잡고 호수같이 잔잔한 지중해의 평화로운 바다와 리구리아 해안을 닮은 포구를 바라보며, 뱅 드 코르스 와인과 함께 저녁과 아침을 즐겼다.

코르시카 자연의 경이로움은 와인마을 파트리모니오 밸리Patrimonio Valley의 장엄한 석회암 산 아래 펼쳐진 포도밭을 방문할 때 다시 한 번 절감할 수 있었다. 바스티아에서 산악도로인 D81번 도로를 따라 캅 코르스Cap Corse 반도를 서쪽으로 17킬로미터 횡단하면 코르시카에서 가장 인상적인 파트리모니오 와인 생산 지역을 만날 수 있다. 바스티아를 출발한 후 험준한 고개를 넘기 직전에 몽트 카나린쿠Monte Canarincu 주차장에 차를 세우고 남동쪽을 굽어보면 멀리 티르베니아Tyrrhenian해에 맞닿아 펼쳐진 아름다운 해안선과 그 사이에 무더기로 핀 야생화의 풍경을 덤으로 감상할 수 있다. 파트리모니오 밸리는 대부분 화강암 토양으로 이루어진 코르시카의 아홉 개 AOC 중 유일하게 백악질의 석회암과 점토로 구성된 토양을 가지고 있는 지역이다. 이곳은 코르시카에서 1968년 가장 먼저 AOC 등급을 획득한 곳으로, 포도 재배 면적은 약 500헥타르에 불과하다. 이 지역의 주 품종은 니엘루치오와 베르민티노인데, 레드와인은 니엘루치오를 90퍼센트 이상, 화이트와인은 베르멘티노를 75퍼센트 이상의 비율로 배합하여 만들어야 한다. 그밖에 그르나쉬, 시아카렐로 등을 배합한다. 100퍼센트 니엘루치오로 만든 모

코르시카 제2의 도시인 바스티아 항구의 아름다운 아침풍경.(위)
그림같이 아름다운 휴양지 루스섬의 풍경.(아래)

생-플로렁과 칼비 사이의 아그리아트 사막에 있는 거대한 석회암산이 그로테스크하다.
멀리 보이는 바다가 리구리아해다.

하 마이우 빠뜨리모니오Morta Maio Patrimonio 레드와인을 시음해보았는데, 루비 컬러에 붉은 과일, 꽃, 카시스, 허브의 복합적인 아로마 속에 젖은 흙과 미네랄의 촉감이 숨겨져 있었다. 전체적으로 아작시오의 시아카렐로 와인에 비해 좀 더 부드럽고 우아한 풍미다. 따라서 이곳 와인은 장기 숙성보다는 미디움 보디로 1~3년 안에 마시는 것이 좋다고 생각했다. 니엘루치오 포도가 비록 이탈리아의 토스카나 지역에서 옮겨 심은 산지오베제가 토착화된 품종이라고 하지만, 이탈리아 키안티Chianti 지역의 산지오베제와는 확연히 다른 스타일이었다. 그것은 어니스트 헤밍웨이가 그의 자전적 소설에서 언급한바와 같이 가장 코르시카적인 와인이기 때문일 것이다.

가장 이상적인 테루아 칼비

이름다운 미항이면서 지형적으로 가장 이상적인 포도 재배 지역인 칼비Calvi를 방문하기 위해서 요트와 휴양지로 유명한 생-플로렁Saint-Florent을 거쳐 D81번 도로를 따라 계속 서쪽으로 향했다. 아름다운 해안도로가 끝나니 어느새 지금까지와는 전혀 다른 거친 아그리아트Agriates 사막의 고원지대를 통과하게 되었다.

아직 침식 활동이 끝나지 않은 듯한 거대한 바위산 너머 아스라이 지중해의 푸른 물결이 보이고, 온통 야생화로 뒤덮인 사막의 산들이 사막처럼 느껴지지 않는 이국적인 풍경을 연출하였다. 사막도로가 끝나고 국도인 T30과 합류하여 다시 오른쪽으로 지중해를 끼고 휴양지인 루스Rousse 섬을 거쳐 두 시간 만에 목적지 칼비에 도착하였다.

칼비는 섬의 북서쪽 모서리에 위치한 전략적 요충지로, 제노바인들이 군사도시로 건설한 곳이다. 지금은 음식과 와인, 재즈 페스티벌로 유명한 아름다운 휴양

제노바풍의 아름다운 미항 칼비. 칼비 AOC 와인 생산지로 유명하다.(위)
거대한 칼비 성채 안에는 나폴레옹이 머물렀던 저택과 콜럼버스가 태어난 집이 있다.(아래)

지다. 코르시카에서 가장 아름다운 풍경이라고 하는 칼비 만을 조망하기 위해서 먼저 칼비 성채마을에 들렀다. 13세기에 착공하여 16세기에 완공된 이 거대한 성채의 위용은 칼비를 처음 방문하는 나를 강렬한 인상과 함께 압도하였다.

성채 안에는 총독관저는 물론 교회도 두 개나 있고, 레스토랑과 가게 들이 즐비하여 제노바의 좁은 구시가지 골목을 연상케 하였다. 나의 발길을 머무르게 한 특별한 곳은 크리스토퍼 콜럼버스Cristoforo Colombo가 1436년에 태어났다는 집과 나폴레옹이 1793년에 머물렀다는 저택이었다. 콜럼버스는 제노바 출신으로 공식 기록되어 있지만, 코르시카 사람들은 오래전부터 이곳 칼비 출신이라고 주장하고 있다. 콜럼버스의 아버지가 칼비의 어부였고, 당시 코르시카가 제노바의 식민지였음을 고려하면 일응 설득력이 있는 주장일지도 모른다고 생각했다.

성채의 망루에서 바라본 칼비의 포구는 어머니의 가슴처럼 포근하고 아름다웠다. 코르시카 와인 아홉 개 AOC 중의 하나인 칼비 와인은 가장 이상적인 테루아를 갖고 있다. 북쪽으로는 지중해 칼비 만의 해안이, 남쪽으로는 병풍처럼 둘려쳐 있는 높은 산맥이 있기 때문이다. 고원지대에서 눈이 녹아 칼비 만으로 흐르는 풍부한 지하수와 자연적인 배수, 그리고 3억 5,000만 년 전에 생성된 이산화규소, 칼륨, 마그네슘과 망간을 풍부하게 포함하고 있는 변성 화강암의 토양은 니엘루치우나 시아카렐로 등 이곳 토착 품종의 재배에 적합한 최적의 테루아라고 한다.

특히 남쪽에는 해발 1,937미터인 몬테그로소Montegrosso산과 2,032미터인 카포 단테Capo Dante산이 있고, 그로부터 바로 뒤쪽에는 코르시카에서 제일 높은, 눈 덮인 친토산이 버티고 있어 남쪽의 북아프리카 사막에서 지중해를 거쳐 불어오는 고온-다습한 시로코Sirocco 바람이 차단된다. 반대로 북서쪽의 남프랑스에서 불어오는 차고 건조한 미스트랄 바람의 영향으로 유기농이나 바이오다이나믹 농법으

코르시카는 대부분의 지역이 산악으로 이루어진 하나의 독립된 대륙이다. 해발 2,000미터가 넘는 산이 열 개가 넘는다.(위)
코르시카의 대부분은 산악으로 이루어져 있어 어디를 가든 아름다운 산악마을을 볼 수 있다.(아래)

로 포도를 재배할 수 있는 좋은 자연환경을 갖추고 있다.
시음해본 칼비의 와인 스타일은 전체적인 면에서 지리적으로는 석회암 토양인 파트리모니오와 가까우면서도 서해안의 아작시오 AOC의 와인 스타일과도 가깝다. 물론 아작시오 와인보다는 가벼운 미디엄 보디이지만 야성적인 풍미와 함께 우아한 텍스처를 동시에 가지고 있다. 레드와인의 경우 니엘루치오와 시아카렐로의 적절한 배합 덕분일 것이다. 즉 전자가 힘과 타닌, 색과 산도를 통해 다크체리와 말린 허브의 향을 강조한다면, 후자는 여기에 섬세함, 신선함, 바이올렛 향, 붉은 과일과 후추의 풍미를 더해준 것이리라. 그리고 칼비만이 가지고 있는 테루아와 와인을 만드는 이곳 사람들의 향기도 더해졌을 것이다.

코르시카를 떠나며

내가 처음 아작시오에 도착하였을 때 느꼈던 코르시카의 첫 인상은 황량함이었다. 그러나 짧은 여정이었지만 코르시카를 떠나는 순간 내 마음은 감동으로 충만하였다. 니스로 향하는 에어 코르시카의 프로펠러 비행기의 창문을 통해 점점 멀어져가는 코르시카를 보면서 무엇이 그토록 나를 감동시켰을까 생각해보았다. 이번 여행의 목적이었던 와인도, 낭만적인 중세의 성채나, 아름다운 건축물이 있는 관광지나 그림 같은 해안이 있는 휴양지도 아니었다. 그것은 때 묻지 않은 순수한 코르시카의 자연이 뿜어내는 아름다움이었다.
코르시카의 자연은 처음에는 황량하고 원시적이고 야성적으로 보였지만, 시간이 지나면서 그것이 오히려 순수한 지구의 원래 모습origin임을 깨달았다. 그리고 나는 문득 여러 가지로 제주도와 닮은 코르시카의 자연을 생각하면서, 지금처럼 제주도의 개발이 무분별하게 지속된다면 제주도는 과연 다음 세대에 무엇을 보여줄 수 있을까 하는 걱정이 앞섰다.

코르시카 섬 전체는 하나의 거대한 야생 정원이다.

스페인 국경도시 생장-피에-드-포르에 있는 '야곱의 문'.
유네스코에 등록된 세계문화유산이며 산티아고 순례길의 출입구이다.

South-West France

남서부(Southwest)

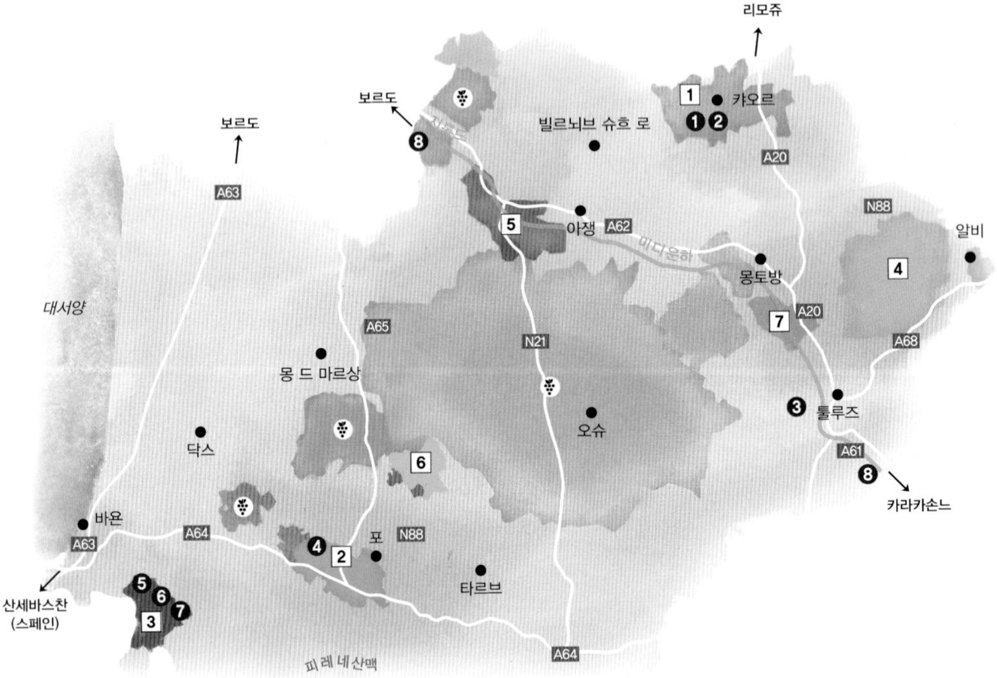

주요 와인 생산 지역

- 1 캬오르
- 2 쥐랑송
- 3 이룰레기
- 4 가이약
- 5 뷔제
- 6 마디랑
- 7 프롱통
- 기타 와인 생산 지역
- 미디 운하

주요 방문지

- ❶ 캬오르
- ❷ 클로 트리그디나
- ❸ 툴루즈
- ❹ 쥐랑송/강
- ❺ 생쟝-피에-드-포르
- ❻ 메종 브라나
- ❼ 야곱의 문
- ❽ 미디 운하

피레네 산맥 기슭의 남서부

블랙와인 말벡의 고향 '캬오르'

진정한 말벡Malbec의 고향인 캬오르Cahors, 스위트 와인으로 유명한 쥐랑송Jurançon, 피레네산맥 기슭의 산티아고 순례길Santiago de Compostela의 출발지인 생쟝-피에-드-포르Saint-Jean-Pied-de-Port가 있는 이룰레기Irouléguy까지, 일반인들에게 잘 알려지지 않은 프랑스 남서부의 와이너리를 찾았다.

먼저 파리의 샤를 드골 공항에서 루아르 계곡의 화이트와인 산지로 유명한 상세르Sancerre에서 1박을 하고 저녁 늦게 캬오르에 도착했다. 캬오르는 파리에서 남쪽으로 575킬로미터, 툴루즈Toulouse에서 북쪽으로 115킬로미터, 보르도에서 동쪽으로 235킬로미터에 위치한 로트Lot 주의 주도이다. 작은 도시이지만 고대 갈로-로만 시대와 중세의 유적이 많은 역사의 도시라서 관광객이 많이 찾는다.

나는 호텔에 여장을 풀고 해질 무렵에 캬오르의 상징인 발랑트레Valentré 다리를 산책했다. 14세기 중세에 세워진 방어용 다리지만, 아름다운 아치형 석조 구조물로 당대의 토목건축 기술이 압축된 예술품이다. 다리 주변 도로가에는 산티아고 순례길을 표시한 조가비 문양이 곳곳에 새겨져 있다. 그러나 캬오르는 무엇보다도 보르도를 통해 수출하던 '블랙와인Black Wine'으로 유명하다.

말벡의 고향 카오르의 상징인 발랑트레 다리의 저녁 풍경.
중세의 토목건축 기술이 압축된 예술품이다.

로트강가에 있는 중세 카오르 와인산업의 중심지였던 성곽 마을 퓌 – 레베크의 아름다운 모습.

유난히 짙은 붉은색의 껍질을 가진 말벡으로 전통적인 방식에 따라 만드는 이 와인은, 그 색깔과 깊은 풍미의 강렬한 스타일로 인해 일찍이 '블랙와인Black Wine' 이라고 불렸다. 로마인이 이곳을 지배하기 시작했던 기원전 1세기부터 말벡으로 만든 와인은, 중세에 이 지방의 경제 발전에 기여했다. 이곳에서 말벡은 코Cot, 오세루아Auxerrois, 심지어 카오르로 불리기도 했다. 그것은 이곳이 진정한 말벡의 고향임을 말해준다. 그러나 100년 전쟁과 19세기 후반에 유럽 대륙을 휩쓸었던 필록세라의 피해로 이곳의 모든 포도원과 와인산업은 철저하게 황폐화되어 캬오르의 블랙와인은 역사 속으로 사라진 듯하였다.

오늘날 일부 와인 애호가들조차 말벡이 아르헨티나의 포도 품종이라고 알고 있지만, 사실 아르헨티나의 말벡은 1852년 프랑스 농학자가 옮겨 심은 캬오르의 묘목의 자손들이다. 캬오르 와인 메이커들에게는 참으로 자존심 상하는 일이 아닐 수 없다.

말벡 묘목 재배 성공으로 부활의 신호탄을 쏘다

옛 영광을 되찾기 위해 캬오르의 와인 메이커들은 폐허가 된 옛 포도 농장에 토착 품종의 말벡을 다시 심었으나, 여전히 필록세라에 쉽게 감염되었다. 그후 필록세라에 강한 미국 포도나무로 대체했으나, 이번에는 품질 문제로 이곳의 와인산업은 다시 한 번 쇠락의 길을 걷게 된다. 이러한 침체기는 20세기 초까지도 계속되었다.

그러나 1940년대부터 캬오르 와인은 새로운 부활의 역사를 쓰게 된다. 우선 보르도에서 성공적으로 재배된바 있는 말벡 묘목을 다시 심고, 끊임없는 품질 개선을 통해 1971년 캬오르 AOC를 획득했고, 아르헨티나의 와인 메이커들과 전략적 협력 관계를 구축해 전 세계에 말벡 공동 마케팅을 펼친다. 특히 말벡의 메

순례자들의 숙소였던 클로 트리그디나의 역사적인 와이너리 건물. 한적한 시골 마을의 가정집처럼 소박하고 평화롭다.

카라 할 수 있는 캬오르 구 도심에 패션과 와인, 음식을 접목한 현대적인 말벡 라운지Malbec Lounge를 운영하는 것도 인상적이다.

말백의 부활을 꿈꾸는 '클로 트리그디나'

다음 날 아침 나는 캬오르 와인의 부활을 실천에 옮기고 있는 대표적인 와인 메이커인 클로 트리그디나Clos Triguedina 와이너리로 향했다. 캬오르 서쪽 근교 로트강이 흐르는 빌뇌브-쉬르-로트Villeneuve-sur-Lot에 있는 이 와이너리로 가는 도중 로트강을 통해 보르도로 와인을 수송했던 캬오르 와인산업의 중심지, 중세에 만들어진 성곽 마을 퓌-레베크Puy-l'Évêque를 만났다. 강물에 비친 풍경이 한 폭의 그림처럼 아름답고 평화로웠다.

1830년부터 8대째 이어온 클로 트리그디나 와이너리의 오너인 장 뤽 발데스Jean-Luc Baldes 씨가 일요일인데도 반갑게 맞아주었다. 한때 순례자들의 숙소였던 역사적인 와이너리 건물은, 비록 규모는 크지 않았지만 소박하면서도 왠지 마음의 평안을 주는 곳이었다.

먼저 100년의 수령을 자랑하는 오래된 말벡 포도나무가 있는 포도밭으로 자리를 옮겼다. 발데스 씨의 손이 들어갈 정도로 포도나무 속은 비어 있었는데도 여전히 건강한 포도송이가 달려 있었다. 필록세라로 황폐화된

이후에 다시 심은 1세대 나무로, 언제까지 좋은 포도가 열릴지 발데스 씨도 지켜보고 있다고 했다.

이곳의 포도밭은 크게 석회암으로 이루어진 코스Causses라는 고원지대와, 코스와 로트강 사이의 자갈과 모래, 흙으로 구성된 지역, 이 두 개의 테루아로 구분된다. 전자가 강한 타닌 성분을 지녔고, 오래 숙성할 수 있는 와인인 데 반해, 후자는 과일 향이 더 풍부하고 쉽게 마실 수 있는 와인이다.

전통적인 양조시설과 함께 이 지역 최초로 새 프렌치 오크통 숙성 실험을 통해 프로뷔스Probus라는 명품 와인을 탄생시킨 지하 셀러를 둘러보고 본격적인 시음에 들어갔다. 스위트 와인을 포함해 총 일곱 종류의 와인을 시음했는데, 그중 말벡 100퍼센트로 만든 카오르의 전통적인 블랙와인인 더 뉴 블랙와인The New Black Wine은 양조 과정이 특이했다. 손으로 일일이 수확한 포도를 오븐에 넣어 밤새도록 약한 열을 가해 건조시킨다. 이 과정에서 포도를 농축하면서 블랙와인 특유의 독특한 풍미가 만들어진다. 짙은 검붉은 빛깔의 마른 과일, 캔디의 향과 입안을 맴도는 복합적인 맛이 감동적이었는데, 이로써 블랙와인의 의미를 조금은 알 것 같았다. 20~30년 이상 숙성이 가능하다고 했다.

에어버스 380 취항식 축하주 '프로뷔스'

에어버스 380 취항식 축하주로 선정된바 있는 프로뷔스는 수령 50년 이상 된 나무에서 수확한 말벡 100퍼센트로 만든, 이 와이너리의 대표 브랜드이다. '프로뷔스'는 로마 제국의 황제 프로부스Probus의 이름에서 그 명칭을 가져왔다. 오늘날의 프랑스인 갈리아를 침공한 게르만족을 쳐부순 프로부스 황제는 전투가 없는 기간에는 병사들로 하여금 파괴되어 황폐해진 갈리아 일대에 직접 포도나

◀ 수령 100년이 넘은 말벡 포도나무. 손이 들어갈 정도로 속이 비어 있지만 여전히 건강한 포도송이가 달린다.

클로 트리그디나에서 시음했던 와인들. 왼쪽에서 두 번째가 '더 뉴 블랙와인'이고, 네 번째가 '프로뷔스'이다.(위) 캬오르 와인의 영광을 꿈꾸고 있는 클로 트리그디나의 오너 발데스 씨와 아들 장.(아래)

무를 심게 하는 등 오늘날 프랑스 와인이 있게 한 일등공신이었다.

이 지역에서는 새 프렌치 오크통에 18개월 동안 숙성시킨 와인으로는 최초인데, 강건하면서도 균형 잡힌 풍미가 오랫동안 지속되었다. 이 와인은 현재 남아메리카 노선을 운행하는 에어 프랑스 1등석에 제공되고 있다. 시음을 마친 후 나는 캬오르의 말벡과 아르헨티나의 멘도사 말벡Mendoza Malbec의 차이가 무엇이냐고 물었다. 대답은 이러했다.

"풍부한 일조량과 높은 온도로 인해 포도가 잘 익어 부드럽고 풍만한 맛을 낸 멘도사의 말벡에 비해, 캬오르 와인은 서늘한 기후로 포도가 천천히 익어 젊은 와인은 타닌이 지나치게 강하고 거친 맛이 납니다. 그러나 충분한 에이징aging(숙성)을 거치면 은은한 허브·침엽수·블랙체리 향에 강건하고 복합적인 풍미를 뿜어내는 전형적인 캬오르의 와인으로 변하지요. 그것은 바로 우리만이 가지고 있는 독특한 테루아를 표현하고 있기 때문입니다."

방문이 길어지자 초등학생인 귀여운 막내아들 '장Jean'이 나타났다. "9대째 후계자가 나타났네요"라고 농담했더니, 그는 웃으며 딸들이 양조에 더 관심이 많다고 말했다.

아직도 캬오르의 원조 말벡 와인은 이민에 성공한 아르헨티나 멘도사 와인의 위세를 꺾지 못하고 있는 듯 보인다. 그러나 옛 영광을 되찾으려는 그들의 노력이 계속되고 또 다음 세대로 이어진다면 언젠가는 이 지상에서 가장 강건한 블랙와인과 오리지널 말벡 와인이 다시 탄생할 수 있을 것이다. 그들의 영광이 재현되기를 기대하면서 발데스 씨가 선물로 준 프로뷔스 2005를 내 셀러에 좀 더 오랫동안 보관하기로 했다.

Le Sherpa
LOUER
Cigarette
EX
WNE PLAZA

'핑크 타운'으로 알려진 미디-피레네의 주도 툴루즈의 거리 풍경.

피레네산맥의 정기를 담은 쥐랑송 와인

부르봉 왕조의 탄생지, 쥐랑송

피레네Pyrenees산맥의 중턱에 위치한 스위트 와인 산지 쥐랑송과 바스크 스타일의 와인 산지인 이룰레기를 방문하기 위해 말벡의 고향 캬오르를 떠났다. 가는 도중 미디-피레네의 수도인 툴루즈에서 1박을 했다.

A380을 조립하는 에어버스 본사가 있는 이곳은 일찍이 갈로-로만 시대부터 지중해, 피레네산맥과 이베리아 반도를 방어하는 전략적 요충지로 발전했다. 전통과 현대가 공존하는 툴루즈는 풍부한 문화유산과, '핑크 타운' 혹은 '장미의 도시'라고 불릴 만큼 중세의 파스텔 시대에 지은 붉은 벽돌 건축물이 즐비한 도시다. 툴루즈의 명소 캬피톨Capitole 광장의 카페에 앉아 18세기에 완성된 아름다운 핑크색 시청사 건물을 보면서 파리와는 뭔가 다른 도시의 색깔, 스페인의 카탈루냐Catalunya에 가까운 그들만의 독특한 문화의 뿌리를 느낄 수 있었다.

툴루즈에서 쥐랑송 와인 산지의 중심 마을인 강Gan까지는 남서쪽으로 약 200킬로미터 거리이지만, 피레네산맥을 지나는 지방도로여서 두 시간 30분 이상이 소요되는 꽤 긴 여정이다. 쥐랑송 와인 협동조합은 마을 어귀의 앙리 4세 거리에 있었다. 왜 하필이면 이 작은 와인마을에 앙리 4세 거리가 조성되었을까?

본래 이 지역은 나바르Navarre 왕국의 왕이던 앙리 4세가 태어난 해인 1553년에 이곳 쥐랑송 와인을 미사주로 사용하여 유명해졌다. 그후 앙리 4세는 낭트칙령을 통해 신·구교도 간의 끝이 안 보이던 종교전쟁이던 위그노 전쟁을 종결하고 명실상부한 프랑스의 왕이 되어 부르봉 왕조 시대를 열었다. "하느님은 내 왕국의 모든 국민들이 일요일이면 닭고기를 먹길 원한다!"라고 한 그의 말에서 유래해 오늘날 닭은 프랑스에서 풍요의 상징이 되었다.

툴루즈 시민들은 휴일 오후에 거리에 나와 함께 춤을 춘다.(위) 툴루즈의 명소 캬피톨 광장에서 바라본 핑크색 시청사 건물.(아래)

개성 있는 스위트 와인으로 유명한 쥐랑송 와인 협동조합 와이너리 간판.

피레네산맥의 건조한 기후 덕분에 쥐랑송에서는 '파스리아주'라는 특별한 스위트 와인이 생산된다.(위)
쥐랑송 와인 협동조합의 와인들을 저장해놓은 지하 셀러가 예술적이다.(아래)

피레네의 스위트 와인

홍보 담당 마틸드 포Mathilde Pau 씨의 안내로 쥐랑송 와인 협동조합의 역사와 특별한 양조 과정을 자세히 알게 되었다. 쥐랑송 와인 협동조합은 제2차 세계대전 후 300여 포도 생산자들이 모여 구성되었으며, 오늘날의 쥐랑송 와인산업을 일으켜 세운 장본인이다.

쥐랑송 와인의 특징은 피레네산맥 특유의 기후와 이곳 테루아에 적합한 토착 품종에 있다. 일찍 수확한 그로 망상Gros Manseng 포도로 드라이 타입의 쥐랑송 섹Jurançon Sec을 만드는 데 반해, 껍질이 두꺼운 프티트 망상Petit Manseng을 늦게 수확하여 모엘뢰moelleux라는 스위트 와인을 만든다. 이곳 스위트 와인은 귀부병에 걸린 포도로 만든 다른 지역의 스위트 와인과는 달리 마치 건포도처럼 포도가 말라 쪼그라들 때까지(심지어 12월까지) 기다렸다가 수확해 만든다. 이것을 파스리아주Passerillage라고 부른다.

이 지역에서 파스리아주를 생산할 수 있는 이유는 스페인의 고원지대에서 불어오는 건조하고 따뜻한 바람과 늦가을까지 계속되는 충분한 일조량, 밤에는 온도가 내려가 당도와 산도가 농축되기 쉬운 천혜의 자연 조건 때문이다.

다양한 쥐랑송 와인을 시음해보니 공통적으로 약간의 초록빛을 띠며, 스위트하지만 산도가 높아 상큼함이 느껴졌다. 이 지방 최고 품질의 대표 와인인 에투알 데 네주Étoile des neiges 2010은 다소 가볍긴 하지만 보르도의 소테른에 버금가는 복합적인 풍미가 오래 지속되었다.

와인은 막걸리나 맥주처럼 '양조주'에 해당하지만, 그 제조 과정에 따라 크게 '일반Still', '알코올 강화Fortified', 그리고 '발포성Sparkling' 와인으로 구분한다. 이밖에 색깔에 따라 '레드red', '화이트white', '로제rose'와인으로, 단맛의 정도에 따라 '드라이dry', '미디엄medium', '스위트sweet' 와인으로, 용도에 따라 '식전주apéritif', '테이블

table', 그리고 '디저트desert' 와인으로 분류한다. 물론 이렇게 분류된 와인은 다시 포도 품종이나 제조 방법에 따라 더욱 세분화되기도 하지만, 스위트 와인은 주로 디저트 와인으로 사용한다.

바스크의 땅, 이룰레기

산티아고 순례길 '생쟝-피에-드-포르'

이룰레기 와인 산지의 중심도시인 생쟝-피에-드-포르Saint-Jean-Pied-de-Port는 쥐랑송의 강에서 남서쪽으로 약 100여 킬로미터 떨어진 스페인 접경지대에 있다. 스페인-프랑스 국경까지는 불과 8킬로미터 거리라, 9세기부터 시작된 산티아고 순례길의 출발지로 더 잘 알려져 있다.

피레네산맥 중턱의 가파른 경사지인 해발 200~400미터의 고원지대에 포도밭이 산재해 있다. 로마 시대의 가도였던 N134번 도로를 달리며 바라본 차창 밖 풍경은 방목된 소 떼와 양 떼들이 풀을 뜯는 초원 풍경과 어우러져 목가적인 아름다움을 연출했다. 멀리 피레네산맥의 준봉은 만년설로 뒤덮여 있어 이 지역이 더욱 청정하게 느껴졌다.

생쟝-피에-드-포르에 가까워지자 주변의 경관들이 지금까지와는 다른 느낌으로 변했다. 특히 건물의 창들이 유독 붉은 와인 색이었는데 전통적인 바스크 색이라고 했다. 이곳은 마치 알자스 지방처럼 중세부터 스페인과 프랑스 간의 영토 분쟁으로 주인이 여러 번 바뀌었으며, 양국 간의 치열한 공방전이 벌어졌던 성채는 지금은 학교와 관광지로 변해 있다. 성곽 마을 입구에 있는 '야고보의 문

산티아고 순례길의 출발지로 유명한 생장-피에-드-포르의 성채마을.
이룰레기 와인의 중심지이기도 하다.

메종 브라나의 오-드-비 증류시설. 서양배를 원료로 만든다.(위)
브라나 와이너리에서 내가 시음한 바스크 스타일의 와인들. 왼쪽에서 두 번째가 도멘 브라나 이룰레기 2009이다.(아래)

Porte de Saint-Jacque'은 유네스코에 등록된 세계문화유산이다. 현재는 프랑스 영토에 편입되었지만, 여전히 독자적인 바스크 문화를 유지하고 있으며, 주민들도 이를 자랑스럽게 생각하고 있다.

바스크의 페트뤼스 '메종 브라나'

나는 가장 전형적인 바스크 스타일의 와인을 생산하고 있는 이 지역의 대표적인 와인 메이커인 메종 브라나Maison Brana를 찾았다. 1897년 주류 판매상으로 출발한 브라나 가문은 현재 증류주인 오-드-비Eau-de-Vie와 와인을 직접 생산·판매하고 있다. 이룰레기 와인은 필록세라의 피해로 토착 품종들로 생산하던 와인들이 거의 사라지고, 프랑스에서는 유일하게 생산하고 있는 바스크 스타일의 와인만이 제2차 세계대전 전까지 겨우 명맥을 유지해왔다. AOC 체계도 1970년에 뒤늦게 획득했다.
오빠인 장 브라나Jean Brana와 함께 4대째 가문의 사업을 이어가고 있는 젊은 마르틴 브라나Martin Brana 여사가 나를 반갑게 맞아주었다. 서양배를 원료로 오-드-비를 생산하는 증류 시설을 둘러보고, 마을 인근에 있는 포도원으로 향했다. 해발 300~400미터에 위치한 포도원은 마치 포르투갈의 도루Douro 계곡처럼 급경사의 땅을 개간해 조성되어 있었다. 철분이 풍부한 트라이아스기Triassic period의 지층에 편암, 이회토, 점토로 이루어진 토양은 전형적인 피레네의 토양이다. 이곳에 토착 품종인 카베르네 프랑 악세리아Axeria를 자연친화적으로 재배하고, 수확도 일일이 수작업으로 한다고 했다.
와이너리에도 현대적인 양조시설을 도입하였고, 1991년에 건물도 나바르의 전통 건축 양식으로 지었다고 한다. 물론 여기에는 세계에서 가장 값비싼 와인 중

바스크 스타일의 명품 와인을 생산하는 메종 브라나 와이너리의 포도원 풍경.
목가적인 생장-피에-드-포르 마을 너머 피레네산맥이 보인다.

하나인 페트뤼스Petrus 와인을 개발한 전설적인 와인 메이커 장 클로드 베루에Jean Claude Berrouet 씨의 공헌이 컸다. 바스크 출신인 베루에 씨는 브라나 여사의 부친인 에티엔 브라나Etienne Brana와 학창 시절 친구 사이여서 직접 브라나 와인 개발에 참여했다. 이러한 투자와 각고의 노력 끝에 겨우 23헥타르의 작은 규모이지만 '바스크의 페트뤼스'라고 할 만한 명품 와인이 탄생하게 되었다.

와인 시음에는 브라나 와인을 직접 개발한 장과 어머니 아드리안Adrian 여사가 함께했다. 시음 와인 중 전형적인 바스크 스타일의 와인이라고 할 수 있는 도멘 브라나Domaine Brana 2009 레드와인의 레이블은 바스크를 상징하는 붉은 와인색에 바스크 문양이 들어가 있다. 토착 품종인 카베르네 프랑 60퍼센트, 카베르네 소비뇽 10퍼센트, 또 하나의 토착 품종인 타나 30퍼센트의 비율로 배합해 지나치게 인위적이고 복잡한 양조기술보다는 이곳의 테루아를 반영하는 정체성, 순수성, 정직성, 확실성을 추구한다는 철학을 가지고 만든다고 한다.

투명한 루비색, 붉은 베리의 색에 스파이시한 향기가 강하게 피어나지만, 적절한 구조감과 균형감이 어우러져 비단결처럼 부드럽고 우아한 풍미가 오랫동안 지속되었다. 내게는 세련미보다는 순수하고 야성적인 느낌으로 다가왔다. 시음이 끝나자 장은 한국을 포함한 아시아 시장에 진출하고 싶은데 어떤 전략이 필요하냐고 내게 물었다. 나는 브라나 와인이 가지고 있는 차별성, 즉 가장 바스크적인, 피레네의 자연과 그들의 문화를 반영하는 순수성과 야성을 강조하는 전략을 추천했다. 그리고 이른 시일에 그들의 명품 와인을 한국 시장에서 만나볼 수 있기를 희망한다는 인사말을 남겼다.

◀ 브라나 와이너리의 포도밭에서 익어가는 토착 품종 카베르네 프랑 악세리아.(위)
브라나 와이너리의 가족. 왼쪽부터 딸 마르틴, 어머니 아드리안, 아들 쟝이다.(아래)

루이 파스퇴르의 고향이며 쥐라 지방의 와인 생산 중심지인 아르부아의 풍경. 알프스산맥의 깊숙한 곳임을 느낄 수 있다.

Savoie – Jura

사부아(Savoie)

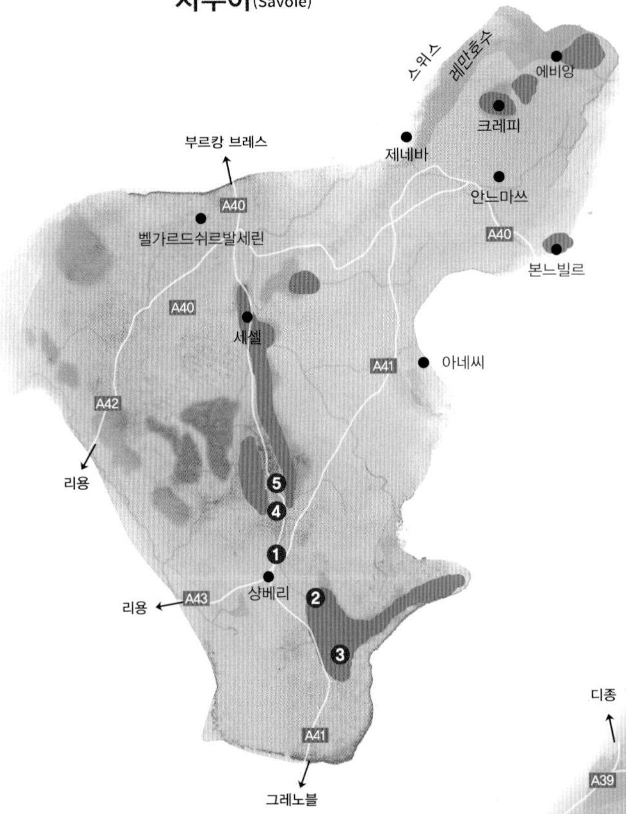

▮ 사부아 주요 와인 생산 지역

- 뱅 드 사부아
- 크레피
- 세셀

사부아 주요 방문지

❶ 샹베리
❷ 생탕드레호수
❸ 샹드르 마을
❹ 부르제호수
❺ 옹브르망 호텔

쥐라(Jura)

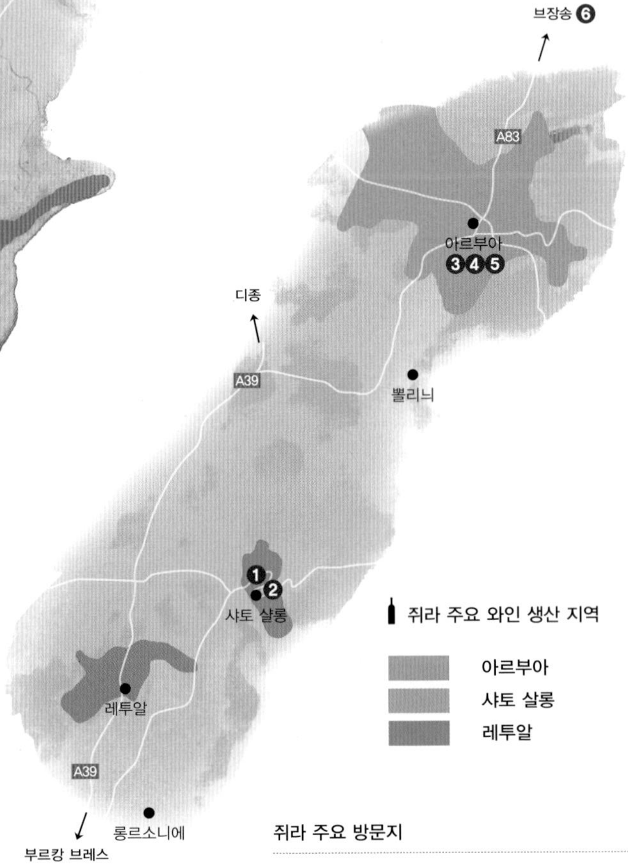

▮ 쥐라 주요 와인 생산 지역

- 아르부아
- 샤토 샬롱
- 레투알

쥐라 주요 방문지

❶ 샤토 샬롱
❷ 도멘 베르데-봉데
❸ 아르부아
❹ 파스퇴르 박물관
❺ 앙리 메르
❻ 브장송

프랑스 와인산업의 변방 사부아와 쥐라

와인과 음식의 천국 리용

프랑스 와인산업의 변방이라 할 수 있는 사부아Savoie 지역과 쥐라Jura 지역을 방문하기 전에 와인과 음식의 천국, 생텍쥐페리의 고향이자 빛의 축제와 유네스코에 등록된 세계문화유산으로 빛나는 리용Lyon에서 며칠을 묵었다. 리용은 부르고뉴의 남쪽, 론 계곡의 북쪽 끝자락에 위치해 있으며, 사부아 지역의 진입로이다. 프랑스에서 파리 다음으로 큰 제2의 도시권이며, 론 알프스 지방의 중심도시이다. 손Saône강과 론Rhône강의 합류 지역에 위치한 전략적 요충지로 기원전 43년에 율리우스 카이사르에 의해 갈리아의 요새로 건설되었으며, 이후 로마 제국 시대에는 속주의 수도 역할을 해왔다.

중세에는 이탈리아 상인들의 활동과 르네상스 시대의 비단 무역을 통해 경제 중심지가 되었다. 지금도 그때의 영광과 번영의 흔적이 손강과 푸르비에르Fourvière 언덕 사이에 있는 구시가지Vieux Lyon에 남아 있다.

르네상스 시대의 학교 건물을 개축해 만든 역사적인 라코 데 로지스La Cour des Loges Lyon 호텔에 여장을 풀었다. 좁은 방이어서 불편한 점이 많았지만, 살아있는 중세 건축물을 이해할 수 있는 좋은 기회였다.

리용의 손강변에 우리나라 최정화 작가의 작품이 설치되어 있다.(위)
리용의 랜드마크인 푸르비에르 성당. 19세기에 비잔틴 양식으로 건설된 이 성당은 리용을 한눈에 내려다볼 수 있는 언덕에 자리하고 있다.(아래)

해질 무렵 유네스코에 등록된 세계문화유산인 구시가지에 있는 12세기 건축물 생장Saint-Jean 대성당과 함께 아름다운 고딕 양식의 저택, 분홍색의 벽과 회랑으로 연결된 이탈리아 르네상스 양식이 즐비한 좁은 골목을 걸으니 마치 르네상스 시대 한복판에 있는 듯한 착각에 빠졌다.

다음 날 아침 푸르비에르 언덕으로 향했다. 기원전 1세기에 건설된, 3만 명을 수용할 수 있는 규모의 루그두눔Lugdunum 로마 대극장과 리용의 랜드마크라고 할 수 있는 19세기에 건설된 비잔틴 양식의 푸르비에르 성당을 방문하기 위해서다. 이곳 테라스에서 리용의 구시가지, 손강과 론강 사이에 있는 프레스킬Presqu'île 시가지, 론강 너머에 펼쳐진 도시의 장관을 한눈에 볼 수 있었는데, 왜 이곳이 로마 시대부터 전략적 요충지가 되었는지를 이로써 알 수 있었다.

알프스산맥의 와인 생산지, 사부아

리용을 떠나 A43번 고속도로를 타고 프랑스 와인의 변방 사부아의 수도 샹베리Chambéry로 향했다. 와인 대국 프랑스는 전국에 걸쳐서 다양한 스타일의 와인을 생산하지만, 사부아나 쥐라는 항상 '와인의 변방'으로 통한다. 특히 사부아 지방은 정치적으로 프랑스라기보다 오랫동안 독립된 사부아 공국이었으며, 지리적으로는 도저히 와인을 생산할 수 없을 것 같은 알프스산맥에 위치하고 있기 때문이다.

스위스와 이탈리아의 국경에 위치하고 있는 사부아는 알프스의 아름다운 자연환경과는 달리 알자스 지방처럼 파란만장한 역사를 가지고 있다. 고대 로마에 정복된 후 부르고뉴 공국의 영토가 되었다가, 11세기에 신성 로마 제국의 일원으로 움베르토Umberto 1세에 의해 사부아 공국으로 탄생했다. 이후 동쪽의 알프스를

푸르비에르 성당에서 바라본 리옹 시. 론강과 손강 연안에 위치한 프랑스의 제2의 도시다.

사부아의 부르제호수 동쪽에 있는 포도원. 자욱한 안개에 휩싸여 보일 듯 말 듯한 신비한 오른편의 바위산이 알프스산맥의 일부이다.

넘어 이탈리아의 피에몬테까지 진출했으나, 16~17세기에 프랑스에 점령당해 1792년에 합병되었다가 1815년 다시 독립했다.

1860년 프랑스 황제 나폴레옹 3세의 도움을 받아 사부아 가문이 이탈리아 중북부에 나라를 세우는 대가로 사부아는 니스와 함께 현재까지 프랑스의 영토가 되었다. 이탈리아 북부에 세워진 사부아 왕국은 이탈리아 통일 운동의 중심이 되어 이탈리아 왕국을 건국하였으나 1946년 군주제의 폐지로 역사의 뒤안길로 사라졌다.

사부아 지방은 아직도 프랑스와는 확연히 다른 로마·갈리아·게르만이 혼합된 독특한 문화가 살아있으며, 음식이나 생활 양식은 스위스에 가깝다. 주기州旗 역시 스위스 국기와 유사한데, 와인 레이블도 대부분 이 주기를 사용한다. 현재 일부에서이지만 프랑스로부터 분리 독립을 주장하는 운동이 계속되고 있다.

청정 자연낙원 속 황금빛 포도원

리용에서 80킬로미터 지점을 지나니 안개 속에서 뒬랭 Dullin 터널이 위용을 드러냈다. 알프스이다. 터널을 빠져나오자 청정한 애그블레트Aiguebelette 호수가 오른편에 펼쳐졌다. 시간을 절약하기 위해 먼저 사부아에서 포도 재배 면적이 가장 넓은 샹베리 남쪽의 아프레몽Apremont,

사부아 지방 샹베리 남쪽 근교에 있는 청정한 생탕드레호수와 가을 포도원 풍경.
평화로운 호수 너머 멀리 알프스의 연봉이 구름에 싸여 있다.

사부아 주의 주도인 샹베리의 골목 풍경이 아름답다.

아빔Abymes과 부르제Bourget호수 서쪽에 있는 종지외Jongieux 지역을 방문했다. 사부아의 와인 생산 지역은 넓은 면적에 비해 비교적 작은 2,000헥타르 규모이며, 생산량도 12만 5,000헥토리터에 불과하다. 또한 포도밭도 알프스산맥 아래 경사면에 여기저기 흩어져 있다.

겨울이 무척 추운 지방이지만, 호숫가나 알프스산맥 남쪽 경사지의 온화한 기후대를 중심으로 와이너리들이 발달되어 있으며, 생산량의 75퍼센트가 화이트와인이다. 레만 호수 남쪽 에비앙Évian 지역에 가까운 토농레뱅Thonon-les-Bains부터 샹베리 남쪽 그라니에Granier산과 동쪽 콩브 드 사부아Combe de Savoie 지역의 이제르Yser 강 유역까지, 뱅 드 사부아Vin de Savoie라는 품질 등급체계 아래에 열네 개의 생산 지역을 가지고 있다.

사부아 대표 품종으로 화이트와인용으로는 자케르Jacquère와 알테스Altesse가 있고, 레드와인용으로는 토착 품종인 몽되즈Mondeuse가 유명하다. 이 품종은 이탈리아 북동부 플리울리 베네치아 줄리아Friuli-Venzia Giulia 지방에서 재배되고 있는 플리울리 레포스코Friuli's Refosco(혹은 레포스코 달 페둔콜로 로쏘Refosco dal Peduncolo Rosso)라는 품종과 같다. 영국의 와인 전문가 잰시스 로빈슨은 사부아 가문이 이탈리아 북부에 나라를 세우면서 이 몽되즈를 '플리울리 레포스코'라는 이름으로 남겼다는 재미있는 일화를 소개한바 있다.

샹베리는 사부아 지방에서 가장 큰 도시로 사부아 주의 주도이다. 구시가지는 차량 출입이 통제되어 좁은 옛 골목을 따라 걸어서 구경하였다. 도시 전체가 붉은 벽돌색을 띠었는데, 그에 따른 옛스러움이 매력적이었다. 한때 알프스와 이탈리아의 북서부 지역까지 영향력을 행사했던 옛 사부아 공국의 수도였던 시절의 영광을 일부나마 엿볼 수 있다.

샹베리를 뒤로하고 남쪽으로 20킬로미터를 지나니 전형적인 알프스 지방의 풍

사부아 어디에든 알프스와 함께 이런 그림 같은 시골 마을이 있다.

경 속에, 그동안 사진으로만 봤던 아름다운 생탕드레Saint-André호수가 동화 속의 그림처럼 나타났다. 백조가 한가로이 노닐고 있는 맑은 호수를 둘러싸고서 나지막하게 펼쳐진 황금빛 포도원이 꿈결 같았다. 나는 그 순수한 자연을 온몸으로 느낄 수 있었다.

이런 청정한 자연 속에서 탄생한 와인은 과연 어떤 향기를 품어낼까 궁금했다. 실제로 사진을 촬영하기 위해 자케르 포도알을 살펴보니 지금까지 봐왔던 포도와는 달랐다. 선사 시대의 야생 포도가 아마도 이런 모습이 아니었을까?

호수를 지나 해발 1,933미터의 그라니에산 아래에 있는 샹드르Chamdre 마을로 향했다. 1248년에 발생한 그라니에산의 비극적인 산사태로 대부분이 파괴되었던 마을이다. 유명한 아빔 크뤼Abymes Crus는 바로 이 산사태로 쌓인 잡석 위에 재배한 자케르로 생산하는 특별한 와인이다.

샹드르 마을의 저녁노을에 붉게 물든 포도원을 뒤로하고 북쪽으로 약 30킬로미터를 달려 프랑스에서 가장 크고 깊은 부르제호수 근처 마을에 도착했다. 미슐랭 가이드에서 2스타를 받은 유명한 스타셰프 장-피에르 자콥Jean-Pierre Jacob 씨가 운영하는 호텔 옹브르망Ombremont에 여장을 풀었다. 이곳에서 저녁을 할 계획이었지만, 월요일에는 문을 닫아 호텔에서 추천한 레스토랑 르보리바주Le Beau Rivage에서 식사를 했다.

부르제호수에서 직접 잡아 올린 농어 그릴 요리에 아빔 와인 2012를 주문했다. 자케르 포도로 만든 이 화이트와인은 알프스의 뮈스카데처럼 가벼우면서 부드럽고 드라이하지만 맑고 톡 쏘면서도 백악질의 미네랄과 꽃과 과일 향이 배어나는 풍미가 다른 와인의 것과는 비교할 수 없는 독특한 개성을 품고서 다가왔다. 알프스의 날씨처럼 신선한 산도에 달콤한 유자와 모과 향이 우러나오는 이 와인은 이전에 경험하지 못한 전혀 다른 세계의 와인이었다. 그것은 아마도 야생의

마치 야생 포도처럼 보이는 사부아의 대표적인 화이트와인 품종인 자케르.(위) 사부아 지방의 대표적인 고급 화이트와인인 쉬그냥□베르제롱과 아빔. 레이블에 스위스 국기와 비슷한 주기가 표시되어 있다.(아래)

쥐라의 목가적인 포도밭 풍경.

낙원 알프스가 빚어낸 자연의 예술품이어서가 아닐까?

쥐라기 테루아를 품은 쥐라

쥐라 지방은 쥐라산맥 서쪽 고원에 위치한 산악지대이다. 프랑스 국토의 동쪽에 자리 잡고 있으며, 부르고뉴 지방과 스위스-프랑스 국경의 중간에 있다. 쥐라산맥은 알프스 서북부에 위치하며, 라인Rhin강과 론강을 나누는 분기점이다.
이 지역의 대표 와인 산지인 샤토 샬롱Château-Chalon과 아르부아Arbois를 방문하기 위해 사부아에서 북쪽으로 쥐라산맥을 관통하는 지방도로를 타고 쥐라의 주도 롱르소니에Lons-le-Saunier로 향했다. 차창 밖으로 펼쳐진 쥐라산맥의 모습은 지금까지와는 다르게 뭔가 생경한 느낌이었다.
쥐라산맥은 쥐라기 초·중·말기의 지층인 청색 석회암, 모래, 점토의 응결석과 백악질의 토양으로 구성되어 있다. '타이탄(그리스 신화에 등장하는 거인족)의 고속도로Highway of the Titans'라고들 부르는 A40번 고속도로가 관통하는 장대한 쥐라산맥의 협곡을 보니 이곳은 여전히 지구의 진화가 계속되고 있는 곳이라는 생각이 들었다.
'쥐라'라는 명칭은 쥐라기의 지질층을 보여주는 쥐라산맥과 고대에 이곳에 살았던 갈리아족 언어인 '주리아juria(숲)'에서 유래했다고 한다. 유래가 무엇이든 쥐라는 2억 년 동안 지구의 지질학적 시간의 척도와 진화를 보여주는 자연유산임이 틀림없다. 쥐라는 변방이지만 프랑스 역사에서 지워지지 않을 두 사람의 유명인을 배출했다. 롱르소니에 출신으로 프랑스 대혁명 때인 1792년 프랑스의 국가 〈라마르세예즈La Marseillaise〉를 작곡한 루제 드 릴Rouget de Lisle과 불세출의 미생물학자 루이 파스퇴르Louis Pasteur이다.

샤토 샬롱에 있는 유명한 도멘 베르데-봉데에서 시음한 와인들. 맨 왼쪽이 쥐라의 대표 와인 뱅 존이고, 맨 오른쪽이 스트로 와인인 뱅 드 파이유이다.(위) 샤토 샬롱 마을 입구의 안내판도 고풍스럽다.(아래)

포도 본연의 향을 뛰어넘는 풍미를 지닌 쥐라의 와인들

대부분 해발 250~500미터에 발달한 쥐라의 포도원은 쥐라기의 지층을 반영하여 백악질의 눈부신 석회암, 흑갈색과 청색을 띠는 특이한 화강암과 진흙으로 구성되어 있다. 기후는 대륙성 기후로 부르고뉴와 유사하나 대체로 온도가 낮으며, 특히 겨울이 매우 춥다. 그래서 포도가 더디게 익으며, 다른 지역과 달리 10월 하순에야 수확이 이루어진다.

서리 피해를 막기 위해 충분한 햇빛과 공기의 순환이 용이한 캐노피 형태의 기요 방식Guyot system으로 포도나무를 키운다. 이곳에서는 샤르도네, 피노 누아 외에 토착 품종인 사바냥Savagnin, 풀사르Poulsard, 트루소Trousseau가 유명하다. 쥐라 와인의 품질 등급체계는 전체 지역을 아우르는 코트 뒤 쥐라Côtes du Jura와 마을 명칭인 아르부아, 샤토 샬롱과 레투알L'Etoile이 있다.

노랑 와인 뱅 존

쥐라는 비록 총 면적 1,700헥타르에서 겨우 8만 헥토리터의 와인을 생산하고 있지만, 그들만의 전통 양조 방식과 스타일로 다양한 와인을 생산하는 곳으로 유명하다. 흔히 '노랑 와인Yellow Wine'이라고 불리는 뱅 존Vin Jaune, 이듬해 1월까지 짚이나 선반 위에 포도를 말려서 만든 스트로 와인Straw Wine인 뱅 드 파이유Vin de paille, 강화와인인 막뱅Macvin, 그리고 전통 방식으로 생산한 스파클링 와인 크레망Cremant이 대표적이다. 그중 쥐라를 대표하는 와인은 단연 뱅 존이다.

뱅 존은 이 지방의 토착 품종인 사바냥 100퍼센트로 만들며, 양조법은 셰리Sherry 와인과 매우 유사하다. 발효를 거친 와인은 228리터짜리 부르고뉴통에서 장장 6년간 숙성된다. 숙성하는 동안 표면에 흰 꽃 같은 '플로르flor'라는 효모막이 형

쥐라 지방의 주요 와인 생산 지역인 아르부아의 생 쥐스탱 교회의 종탑과 포도원. 이 지역은 루이 파스퇴르의 고향이다.

샤토 샬롱에 있는 와인 메이커 도멘 베르데□봉데 와이너리 입구.

성되어 독특한 풍미를 만들어낸다. 6년 숙성 동안 와인의 약 38퍼센트가 증발하는데, 이것을 와인 메이커들은 '천사의 몫La part des anges'이라고 한다.
뱅 존은 전통적으로 클라블랭clavelin이라 불리는 62센티리터(620밀리리터)의 병을 쓰는데, 아마도 증발 후 잔액이 62퍼센트라는 것을 나타내기 위함이 아닐까? 뱅 존은 50년 이상 보관할 수 있으며, 마실 때는 적어도 반나절 전에 미리 오픈해놓아야 한다.

샤토 샬롱 도멘 베르데 – 봉데

늦은 오후, 쥐라 최고 품질의 뱅 존을 생산하는 샤토 샬롱에 있는 도멘 베르데-봉데Domaine Berthet-Bondet를 찾았다. 12세기 수도원 유적지에 자리 잡은 아름다운 중세풍 마을 샤토 샬롱에 있는 이 와이너리는 16세기에 만들어진 고색창연한 건물과 셀러를 가지고 있다. 바쁜 수확기여서 남편을 대신해 농학자인 부인 샹탈 베르데-봉데Chantal Berthet-Bondet 여사가 값비싼 뱅 존 2006을 포함해 총 아홉 가지 와인을 시음할 수 있도록 해주었다.
일찍이 오스트리아 제국의 국무수상 클레멘스 폰 메테르니히Klemens von Metternich가 나폴레옹에게 세계 최고의 와인이라고 극찬했던 뱅 존의 황금 빛깔이 찬란했다. 신선한 야생의 포도 향과 함께 버섯과 견과류 향도 강하게 느껴지는 드라이한 맛이다. 그리고 그동안 경험하지 못한 미묘한 미네랄의 잔향이 입 속에 오랫동안 남아 있다.
이미 앞에서 언급하였듯이 세계의 와인은 크게 두 가지 스타일로 나눌 수 있다. 하나는 포도 품종 자체의 성격과 맛을 충실하게 표현하는 포도 와인이고, 다른 하나는 그 포도가 자란 토양의 성격을 함께 표현하는 테루아 와인이다. 어떤 와

쥐라 지방 최고 품질의 뱅 존 와인을 생산하는 샤토 샬롱의 마을 전경.
12세기에 수도원으로 건설되었다.

인이 더 좋은지는 전적으로 와인 애호가들의 몫이다. 나는 뱅 존을 음미하면서 포도가 가진 향기를 뛰어넘는 표현할 수 없는 풍미를 체감할 수 있었다. 아마도 그것이 쥐라기의 토양을 표현한 것이라면, 뱅 존은 억만 년 된 토양의 향기를 품은 테루아 와인이 분명하다고 생각했다.

파스퇴르의 고향 아르부아

좀 더 오래 머무르고 싶었지만 아쉬움을 간직한 채 고색창연한 와인마을 샤토 샬롱을 뒤로하고, 쥐라 지방의 유명 와인 생산지의 하나인 아르부아로 향했다. 차창 밖으로 펼쳐진 아름다운 산악마을과 포도밭이 어우러진 목가적인 풍경을 감상하면서 30여 분을 달리고 나니 웅장한 생 쥐스탱Saint Justin 교회의 종탑이 나타났다. 세균학의 아버지 루이 파스퇴르가 태어나고 성장한 고향 아르부아다.

호텔에 여장을 풀고 나서 곧바로 파스퇴르 박물관으로 향했다. 거울같이 맑은 물이 흐르는 퀴상스Cuisance강가에 있는 박물관은 파스퇴르가 고등학생 때 파리로 유학하기 전까지 유년시절을 보냈던 생가다.

아르부아에 있는 앙리 메르 와인 숍. 한때 파스퇴르가 소유했던 와이너리다.

MAISONS DES ILLUSTRES
LOUIS PASTEUR
SCIENTIFIQUE 1822-1895
LA MAISON
DE Louis Pasteur
03 84 66 11 72
Horaires des visites
Ouvert tous les jours
Départs des visites
à 9h45 et à 10h45
Toutes les heures
de 14h à 17h
Toutes les visites sont guidées
vignobles & découvertes

와인산업에 공헌한 미생물학자 파스퇴르

파스퇴르는 우유의 산화를 방지하기 위한 저온살균법 개발로 우리에게 더 잘 알려져 있지만, 양질의 현대 와인 생산을 가능케 한 사람이기도 하다. 모든 와인 애호가는 그에게 감사해야 한다. 그가 발효 이론을 정립하기 전까지만 해도 대부분의 와인 메이커들은 와인의 품질이 전적으로 신의 뜻에 달렸다고 믿었기 때문이다. 그는 "와인 한 병에는 인생의 철학이 들어 있다"고 이야기한 것으로도 유명하다. 그가 살았던 맨션이 현재 박물관으로 운영되고 있는데, 직원은 전혀 영어를 할 줄 모르고 영문 설명서 하나 없는 것이 못내 아쉬웠다.

파스퇴르는 그가 태어나고 성장한 아르부아 시 근교에 포도원을 소유했고, 그 포도원은 아직도 이 지역의 대표 와인 메이커인 앙리 메르Henri Maire에 의해 운영되고 있다.

옛부터 프랑슈-콩테Franche-Comté 지방의 쥐라는 부르고뉴의 자치지역이었다. 13세기 초부터 20세기까지 이곳 주민들은 대부분 알프스 산악지대의 방언인 프랑코프로방스어Franco-Provençal language인 '아르피탄Arpitan'을 사용하였으니, 이 지역이 얼마나 서유럽 문명으로부터 고립되었는지를 알 수 있다.

프랑스 대혁명 시기인 1790년에 프랑스의 주가 되었고, 나폴레옹이 몰락한 뒤의 유럽을 정리하기 위한 빈Wien 회의 이후 한때 스위스의 베른Bern 주에 통합되었다. 그후 독일어를 사용하는 베른 주와 프랑스어를 사용하는 쥐라 지방 간의 분쟁이 끊이지 않아 1978년 9월 24일 국민투표로 베른 주에서 분리, 1979년 프랑스의 쥐라 주(23번째)가 되었다.

저녁이 되어 호텔에서 추천해준 라 발랑스 메 에 뱅La Balance Mets et Vins이라는 토속 레스토랑으로 갔다. 거리에는 어둠이 깔리고, 어느덧 오래된 석조건물에서는 희

◀ 쥐라 지방의 주요 와인 산지인 아르부아 마을에는 있는 루이 파스퇴르 박물관. 생전에 파스퇴르가 살았던 집을 개조하여 만들었다.(위) 아르부아 레스토랑에서 주문한 이 지방의 토속 음식.(아래)

전략 요충지인 웅장한 '보방의 성'의 망루에서 바라본 브장송.

부장송에있는 빅토르 위고의 박물관. 이곳은 그의 고향이기도 하다.

미한 불빛이 새어나오고 있었다. 마치 중세의 마을을 걷고 있다는 착각 속에 찾아간 레스토랑도 거의 허물어질 것 같은 외관이었다. 그러나 문을 열고 들어서니 로맨틱한 내부 인테리어로 치장된 공간에 많은 손님들이 있었다. 나는 쌀을 주 재료로 하는 이곳의 토속 음식과 노랑 와인 다니엘 뒤구아Daniel Dugois 뱅 존 한 병을 주문하였다. 음식의 소스는 다소 강하게 느껴졌지만, 신토불이身土不二 와인과 함께하니 좋은 페어링이 되었다. 식사가 끝날 때쯤 바로 옆 테이블에 자리한 미국에서 왔다는 젊은 와인 수입업자가 인사를 하였다.

우리는 쥐라의 토양과 노랑 와인에 대한 이야기로 시간 가는 줄 모르고 밤늦게까지 즐거운 시간을 보냈다. 와인은 언제 어디서나 낯선 사람과도 금방 친해질 수 있는 좋은 소통의 도구이다. 다음 날 아침 루이 파스퇴르가 한때 소유했던 앙리메르의 와인 숍에서 시음을 마치고, 계획에 없던 브장송Besançon으로 향했다. 한때 스위스 영토였으며 정밀시계산업으로 유명하지만, 위대한 문호 빅토르 위고Victor Hugo의 고향이기도 하다. 또한 웅장한 '보방의 성Fortifications de Vauban'과 생장St. Jean 대성당이 있는 이 아름다운 도시를 이번 기회에 방문하지 않으면 생전에 다시볼 수 없을 것이라는 아쉬움 때문이었다.

찾아보기

ㅂ

와인 오디세이아

프랑스편

초판 1쇄 인쇄 2021년 6월 2일
초판 1쇄 발행 2021년 6월 10일

지은이 송점종
펴낸이 정해종

펴낸곳 ㈜파람북
출판등록 2018년 4월 30일 제2018－000126호
주소 서울특별시 마포구 토정로 222 한국출판컨텐츠센터 303호
전자우편 info@parambook.co.kr **인스타그램** @param.book
페이스북 www.facebook.com/parambook/ **네이버 포스트** m.post.naver.com/parambook
대표전화 (편집) 02－2038－2633 (마케팅) 070－4353－0561

ISBN 979-11-90052-58-0 14590
979-11-90052-57-3 (세트)
책값은 뒤표지에 있습니다.